KB206997

축구공 위의 수학자

축구공 위의 수학자

강석진 지음

문학동네

서문

내가 이 책을 쓴 것은 지난 1995년이다. 나는 그때 9년 동안의 미국 생활을 마치고 돌아와 서울대학교 수학과에서 조교수로 일하고 있었다. 지금도 고등과학원 수학부 교수로 재직하고 있는 걸 보면 내가 '직업 수학자'인 것은 분명하다. 그런 내가 이렇게 스포츠를 주제로 한 책을 냈으니 사람들이 매우 신기하고 의아하게 생각하는 것도 당연한 일이다. 그러나 나는 인생의 대부분의 교훈을 스포츠를 통해 얻었다고 주장할 만큼 스포츠를 좋아하는 사람이다. 특히 정정당당하고 아름다운 승부의 세계가 나에겐 이 세상 그 무엇보다도 매혹적이다.

이 책이 처음 나온 것이 1996년 2월이므로 모든 시점은 그때가 기준이다. 이번에 현재 시점을 기준으로 다시 쓰려고 했으나 그렇게 한다고 해도 얼마 안 가 그 시점 또한 과거가 돼버릴 것이므로 특별히 이상한 부분을 제외하고는 대부분의 내용을 그대로 두기로 했다. 그렇게 '특별히 이상한 부분'에는 현재 시점에서의 설명을 간단히 덧붙였다.

나는 이 책을 쓸 때 대부분의 내용을 순전히 기억에 의존했다. 그러다보니 몇 군데에 결정적인(?) 오류가 있었다(숭실대 장원재 교수가 그런 부분을 여러 군데 지적해주었다). 그중에서도 대표적인 것이 권투 선수 김태식이 안토니오 아벨라에게 무너지던 장면이다. 나는 그때 김태식이 챔피언이고 아벨라가 도전자인 줄 알았다. 그런데 장원재 교수의 지적을 받고 돌이켜 생각해보니 그때 김태식은 이미 LA에서 남아프리카 공화국의 피터 마테블라에게 판정으로 타이틀을 빼앗겨 무관으로 있었다. 그런데 이번에는 마테블라가 아벨라에게 타이틀을 빼앗기는 바람에 김태식이 아벨라에게 도전하게 된 것이었다. 이 책을 읽어보면 알겠지만 그 경기와 관련하여 『펀치 라인』의 김재천 취재부장님에 대한 감동적인 이야기가 나온다. 그 부분은 분명히 사실이다. 그런데 김태식이 아벨라와 경기를 가진 것은 1981년의 일이고, 내가 『펀치 라인』에서 아르바이트를 시작한 것은 1982년의 일이므로(내가 너무나 생생하게 기억하는 장면이지만) 어딘가 기억이 잘못된 것이 틀림없다. 아마 김 부장님께서 다른 경기에서 똑같은 짓을 저지르셔서 사장님께 혼이 나다가 김태식 이야기도 같이 나왔던 것 같다.

이것만이 아니다. 영화 〈셸부르의 우산〉에 대한 이야기에도 엄청난 실수가 많이 포함돼 있다. 나는 대학생 때 이 영화를 한 번 보고 너무나 감동을 받았었다. 그래서 그때의 기억을 되살려 (감히!) 생각나는 그대로 이 책에 옮겨놓았다. 그런데 나중에 다시 그 영화를 보니 너무나 엉뚱한 부분이 하나둘이 아니었다. 나는 '우산집 처녀'의 애인 이름이 '프랑수아'이고 그 둘 사이에서 난 아들 이름 역시 '프랑수아'인 줄 알았는데, 우산집 처녀의 애인 이름은 '기'였으며 둘 사이의 아이는 아들이 아니라 딸이었다. 그리고 그애의 이름은 바로 '프랑수아즈'였다

(그러니까 '하나둘' 이 아니라 '셋' 인가?).

이 밖에도 이 책에는 내 기억이 잘못된 부분이 또 있을지 모른다. 그러나 고의로 사실을 왜곡한 것이 아니라 별로 분명하지도 않은 기억을 너무나 믿었기 때문이라는 것을 너그러운 마음으로 이해해주기 바란다.

나는 이 책에 대해 깊은 애정을 느낀다. 특히 '축구공 위의 수학자' 라는 제목이 너무나 마음에 든다. 이 책은 내가 이 세상에 태어나 제일 처음 쓴 책이며, 어떤 의미에서는 나의 정체성을 확보해준 책이기도 하다. 나는 이 책에서 내가 우상처럼 숭배하는 '농구 천재' 허재를 매개로 하여 도전과 성취, 그리고 정정당당한 승부의 의미를 이야기하려고 했다. 각박하고 숨가쁜 이 세상을 살아가는 모든 사람들에게, 특히 멋진 도전을 꿈꾸는 젊은이들에게, 이 책이 조금이나마 용기와 격려가 되기를 기대한다.

| 차례 |

3부 도전하는 젊음을 위하여

1부 내 인생은 축구공 위에서 시작되었다

아버지와 아들

지난 95년 여름, 성균관대학교 문과대학 대강당에서는 내가 이 세상에서 가장 존경하는 우리 아버지의 정년 퇴임 기념 특별 강연이 있었다.

명강의로 소문나 있다는 말만 들었지 아버지의 강의를 듣는 것은 처음인 나는 기대 반 호기심 반으로 두근대는 가슴을 안고 강의가 시작되기를 기다렸다.

아직도 '먼지'를 '몬지'라고 하는 등 충청도 사투리투성이일 텐데 그런 국어학 강의가 어떻게 명강의 소리를 들을 수 있을까. 강의 도중에 "에헴" 하고 목청을 가다듬는 버릇은 몇 번이나 나올까. 머릿속에는 오만 가지 방정맞은 생각이 오락가락했고, 나는 주제넘게도 아버지가 정년 퇴임 특별 강연을 제대로 해낼 수 있을지 불안해서 안절부절못할 지경이었다.

드디어 언제나처럼 꾹 다문 입술에 양 눈꼬리가 위로 치켜올라간 무서운 표정의 아버지가 무대에 등장했다.

"오늘 같은 날은 표정 좀 부드럽게 푸세요, 나 참."

나는 도저히 어쩔 수 없는 아버지의 호랑이 표정을 한탄하며 자세를 고쳐 앉았다.

웃을 때에도 무서운 기색이 조금도 가시지 않는 아버지를 일컬어 제자들이 '사람의 마음을 참 편안하게 해주시는 분' 이라고 얘기할 때마다 나는 도무지 이해가 되지 않는다. 마음이 편안해지기는커녕 아버지의 목소리가 조금이라도 올라가는 기색이 보이면 혼비백산하여 머릿속이 깨끗하게 비어버리는 나로서는 그분들이 뭔가 대단한 착각을 하고 있는 걸로만 생각된다.

무대에 아버지가 등장하여 극도로 긴장한 나는 정신을 똑바로 차리고 반듯한 자세로 무대 정면을 응시했다. 드디어 강의가 시작되었다.

"내가 어떻게 하다가 보니까 45년이 넘도록 국어학 공부를 해오게 됐지만 내가 처음부터 국어학 공부를 하려고 했던 것은 아니유. 내가 정말로 되고 싶었던 것은 톨스토이는 저리 가라 하는 대문호!"

강연장엔 "와—" 하고 폭소가 터졌다.

"노벨상은 줘도 안 받고!!"

강연장은 완전한 폭소의 도가니로 변했다. 명불허전(名不虛傳). 아버지는 그 동안 집에서 보여주던 '충청도 촌티' 는 간데없이 정말 소문에 듣던 대로의 명강의를 펼쳐나갔다. 나는 때로는 진지하게 그리고 때로는 부드럽게 청중들을 유도하며 강의를 하는 아버지의 모습을 지켜보며 뚱딴지같이 앞으로 30여 년이 흐른 뒤 내가 정년 퇴임할 때는 어떤 이야기로 강연을 시작할까 하는 생각이 떠올라 혼자 실소를 금치 못했다.

나 같으면 과연 어떻게 시작할까?

"내가 어떻게 하다가 보니까 45년이 넘도록 수학 공부를 해오게 됐지만 내가 처음부터 수학 공부를 하려고 했던 것은 아닙니다. 내가 정말로 되고 싶었던 것은 펠레는 저리 가라 하는 위대한 축구 선수! 월드컵은 줘도 안 받고!!"

아마 이렇게 시작할 것이다. 아니, 노벨상 따위야 줘도 안 받겠지만 월드컵은 노벨상하고는 차원이 다른 것이니까 월드컵은 아마 사양하지 않고 받을지도 모른다.

나는 우리 학과(서울대학교 수학과)의 김명환 선생님과 함께 학과장 선생님도 인정한 '운동권 교수'이며, 몇몇 권위 있는(?) 의사 친구님에게서 '운동 중독증 환자'라는 진단도 받은 터이다. 그런 내가 노벨상보다 월드컵을 더 높이 평가하는 것은 그러므로 도덕적으로도 윤리적으로도 매우 정당한 일이다. 사실 노벨상이야 해마다 주지만 월드컵은 4년에 한 번씩만 기회가 돌아온다. 게다가 노벨상은 늙어 죽기 직전에도 받을 수 있지만 월드컵은 90분을 전력으로 질주할 수 있는 체력을 갖추고 있는 젊은 시절에만 받을 수 있는 것만 봐도 월드컵이 노벨상보다 얼마나 권위 있는 것인지는 금방 알 수 있다.

혹시 노벨상에 수학 분야가 없는 것이 배가 아파서 그런다고 오해하는 사람이 있을지도 모르겠기에 확실하게 밝히겠다. 노벨상에 수학상이 없는 것처럼 월드컵에도 수학상은 없다. 수학에는 월드컵처럼 4년에 한 번씩 주는 필즈상(Fields Medal)이라는 것이 있다. 만 40살이 넘으면 수상 자격이 없어지는 것하며 여러모로 월드컵과 비슷한, 따라서 월드컵에 버금가는 권위 있는 상이다. 그래도 나에게 혹시 선택권이 있다면(전혀 없는 줄은 잘 알지만) 나는 서슴없이 월드컵을 택하겠다.

축구 못하는 놈치고 공부 잘하는 놈 못 봤다!

지난 94년 여름, 9년 동안의 오랜(?) 이국 생활 후에 귀국하여 모교인 서울대학교 자연과학대학 수학과의 신참 조교수로 발령받았을 때, 나는 그야말로 내 세상을 만난 기분이었다.

그러나 내가 기뻐한 이유는 흔히 생각할 수 있는 것과는 다르다. 우리나라 최고의 대학인 '서울대학교' 수학과의 조교수가 되었다고 기뻐한 것이 아니기 때문이다. 조금 죄송스러운 표현이지만 기라성 같은 은사님들과 선배님들이 즐비한 수학과에서 나는 그분들의 빛에 가려지기만 할 뿐이고 층층시하 모셔야 할 분들만 많은데 무어 그리 내 세상 만난 것 같았겠는가? 나는 오히려 어떤 사람이 속한 직장에 순위를 매기고 그에 따라 인간을 평가하는 속물들을 경멸하는 편이다.

내가 그렇게까지 크게 기뻐했던 이유는 자연대 '수학과'에 부임한 것보다 '자연대' 수학과에 부임한 데 있었다. 대학 1학년 때부터의 꿈이 드디어 이루어졌기 때문이다. 자연대 축구부의 '지도교수'가 된 것이다. 사실 이 자리는 수학과 7년 선배이시며 자연대 축구부 선배이신 김명환 선생님께서 맡고 계시던 자리인데, 김명환 선생님께서 1년 동안 미국 오하이오 주립대학교에 객원교수로 가 계신 사이에 내가 귀국하여 그 자리를 차지한 것이다. 비유하여 말하자면 국왕이 해외 여러 나라를 순방하던 중에 심복 부하가 무혈 쿠데타로 집권한 것과 같다. 그러나 나는 이방원이나 수양대군처럼 누구를 쳐죽이면서 그 자리를 차지한 것도 아니고, 김명환 선생님께서 미국으로 떠나시면서 나에게 그 자리를 맡아달라고 부탁해서 '마지못해' 맡은 자리이니 그 권력의 정통성에는 아무 흠잡을 것이 없다. 물론 김명환 선생님께서 돌아오신 뒤에도 그 자리를 다시 돌려드리지 않고 계속해서 내가 맡고 있다는 것만은 이 자리에서 밝히겠다. 어떻게 차지한 자리인데 순순히 넘겨주겠는가.

호랑이 새끼를 키운 것을 한없이 후회하고 계시는 김명환 선생님은 내가 몇 년 후 어디 외국에 나가기만을 호시탐탐 노리고 계신다. 결국 일종의 신사협정이 맺어진 셈이다. 그러니까 처음에 내가 그 자리를 차지했던 것처럼 내가 외국에 나가 있는 동안 김명환 선생님께서 그 자리를 차지하여 신나게 지내고, 나는 다시 돌아와서 김명환 선생님께서 나가실 날만을 기다리고. 언뜻 생각하기에는 아주 공평해 보이지만, 그래서 김명환 선생님께는 이 사실을 말씀드리지 않았지만, 사실은 나에게 절대적으로 유리한 시스템이다.

실제로 어떻게 될지는 알 수 없지만 일단 다음과 같이 가정하자. 서울대학교에서는 교수들의 연구 분위기 진작을 위하여 5년에 한 번씩 교수들에게 안식년을 주어 1년 정도 외국에 나가 연구할 수 있게 한다. 김명환 선생님이 지난번에 외국에 나가셨던 것도 바로 이런 케이스였다. 따라서 94년에 부임한 나는 아직도 3, 4년을 기다려야 한다. 그 동안 김명환 선생님은 '총감독'으로서 실권은 없이 손가락만 빨다가 축구부 학생들과 함께 하는 회식 자리에서 술값을 '감독'인 나와 공동으로 부담하는 '영광'만 누릴 수 있다. 그러다 시간이 흘러 드디어 눈에 가시 같던 내가 외국으로 나가고 와신상담 기회만 노리던 김명환 선생님이 드디어 감독의 자리에 다시 취임한다고 치자. 그래도 환희의 순간은 잠시일 뿐, 1년 후엔 내가 돌아오고 그때쯤이면 다시 김명환 선생님이 안식년이 되어 울며 겨자 먹기로 외국에 연구하러 가셔야 한다. 수학에 재능이 없는 사람이라도 내가 대충 4 대 1 정도로 유리한 '불평등 조약'을 맺었음을 금방 알 수 있을 것이다.

물론 예상과는 달리 김명환 선생님이 축구부 감독의 자리를 내놓지 않기 위해 아예 안식년을 포기할 수도 있다. 과연 이런저런 잡일도 많고 부담도 많은 우리나라를 떠나 외국에서 앞서가는 최신 연구 동향을 호흡하며 재충전할 기회를 그렇게 쉽게 내던질 사람이 있을까? 그런데 불행하게도 김명환 선생님이 바로 감독직을 위해서라면 세상사에서 웬만큼 중요한 일쯤은 기꺼이 포기할 준비가 되어 있는 그런 분이시다. 그러나 그러한 면에서라면 나도 뒤질 것이 없는 사람이다. '눈에는 눈, 이에는 이'라는 말도 있지 않은가.

어쨌든 나는 꿈에도 그리던 자연대 축구부의 '감독'에 취임했고, 앞서 살펴본 바와 같이 장기 집권의 기반도 갖췄다. 나는 대학 시절부터 내가 다음에 자연대 축구부 지도교수가 되면 박종환 감독 스타일의 스파르타 훈련으로 후배들을 조련하여 강팀을 만들겠노라고 말하곤 했었다. 물론 농담 반 진담 반으로 한 말이지만 그러한 내 의도를 군이 감춘 적 또한 없다. 따라서 축구부 학생들을 처음 대면한 자리에서 "일단 축구부에 들어온 이상 축구를 잘하는 것이 대학 생활의 제1 목표가 되어야 하며, 축구 못하는 놈치고 공부 잘하는 놈 못 봤다"고 기염을 토한 것도 무리가 아니었다. 나는 심지어는 "축구만 잘하면 공부도 저절로 잘하게 되고, 예쁜 여자친구도 저절로 생긴다"고 막가는 발언도 서슴지 않는다. 물론 나라고 짱구가 아닌데 내가 한 말 그대로 공부는 하나도 하지 않고 축구만 열심히 하면 공부도 따라서 저절로 잘하게 된다고 믿고 말한 것은 아니다. 그리고 (그래도 명색이 대학생들인데) 그 말을 액면 그대로 믿을 바보도 없다.

내가 그 말을 통해서 학생들에게 전달하고 싶은 메시지는 사람이 자기 자신을 계발하고 발전시킬 수 있는 어떤 목표를 세우고, 그러한 목표를 땀 흘려 이루어보는 경험을 쌓는 것이 중요하다는 것이다. 축구부에 들어와서 자신의 축구 기량을 향상시키기 위해 노력을 해보고, 그것을 달성하는 과정에서 필연적으로 겪게 되는 좌절과 고통을 이겨내본 사람은 그 밖의 다른 어떤 일을 하더라도 훨씬 더 성숙하고 강인한 정신력을 지니게 될 터이기 때문이다.

세상을 살다보면 세상 일이 자기 뜻대로 되지 않는 것에 깊은 좌절을 느끼게 되는 경우가 많다. 운동 선수에 비유하자면 '슬럼프'가 찾아오는 것이다. 뭔가 아주 바쁘게 살긴 사는데 자신이 하는 일에는 아무런 진전도 없고 비전도 보이지 않고, 따라서 자꾸만 이렇게 사는 것이 지겨워지고 자신이 살아가는 방식에 회의를 느낄 때, 우리는 자신도 모르는 사이에 깊은 슬럼프에 빠져 있음을 알게 된다. 슬럼프가 무서운 이유는 자신이 슬럼프에 빠져 있다는 것을 느끼는 순간, 오히려 더욱더 깊은 수렁에 빠지게 되기 때문이다. 슬럼프는 자신감의 상실에서 오며, 또 그 상실을 부추긴다.

축구에서 가장 어려운 순간이 바로 골키퍼와 일대일로 맞붙는 노마크 찬스와 승부차기일 것이다. 모두가 자신이 골을 성공시키는 것이 당연한 일이라는 기대를 걸고 있을 때, 그 커다란 중압감을 이겨내고 마음의 평정을 잃지 않기란 쉽지 않다. 그러한 중압감을 이겨낼 수 있는 방법은 오로지 충분한 연습을 통해 자신감을 다지는 것밖에 없다.

지난 94년 서울대학교에서는 68년 5차원 이상의 포앙카레 가설을 해결한 공로로 필즈상을 수상한 캘리포니아 대학교 버클리 캠퍼스의 스티븐 스메일(Stephen Smale) 교수를 초청하여 '서남 기념 강좌' 를 가졌다. 강연이 끝나고 어느 기자가 아주 '기자다운' 질문을 던졌다.

"수학을 잘하려면 어떤 재능이 필요합니까?"

물론 수학적 재능이지 무슨 다른 답이 있겠는가. 그러면 무엇이 수학적 재능인가? 그건 한마디로 대답하기 어렵다. 수학적 재능에도 여러 가지 유형이 있고, 그렇게 유형을 나누다보면, 수학이 아닌 다른 분야에 재능이 있다는 것과 별로 다른 점을 발견할 수 없게 되기 때문이다. 그러니까 위와 같은 질문은 그저 기자들이나 하는 아주 기자다운 질문이다.

스메일의 대답은 "아무런 재능도 필요 없다"는 것이었다. 몹시 메마른 대답에 김이 새버린 기자들에게 스메일은 다음과 같은 말을 덧붙였다.

"무슨 일이든지 노력이 필요합니다. 재능만 가지고 이룰 수 있는 일은 없습니다. 그러나 한 가지 중요하다고 생각하는 것은 어느 상황에서든지 자기 자신의 능력에 대한 자신감을 잃지 않는 일입니다."

기자들에게 얼마나 유용한 대답이 되었는지는 모르지만, 나는 이 말처럼 운동 선수에게 중요한 말은 없다고 생각한다. 운동 선수나 순수 수학을 연구하는 사람이나 공리가 같으므로 이 말은 바로 수학을 연구하는 사람이면 누구나 명심해야 할 태도일 것이다. 사람은 누구나 슬럼프에 빠질 때가 있다. 슬럼프는 또한 실제로 매우 무서운 것이다. 그러나 어떠한 경우에도 우리는 자신의 능력에 대한 믿음을 버려서는 안 될 것이다. 그리고 그러한 믿음을 잃지 않는 유일한 방법은 꾸준한 훈련, 그것밖에는 없다. 그래서 나는 오늘도 자연대 축구부 학생들에게 목청 높여 떠든다.

"축구 못하는 놈치고 공부 잘하는 놈 못 봤다."

---

* 나는 2001년 6월 30일 서울대학교 수학과를 떠나 지금은 홍릉에 있는 고등과학원 수학부 교수로 재직하고 있다. 따라서 김명환 선생님과 맺었던 교묘하고 지능적인 '신사협정' 도 아무 소용 없게 되었다. 지금은 김명환 선생님께서 자연대 축구부의 3대 권력(지도교수, 총감독, 감독)을 모두 장악하고 계시다. 그러나 지금도 자연대 축구부 학생들은 나를 부를 때 '감독님' 이라고 불러야 한다.

농구는 신동파, 축구는 이회택

언제부터 나는 그렇게 운동을 좋아하게 되었을까?

나는 초등학교에 입학하기 전까지 내 고향 충남 아산시 도고면 기곡리 139번지에서 할머니 손에 길러졌다. 그때까지 나는 운동에는 전혀 소질이 없는 겁이 많고 소심한 아이였다. 내 또래의 아이들이 이미 시냇가에서 미역을 감고, 외발썰매를 타고, 팽이치기를 하고, 하늘 높이 연을 날릴 때, 나는 그중에서 어느 한 가지도 잘하지 못했다. 아니, 잘하기는커녕 무엇 하나 제대로 할 줄 모르던 바보 같은 아이였다. 냇물에 들어갔다 하면 어김없이 맥주병처럼 꼬르륵대다가 물 속에서 허우적거렸고, 내가 만들어 날리려는 연은 언제나 땅 위로 곤두박질치곤 했다. 팽이를 줄에 감아 던져도 그냥 떼굴떼굴 굴러버릴 뿐 다른 아이들의 팽이처럼 멋있게 돌지를 않았고, 외발썰매를 탔다 하면 논바닥 얼음 위에 뒹굴어서 별수 없이 편안한 두발썰매로 만족하며 동무들이 씽씽 달리는 모양을 물끄러미 바라보고만 있어야 했다.

할머니 품안에서 누렸던 어린 왕자가 부럽지 않게 호사스러운 생활을 청산하고 호랑이보다 더 무서운 아버지 밑에서 '조련' 을 받으러 서울에 올라와 초등학교에 입학한 뒤에도 내 신세는 그리 달라지지 않았다. 유난히 겁이 많고 소심했던 나는 가끔 외마디소리를 지르며 친구들과 싸우기는 했어도 아이들이 공을 차며 뛰어 노는 데는 잘 어울리지 못했다. 게다가 우리 집안에는 책벌레들은 많아도 운동 선수는 보이질 않았다. 나중에 할아버지가 숭실전문 축구 선수였다는 '전설' 을 듣고 내가 얼마나 기뻐했는지 모른다.

내가 운동을 처음으로 접한 것은 초등학교 2학년 11월, 할머니의 환갑 때였다. 할아버지가 워낙 일찍 돌아가셨기 때문에 우리 집안에서 환갑 잔치를 한 것이 아마 우리 할머니가 백여 년 만에 처음이었을 것이다. 우리 집안의 최고 어른이신 할머니의 환갑을 맞아 우리 형제들은 당연히 학교를 빠지고 고향에 내려가서 할머니의 환갑을 축하해드렸다.

할머니의 환갑 잔치가 끝나고, 아버지, 어머니는 뒷정리를 하느라 하루 늦게 올라오시고 아이들은 아버지의 조교 한 분이 와서 지키고 있던 서울 집에 돌아왔다. 그 동안 숨 한 번 제대로 쉬지 못하고 살다가 '호랑이' 가 없으니까 기가 살아난 나는 늦게까지 잠자리에 들지 않고 무언가 재미있는 일을 찾아 어슬렁거리며 돌아다녔다. 집에 있던 다른 사람들은 모두 이미 깊이 잠이 들었는데, 조교 아저씨 혼자서 밤이 늦었는데도 라디오에서 나오는 시끄러운 소리에 열중해 있었다.

"아저씨, 그게 뭐예요?"

"농구다, 농구."

나는 그때까지 농구가 무엇인지도 몰랐지만 꼬치꼬치 캐묻기 시작했다.

"우리나라에서 누가 농구를 제일 잘하는데요?"

"신동파."

"축구는요?"

"이회택."

그날 밤 방콕에서 열린 제5회 아시아 농구 선수권 대회 마지막 날, 우승을 놓고 필리핀과 결전을 벌이고 있던 경기를 조교 아저씨와 함께 라디오 중계로 들으며 나는 수없는 질문을 해댔고, 중계 방송에 열중해 있던 아저씨는 단답형으로 짧게 대답해주었지만, "95대 86, 95대 86. 네이—, 감격의 우승입니다—" 하며 열광하던 아나운서의 목소리와 함께 "농구는 신동파, 축구는 이회택"이라는 명제는 그 뒤로도 내 기억에서 떠나질 않았다. 그리고 그 '운명의 순간' 이후 나는 조금씩조금씩 운동의 묘미에 빠져들기 시작했다.

펠레와 처음 만난 날

1970년 경술년은 나에겐 여러모로 중요한 의미를 갖는 해였다

우선 나는 새해마다 1970년이라는 숫자와 함께 '경술년' 이니 하는 이름을 따로 붙인다는 것을 그해 설날에 처음 알았다. 그리고 그해 1월 16일 오후 우리 아버지와 어머니는 무정하게도(?) 어린 자식들을 작은아버지와 작은어머니, 그리고 아직 미혼이던 고모 세 분에게 맡겨두고 훌쩍 대만으로 공부하러 떠나셨다. 우리집의 보물 큰누나의 생일(1월 17일)도 차려주지 않고 그냥 떠나버린 믿을 수 없는 '만행' 이었다. 졸지에 고아 아닌 고아 꼴이 되어버린 나는 그때부터 학교를 오갈 때마다 길거리에 있는 돌멩이를 차고 다니기 시작했다.

2월에는 집 앞 언덕에서 굴러서 머리를 세 바늘 꿰매는 '중상' 을 입었다. 부상으로 점철된 내 인생의 서막이었다. 그러나 나는 그때 머리통이 깨져 '머릿속의 더러운 피' 를 밖으로 배출한 덕분에 내 머리가 좋아진 것이라는 '주술적 믿음' 을 갖게 되었다. 그리고 그 믿음은 5학

년이 되어 천주교 세례를 받으면서 '주술적 믿음'을 '종교적 주술'로 대치할 때까지 지속되었다.

내가 그러한 주술적 믿음을 갖게 된 데는 그럴 만한 까닭이 있다. 바로 새학기가 시작되어 3학년이 된 직후에 일어난 사건이다. 내가 덜컥 반장으로 뽑힌 것이다. 철이 있든 없든 같은 반 아이들의 투표로 선출하는 반장 선거에서 나는 1, 2학년 때는 한 번도 반장을 해보지 못했다. 그도 그럴 것이 나는 뭐 하나 잘하는 것이 없었던 것이다. 그런데 그렇게 별볼일 없는 아이인 내가 웬일인지 3학년이 되자마자 무려 68표를 얻는 이변을 연출하며 반장이 되고 말았다(반장은 꿈도 꾸지 못했던 나는 물론 나 아닌 다른 예쁜 여학생을 찍었다).

그 당시는 한 반에 85명 정도가 정원이었으니까, 나를 제외한 남학생 전원이 나에게 투표했다고 해도 그들의 표는 아무리 많이 잡아도(남학생 45명, 여학생 40명) 44표밖에 되지 않는다. 그러니까 적어도 24명이라는 '어마어마한' 숫자의 여학생들이 '나에게' 표를 던진 것이다! 이건 정말 대단한 '사건'이었다. 이제부터는 이도 잘 닦아야 하고 학교에서 집에 돌아가면 발을 닦는 것은 물론 세수할 때 목도 닦아야 하는 것이다. 24명이 넘는 여학생이 나를 지켜볼 것이 아닌가.

이렇게 집안에서 '호랑이'가 사라진 것과 동시에 머리통이 깨져 '더러운 피'를 뽑아낸 일은 그 뒤로 나에게 여러 가지 행운을 가져다 주었다.

그러나 무엇보다도 1970년이 내 인생에서 중요한 해로 남은 이유는 나에게 축구라는 운동이 운명처럼 다가온 해라는 데 있다.

1970년은 제9회 월드컵이 멕시코에서 열린 해이다. 펠레, 토스탕, 자일징요, 리벨리노 등 초호화 멤버를 자랑하던 브라질은 멕시코 월드컵 결승전에서 이탈리아를 4대 1로 꺾고 세번째로 세계 정상에 등극하면서 줄리메컵을 영구히 차지하는 영광을 누렸다.

TV가 있는 집은 상당히 잘사는 집으로 여겨지던 당시, TV에서 월드컵 경기를 볼 기회도 거의 없었고, 펠레라는 사람이 축구를 잘한다는 것 정도만 알고 있던 초등학교 3학년인 내가 멕시코 월드컵에 대한 생생한 기억이 있을 리 만무하다. 그러나 혜화동 고모할머님 댁에서 TV로 본 결승전 장면만은 기억에 생생하다. 펠레가 하늘 높이 솟구쳐 올라 헤딩 선취골을 기록하던 장면, 이탈리아의 보닌세냐가 상대방의 수비 실수를 틈타 동점골을 터뜨리고 두 팔을 벌리며 환호하던 장면, 자일징요가 이탈리아 수비진을 헤치고 귀신 같은 드리블 솜씨를 보여주던 장면, 그리고 해일처럼 밀려드는 브라질의 공격을 막아내던 이탈리아의 골키퍼 알베르토시가 파란 잔디 위에서 공을 꼭 껴안고 쓰러져 있던 장면 등은 어린 내 마음에 영화처럼 생생하게 각인되었다.

그리고 그 뒤로 나는 이상하게도 이탈리아의 파란 유니폼의 팬이 되었다. 브라질의 막강한 위용에 감동한 대부분의 우리나라 축구팬들이 축구하면 브라질을 떠올리며 열광할 때 나는 오히려 4대 1로 대패한 이탈리아팀에 심정적으로 가까워짐을 느꼈고, 펠레, 토스탕, 자일징요 등의 태풍처럼 밀려드는 공격을 막아내려 고군분투하던 자신토 파케티를 좋아하게 되었다.

이회택 '澤'자, 차범근 '範'자

이렇게 축구의 신비함에 빠져들기 시작한 나에게 결정적인 순간이 닥쳐왔다. 1970년 여름 말레이시아의 수도 쿠알라룸푸르에서 제14회 메르데카컵 쟁탈 아시아 축구 대회가 열린 것이다. 그 이전까지 우리나라는 아시아의 축구 강국답게 세 번이나 우승을 차지했지만 모두 공동 우승이었을 뿐 단독 우승을 차지한 적은 한 번도 없었다. 사상 최초의 단독 우승을 노리며 말레이시아에 도착한 우리나라 국가 대표팀 1진인 청룡팀은 이회택, 이세연, 정병탁, 박이천, 정강지, 김호, 김정남 등 지금도 그 이름만 들어도 가슴이 뛰는 쟁쟁한 선수들로 구성되어 있었다.

시골 우리집에서 여름 방학을 보내던 나는 매일 밤 "고국에 계신 동포 여러분 안녕하십니까? 여기는 말레이시아의 수도 쿠알라룸푸르입니다"로 시작되는 라디오 중계를 두근거리는 마음으로 기다렸다. 예선 첫 경기부터 0대 0 무승부를 기록하며 부진한 모습을 보이던 청룡

팀은 시간이 흐르면서 페이스를 회복하여 2승 3무의 전적으로 4강 토너먼트에 진출, 장신의 인도와 준결승에서 격돌했다. 전반전에서 우세한 경기를 펼치면서도 오히려 두 골을 허용, 2대 0으로 뒤진 채 전반전을 마친 우리나라 팀은 후반 들어서서 맹공을 펼쳐 세 골을 뽑아내며 3대 2로 극적인 역전승을 거두었다. 특히 이회택이 볼과 함께 골인하는 멋진(보지도 못하고 듣기만 한 거지만) 헤딩 결승골을 집어넣은 것은 두고두고 기억에 남는 장면(?)이었다. 결국 우리나라는 결승전에서도 이회택의 결승골로 버마를 1대 0으로 꺾고 사상 최초로 단독 우승을 차지하는 쾌거를 이룩했다.

나는 우리나라의 경기가 있는 날마다 밤늦게까지 라디오 중계 방송을 들으며 일희일비했고, 다음날에는 경향신문을 읽으며 전날 밤의 흥분을 반추하곤 했다. 물론 초등학교 3학년이던 내가 한자투성이의 신문기사 내용을 알 리가 없었다. 그러나 나는 친구 두 분과 같이 여름방학을 보내던 막내고모를 귀찮게 굴며 한자를 배웠다. 그 결과 메르데카 대회가 시작할 무렵엔 '韓國' 밖에 모르던 내가 대회가 끝난 뒤에는 축구 기사만큼은 큰 무리 없이 읽을 수 있을 정도로 한자 실력이 늘었다. 모두 막내고모를 귀찮게 군 것과 축구 선수 이름을 열심히 왼 결과였다.

숙제하기는 몹시 싫어하던 게으른 학생이었지만 한자 공부는 너무나 재미있게 했다. 시골 수리조합 둑 앞 시원한 밤나무 그늘 아래 돗자리를 펴고 앉아 경향신문을 가져다놓고 이회택 '澤' 자, 이세연 '淵' 자, 김호 '浩' 자 등 열심히 축구 선수들의 이름을 익혔다. 나중에 알고 보니 차범근 '範' 자가 모범 운전사의 '범' 자와 같은 것이고 이회택 '會' 자가 정상회담의 '회' 자와 같은 것이 밝혀지는 등 그때부터 축구 선수 이름을 비롯한 스포츠 기사를 읽으면서 익힌 한자가 지금 내가 알고 있는 한자의 거의 대부분을 차지하고 있다. 그뿐인가. '敗北'이 '패북'이 아니라 '패배'라는 것. '門前殺到'가 '문전살도'가 아니라 '문전쇄도'라는 것, 星港이 싱가포르라는 것, 印尼가 인도네시아라는 것 등 무수한 '고급 지식'이 당시의 '축구 공부'를 통하여 내가 알아낸 것들이다.

'축구 공부'를 하다가 잠깐 지치면 할머니가 '공부하면서' 먹으라고 가져다주신 참외와 수박을 먹으며 서울로 가는 기차를 물끄러미 바라보곤 했다.

"골키퍼 1번 李世淵, 라이트 풀백 8번 朴炳柱, 레프트 풀백 6번 崔在模, 라이트 하프 2번 徐允贊, 센터 하프 4번 金正男, 레프트 하프 3번 金浩……"

참매미가 뜨겁게 울던 밤나무 그늘 아래서 우리나라 베스트 일레븐의 한자를 외우던 그 어린 시절이, 지난여름 세상을 떠난 할머니에 대한 기억과 함께 지금도 가슴이 사무치게 그리워진다.

내 축구공의 비밀

이렇게 한자의 벽을 넘어 신문을 읽을 수 있게 되자 축구의 맛이 더욱 그윽하게 되었다. 그리고 축구 기사 옆에 있는 농구나 야구, 권투 등 모든 스포츠에 관한 기사가 재미있어졌다. 나는 매일같이 신문의 스포츠 면을 탐독하며 승부의 세계에서 일어나는 여러 가지 드라마의 짜릿한 감동을 만끽했다.

그러던 터에 이번에는 포르투갈의 벤피카팀이 내한을 했다. '검은 표범' 에우세비오가 온 것이다.

1966년 런던 월드컵에 아시아 대표로 출전한 북한은 예선 리그 마지막 게임에서 박두익의 결승골로 이탈리아를 1대 0으로 꺾는 대회 최대의 이변을 연출하며 아시아 대표로는 최초로 준준결승전에 진출, 에우세비오가 이끄는 포르투갈과 대결하였다. 포르투갈은 예선에서 에우세비오의 두 골을 포함, '축구황제' 펠레가 포진한 브라질을 3대 1로 꺾은 강팀이었다. 북한팀은 활기차고 투지 넘치는 플레이로 포르투갈을 몰아붙여 전반 시작 20분 만에 세 골을 뽑아내며 포르투갈팀의 혼을 빼놓았다. 그러나 3대 0의 리드를 지키기에는 북한팀의 국제경기 경험이 너무 부족했다. 그리고 포르투갈에는 '검은 표범' 에우세비오가 있었다. 에우세비오는 전반에 두 골, 후반에 두 골 등 도합 네 골을 북한팀 골 네트에 꽂아넣어 포르투갈은 북한에 5대 3의 기적적인 대역전승을 거두고 준결승전에 진출했다. 비록 준결승전에서 잉글랜드에게 2대 1로 패하여 4강에 머무르고 말았지만 에우세비오는 66년 월드컵이 낳은 최고의 선수 가운데 하나였다.

70년이 시작되면서 '머릿속의 더러운 피'를 뽑아낸 나는 이젠 TV를 가지고 있는 친구 집에 놀러 가서 축구 경기를 지켜볼 만큼 머리가 좋아져서 벤피카팀의 내한 경기를 생생하게 볼 수 있었다. 벤피카팀은 내한 1차전에서 국가 대표 2진인 백호팀과 대결, 무려 5대 0이라는 어마어마한 스코어 차이로 백호팀을 대파했다. 에우세비오는 40여 미터 거리에서 대포알 같은 강슛을 성공시키고 바이시클킥을 선보이는 등 환상적인 플레이를 보여줘서 우리나라 팬들에게 깊은 인상을 심어주었다. 벤피카팀의 2차전 상대인 국가 대표 1진 청룡팀은 이회택의 선취골로 앞서나가며 선전을 펼쳤지만, 벤피카의 후반 맹공에 페널티킥을 허용, 그 페널티킥을 에우세비오가 침착하게 성공시킴으로써 경기는 1대 1로 끝났다. 그러나 에우세비오의 환상적인 플레이와 센터포워드 이회택, 골키퍼 이세연의 분전은 그때부터 내 생활을 송두리째 바꿔놓았다.

메르데카컵 대회가 끝난 후 나의 하루는 축구로 시작해서 축구로 끝나게 되었다. 그리고 벤피카팀이 떠난 뒤에는 아예 이름도 '강 에우세비오' 로 바꾸고 살았다. 그러니까 대만에 계신 부모님께 편지를 쓸 때엔 꼭 '강 에우세비오 올림' 이라고 써서 영문을 모르는 부모님이 아들이 갑자기 바뀐 줄로 알고 놀라게 했다는 얘기다.

아침에 일어나면 일찌감치 학교로 간다. 공부를 하려고 일찍 가는 건 물론 아니다. 첫 시간 수업이 시작하기 전에 운동장에서 아이들과 축구를 하기 위해서이다. 아침부터 신나게 축구를 하다가 아쉽게도 첫 시간을 알리는 종이 울리면 그때부터 점심 시간이 오기만을 기다렸다. 점심 시간이 되기 전에 이미 도시락을 까먹고 점심 시간을 알리는 종이 울리는 순간 쏜살같이 뛰쳐나가 다시 축구를 한다. 점심 시간 40분이 지나면 오후 시간을 보내는 건 그리 어렵지 않다. 한두 시간만 참으면 다시 운동장에서 축구를 할 수 있으니까.

학교 수업이 모두 끝난 후엔 책가방으로 골대를 만들고 축구를 한다. 아쉽게도 진짜 골대가 없는 형편에서는 그 방법이 최고다. 물론 판정 시비가 그치질 않는다. 크로스바가 없는 골대이니 골키퍼가 뛰어도 손이 닿지 않을 만큼 높이 날아간 공은 골인이 아니라는 규정을 만들고 시합을 시작하지만 일단 골키퍼가 손을 뻗으면 닿을 것만 같은 비슷한 높이로 책가방 사이를 통과한 슈팅에 대해서는 너무 높다 아니다 언쟁이 벌어지고 때로는 주먹다짐까지 일어나는 것이다. 그래도 신발주머니와 돌멩이로 만든 골대보다는 훨씬 현대적인 골대이니 크게 불만이 있을 수 없다. 해가 어둑어둑해질 때까지 운동장에서 공을 차다가 아이들이 하나둘 집으로 돌아가면 나도 아쉬운 마음으로 집으로 향한다. 집에 와서는 신문의 스포츠 난을 탐독하며 다음날이 빨리 밝기만을 기다렸다.

밥 먹을 때도 잠을 잘 때도 학교 수업 시간에도 내 머릿속은 온통 축구 생각으로만 가득 차 있었다. 일요일이 되면 하루 종일 축구를 할 수 있으니 더욱 좋다. 나는 아침 일찍 집을 나서서 학교엘 갔다. 축구를 하기 위해서다. 하루 종일 점심도 거르고 축구를 하다보면 나중엔 제대로 걸을 힘도 남지 않지만 하루에 열두 골도 더 넣는 재미에 피곤한 줄을 몰랐다.

그런데 '일요 축구'에는 커다란 문제가 있었다. 평일과는 달리 운동장에서 축구하는 아이들이 적을 뿐 아니라 내가 아는 아이들이 거의 없는 것이다. 나는 그럴 때면 운동장 구석에 있는 그네에 걸터앉아 축구하는 아이들을 하염없이 바라보며 끈질기게 기다렸다. 성격이 '누구'를 닮았는지 내가 먼저 가서 "나도 축구를 할 줄 아니까 나도 좀 같이 하자"는 말은 죽어도 못하고, 그저 축구하는 아이들 중 하나가 그네에 걸터앉아 있는 나에게로 와서 "우리 한 명이 모자라는데 너도 같이 할래?" 따위의 '스카웃 제의'를 할 때까지 한 시간이고 두 시간이고 그저 기다리고만 있었다.

그러다가 너무나 좋은 생각이 떠올랐다. 지금은 내가 남들에게 나도 좀 붙여달라고 해야 하는 처지이지만, 내가 축구공이 있다면 남들이 나에게 와서 자기들을 붙여달라고 할 것이 아닌가. 그러니까 축구공만 있으면 내가 '구단주'가 되어 선수를 선택할 수 있게 되는 것이다. 이렇게 간단한 원리를 뒤늦게 깨달은 나는(그래도 이게 다 머리에서 '더러운 피'를 뽑아낸 덕분이다) 즉시 축구공을 살 궁리를 시작했다.

살림을 맡고 있는 셋째고모에게 축구공 하나만 사달라고 해볼까? 그건 실현 불가능한 일이다. 부모님이 대만에 계셔서 그야말로 얼마 안 되는 수입으로 근근이 살아가는 터에 우리 집안의 12대 장손인 내가 그런 이기적인 일로 돈을 낭비할 수는 없다. 신문 배달을 하여 돈을 좀 벌면 안 될까? 그건 3학년인 나에게는 너무 힘든 일로 보였고, 또 신문 배달을 하게 되면 축구할 시간이 없어지니까 축구공은 사나마나가 된다. 그러면 어떻게 해야 축구공 살 돈을 마련할 수 있을까?

혹시 길에 떨어진 돈이라도 없나 하는 심정으로 궁리에 궁리를 거듭하던 내게 너무나 좋은 생각이 섬광처럼 떠올랐다. 그 당시에는 초등학교에서 급식을 실시하고 있었다. 그때 한 달 급식비가 500원. 그 돈이면 3학년 정도가 차기에 적당한, 비닐 섞인 합성수지 축구공 하나쯤은 살 수 있었다. 그러니까 고모가 매월 초에 주는 급식비를 빼돌려 그걸로 축구공을 사면 만사형통이다. 물론 한 달 동안 점심을 굶을 각오는 해야 한다. 그렇지만 '구단주' 가 되는 길이 있는데 한 달쯤 점심을 굶는 정도의 어려움이야 이겨내야 하지 않겠는가.

나는 다음달 초가 되어 급식비를 받자마자 즉시 축구공을 하나 샀다. 물론 나는 졸지에 3학년 축구계의 핵심 인사가 되었으며 더이상 그네에 앉아서 청승을 떨 필요가 없게 되었다. 한 달 동안 점심을 굶는다는 것이 그렇게 힘든지는 그때 처음 알았지만, 점심 시간이 되자마자 축구하러 달려나가면 다른 아이들 점심 먹는 꼴을 안 봐도 되니까 괜찮았다. 학교 수업이 끝나고 해가 어둑어둑해질 때까지 공을 차고 나면 배에서는 나도 모르게 꼬르륵 소리가 났다. 지친 몸을 이끌고 학교 주변에 널려 있는 '맛있는 불량 식품' 들 옆을 지나노라면 침이 저절로 넘어갔지만, 그때는 돌멩이 몇 개를 주머니에 넣고 툭툭 차면서 허기를 잊으려고 애썼다.

집에서는 축구공을 끌어안고 잠자리에 들었다. 방 안이 모래천지라고 누나들한테 야단을 맞아도 내가 점심을 굶어가며 산, 나를 구단주로 만들어준 '내 축구공' 에 대한 사랑은 어쩔 수가 없었다.

문제는 전혀 예상치 못했던 곳에서 터졌다. 앞으로 닷새만 더 점심을 굶으면 다시 점심을 먹을 수 있게 되었을 때쯤 우리 반 담임 선생님이 동생 반에 가서 그 반 담임 선생님과 점심 식사를 하시다가 형인 나는 점심을 굶는데 내 동생 석화는 당당하게 점심을 먹고 있는 것을 보신 것이다. 쌍둥이 형제가 형은 점심을 굶고 동생은 점심을 먹는 사태를 의아하게 여기신 우리 선생님이 석화에게 네 형은 왜 점심을 굶느냐고 물으셨고, 영문을 알 길이 없는 석화는 그럴 리가 없다고 답변했다. 선생님은 이번엔 나를 추궁했고 나는 묵비권을 행사하여 사태를 모면하려 했다. 담임 선생님은 당연히 내가 다른 나쁜 일에 그 돈을 쓴 줄 알고 나를 호되게 추궁했지만, 나는 '신비스러운 축구공의 비밀'을 절대로 털어놓을 수 없었으므로 끝까지 침묵으로 버텼다.

그날 집에 돌아오자 석화가 심각한 목소리로 나에게 까닭을 물어왔다. 쌍둥이 형제 사이에는 비밀이 없어야 한다고 믿은 나는 아무에게도 얘기해서는 안 된다는 조건으로 사실대로 얘기했다. 그런데 나보다 15분이나 늦게 태어난데다가 머리에서 더러운 피도 뽑아내지 못한 까닭에 아직 철이 들지 않은 석화는 사나이끼리의 약속을 지키지 못하고 여우 같은 작은누나에게 신비스러운 축구공의 비밀을 누설하고 말았다. 그 다음부터는 말할 필요도 없다. 작은누나는 즉시 셋째고모에게 쪼르르 달려가 내가 급식비를 횡령한 사실을 고자질했고, 셋째고모는 "축구공 사달라면 내가 안 사줄까봐 그랬니?" 하고 눈물을 흘리며 섭섭해했다. 사실은 고모가 축구공을 사줄까봐 집안 형편을 고려해서 장남으로서 책임감 있는 결정을 내렸던 것인데 철없는 동생과 작은누나 때문에 졸지에 공금 횡령죄로 몰려버린 나는 그러한 내 마음을 고모에게 제대로 전달할 수가 없어서 답답하고 슬펐다. 그리고 그때부터 비밀이란 다른 사람에게 발설하는 순간부터 이미 비밀이 아니라는 평범한 진리를 가슴에 새기게 되었다.

화려했던 첫 발자국

축구로 깨어나서 축구와 함께 생활하다가 축구와 함께 잠이 드는 하루하루가 이어지면서 그때까지 아무것도 잘하는 것이 없던 내 인생이 이제야 비로소 화려하게 깨어나는 것 같았다. 70년과 71년에 동네 축구에서 내가 넣은 골이 500골이 넘었다. 평일에도 최소한 두세 경기 정도는 할 수 있었고, 일요일에는 다섯 경기도 넘게 할 수 있는데다가 그 당시에는 전반 다섯 골, 후반 다섯 골 도합 열 골을 먼저 넣는 팀이 이기는 경기가 보통이었으니까 구단주이며 주공격수인 내가 한 게임에 서너 골을 넣는 것은 문제가 아니었다. 그러니까 하루에 열다섯 골을 넣는 일도 비일비재했으니 1년 만에 500골을 넘게 넣을 수 있었던 것도 무리가 아니었다.

그때 나에게는 펠레보다 위대한 선수가 될 수 있다는 확신이 있었다. 펠레가 당시에 넣은 골의 수가 겨우 1000골 남짓이었는데(73년 산토스팀과 함께 내한했을 때 1204골, 은퇴할 때에는 1281골) 나는 벌써 1년 만에 500골을 넘어섰으니 펠레의 기록을 깨는 것은 시간문제가 아닌가. 펠레가 정규 게임에서 넣은 골과 내가 동네 축구에서 넣은 골이 질적으로 천지 차이가 나는 것이라는 것을 훗날 알고 나서 어린 마음에 얼마나 실망했었는지 모른다.

나는 여름이면 에어컨이 나오고 겨울이면 따뜻하게 스팀을 틀어주는 은행에 앉아서 대한축구협회에서 발행하는 『월간 축구』를 탐독하며 새로운 축구 전술과 이론을 습득하고 나름대로 프로그램을 짜서 열심히 연습했다. 당시 센터 포워드와 골키퍼라는 두 가지 상반된 포지션에 모두 매력을 느꼈던 나는 내 또래의 아이들과 동네 축구를 할 때엔 '구단주'의 권위를 내세워 대부분 센터 포워드 자리를 차지하고 혼자서 공격을 독점했지만, 나이가 한두 살 많은 형들과 축구를 할 때에는 아예 골키퍼를 자원했다. 괜히 빌빌대며 풀백을 보느니 차라리 골키퍼를 보는 것이 속편한 일이었기 때문이다.

그리고 골키퍼라는 포지션이 사실 매우 재미있었다. 나는 그때 이세연의 플레이에 반해 있었다. 상대방의 강력한 중거리 슛을 멋지게 다이빙 캐치하는 모습, 노마크의 위기에서 과감하게 뛰쳐나가 몸을 던져 세이빙을 하는 투지 넘치는 플레이, 그리고 결정적인 센터링을 적시에 펀칭으로 쳐내어 위기를 벗어나는 것 등 그의 모든 것이 정말 멋있어 보였다. 나는 이세연의 플레이를 본받기 위해 방에다 이불을 펴놓고 무수히 다이빙 연습을 했다. 그리고 방향을 전혀 예측할 수 없는 슈팅을 막는 연습을 하기 위해 축대에다 공을 힘껏 차고 사방팔방으로 튀는 공을 막아내는 연습을 열심히 했다.

이렇게 열심히 연구하고 연습한 보람이 있었는지 나는 골키퍼로서의 다이빙 캐치와 센터 포워드로서의 헤딩 능력을 주위에서 인정받기 시작했다. 사실 3, 4학년밖에 안 된 초등학교 학생이 축구공을 머리로 들이받고 몸을 날려 다이빙을 한다는 것은 실력 이전에 담력과 축구에 대한 열정의 문제였고, 나는 그 문제에 관한 한 내 또래 아이들을 앞서 있었던 것 같다.

드디어 영광의 순간이 찾아왔다. 5학년이 되면서 우리 학교 대표 선수로 뽑힌 것이다. 꿈에도 그리던 학교 대표 선수로 뽑혀 유니폼을 받던 날, 나는 뛸 듯이 기뻤다. 드디어 펠레를 능가하는 축구 선수가 되는 첫발을 디딘 것이다.

나는 빨리 주말이 되어 일요일이 오기만을 기다렸다. 성당에 가고 싶었기 때문이다. 그해에 영세를 받았으니 지금까지의 내 생애에서 그때가 가장 신앙심이 깊은 때였을 거라고 인정을 하긴 한다. 그러나 내가 그렇게 성당 가는 날을 기다린 것은 하느님께 이 기쁨을 전하고 감사의 기도를 드리고 싶어서는 아니었다.

이건 비밀이지만 나는 사실 초등학교 4학년 때부터 나 혼자 마음속으로 좋아하던 여자아이가 있었다. 유난히 크고 검은 눈에 별로 말이 없고 그윽한 눈빛이 아름답던 그 아이는 피아노를 잘 쳐서 성당의 어린이 미사에서 반주를 했었다. 쌍둥이 동생 석화와 함께 복사를 하던 나는 그애가 맨 마지막으로 성체를 모시러 나올 때마다 성반을 그애의 턱 밑에 받치며 두 손을 가늘게 떨곤 했었다. 너무나 아름답고 멋있던 그애에 비해 마치 「소나기」에 나오는 촌티 나는 소년처럼 별로 잘난 점이 없던 나는 항상 그애를 보면 눈이 밑으로 깔리곤 했었는데 이제 비로소 뭔가 자랑할 만한 일이 생긴 것이다.

마침내 일요일이 왔다. 나는 폼 나게 축구부 유니폼을 입고 축구화를 신은 뒤 발걸음도 가벼웁게 성당으로 향했다. 성당 바닥을 또각또

각 소리를 크게 내며 걷는 의기양양한 내 기분을 누가 상상이나 할 수 있었을까. 나는 일부러 그애 옆을 여러 번 지나치며 자랑스럽게 축구화 발자국 소리를 냈다. 그러나 그애는 "네가 우리 학교 대표 선수가 된 거니?"라는 상냥한 말 한마디 걸어오지 않았다. 오히려 수녀님한테서 시끄럽게 한다고 핀잔만 받았을 뿐이다.

10여 년의 세월이 흘러 진달래가 가득한 대학 캠퍼스에서 너무나도 우연히 그애를 만났을 때 그애는 전혀 나를 기억하지 못했다. 그러니까 내가 우리 학교 대표선수로 뽑혔던 것은 물론, 내가 그렇게 촌스럽게 축구화 발자국 소리를 요란하게 내며 그애 앞을 왔다갔다한 것도 전혀 관심 밖이었던 것이다(나는 그 뒤로도 정신을 못 차리고 지금의 아내를 처음 만난 고등학교 시절에도 똑같이 바보 같은 짓을 반복했다. 즉 아내가 수업을 끝내고 집에 돌아올 때쯤에 축구공을 들고 골목에 나가 멀리 아내가 보이면 발등으로 공을 잡아 머리 위에 올려놓고 정지시키는 묘기를 연출한 것이다. 그러나 이렇게 노력한 보람도 없이 아내 또한 나중에 확인해본 결과 축구와 나를 전혀 연관짓지 못했다).

벽장에 던져넣어진 텔레비전

학교 대표 선수로 뽑히면서 나에게 곧 영광과 갈채를 가져다줄 것 같았던 축구 선수 생활은 사실은 뼈아픈 시련의 시작이었다.

축구 선수가 되겠다는 나의 꿈은 먼저 아버지의 강력한 반대에 부딪쳤다. 맏아들이란 놈이 학교에 가서는 공부는 전혀 하지 않고 해가 질 때까지 축구를 하다가 아버지보다도 더 늦게 '퇴근' 하는데다가 일요일에도 집안 일은 전혀 하지 않고 축구를 하러 나가서 저녁이 되어서야 돌아오는 것을 아버지는 전혀 용납할 수 없었던 모양이다. 그때부터 나는 아버지에게 '찍혀서' 하루하루가 고달프게 되었다.

그렇다고 내가 공부를 못했던 것도 아니다. 성적은 오히려 아주 좋은 편에 속했다. 따라서 나는 항변할 것이 있었다. 내가 축구를 한다고 공부를 못하는 것도 아닌데 왜 반대하느냐는 것이다. 그런데 아버지는 '공부도 안 하면서 성적만 좋은 불공평한 현상' 이 더욱 불만이었다. 노력을 해서 좋은 성적을 얻어야지 노력도 하지 않고 제 머리만 믿는 놈(사실 별로 머리가 좋은 것도 아니라는 것은 금방 알게 되었지만)은 아무짝에도 쓸모가 없다는 것이 아버지의 지론이었다. 그리고 TV 사건이 터졌다.

대만과 일본을 거쳐 71년 가을 부모님이 귀국했을 때 나는 부모님을 따라온 TV에 커다란 기대를 걸고 있었다. 〈우주 소년 아톰〉〈타이거 마스크〉 등 만화 영화나 프로레슬러 김일의 박치기가 과연 무엇인지도 궁금했지만 무엇보다도 TV를 통해 내가 좋아하는 선수들의 플레이를 생생하게 볼 수 있을 거라는 기대에 부풀어 있었다. 그러나 그 기대는 얼마 후 여지없이 부서져버렸다. 처음 한두 달 동안은 당시 선풍적인 인기를 끌었던 〈여로〉 등 연속극을 보며 아버지가 돌아와도 일렬로 서서 인사하는 것도 잊어버릴 정도로 TV에 미쳐가는 우리 가족들의 '노는 꼴'을 두고만 보던 아버지가 어느 날 갑자기 폭탄 선언을 한 것이다.

"우리나라에 교육방송이 생기기 전까지는 우리집은 TV를 보지 않는다."

아버지의 폭탄 선언은 '폭탄 행동'으로 이어져 아버지는 즉시 TV 안테나를 철거하고 TV를 벽장 속에 던져넣어버리셨다. 기껏해야 일일 연속극이나 보던 다른 식구들에게야 아버지의 폭탄 행동이 미치는 여파가 크지 않았지만, 저속한 일일 연속극 따위엔 관심이 없고 '건전하고 깊이 있는' 스포츠 프로그램만 보던 나에게는 커다란 충격이었다. 아니, 교육방송이 뭐 별건가. 축구 선수가 되고 싶어하던 나에겐 축구 중계 방송이 바로 교육이 아닌가.

이렇게 집안에서 TV가 철거된 이후 내 생활은 더욱더 불량해졌다. 중요한 경기가 있는 날이면 친구 집에서 공부한다고 핑계를 둘러대고

TV 중계를 보고 돌아오게 된 것이다. 귀가 시간이 해가 어둑어둑할 무렵이더니 이젠 아예 깜깜한 밤이 되어버린 초등학생 아들을 어느 부모가 용납할 수가 있을까? 게다가 뭐 하다가 이제 오느냐는 질문에 나는 절대로 대답할 수가 없었다. 축구를 하다가 또는 축구나 아니면 다른 운동 경기 중계를 보다가 늦게 들어오는 것이었는데 '호랑이'의 반응이 어떨지 뻔한 마당에 어떻게 사실대로 이야기할 수 있단 말인가. 따라서 사태는 더욱 악화될 수밖에 없었다. 늦게 들어오는 놈이 왜 늦게 들어오느냐는 질문에 대답도 안 하고 가만히 있으니 '호랑이'는 더욱더 포효하게 마련이었고, 우리 집안 분위기는 나 때문에 무겁게 가라앉곤 했었다.

지금 돌이켜보면 아버지의 입장에서는 당연한 일이었지만 나는 당시 몹시 억울하고 원통한 생각밖에 들지 않았다. 어떻게 축구의 심오한 의미를 저토록 모를 수가 있을까. 모르면 배워야 할 것이 아닌가. 우리 집안의 대들보이며 12대 종손인 나의 교육용 TV까지 벽장에 처넣은 것은 그야말로 '무지의 극치'였다.

그 뒤로도 스포츠에서 비롯된 아버지와의 긴장과 갈등 관계는 대학 3학년 무렵까지 이어졌고 고등학교 시절 패싸움에 본의 아니게 연루되었던 것과 폭행 사건까지 겹쳐져 나는 완전히 속칭 '내로라 하는 집안의 내놓은 자식' '여봐라 하는 집안의 애 보래요 하는 자식'이 되었다.

가슴 아픈 질문

그러나 사실 나는 아버지의 반대쯤은 별로 난관으로도 여기지 않았다. 나는 우리 아버지의 불같이 급한 성질과 강인한 고집을 그대로 물려받은 맏아들이다. 따라서 내가 정말로 하고 싶은 일은 아무리 반대가 심하다고 해도 기를 쓰고 하고야 만다. 오히려 누가 반대하면 괜히 힘이 솟아나서 더욱 기를 쓰고 남이 말리는 일만 골라서 하려는 못된 심리마저 있다. 그런데 문제는 그게 아니었다. 내 마음속에서부터 회의가 싹튼 것이다. 이유는 단 하나였다. 도대체 축구를 잘하는 아이들이 너무 많은 것이다.

나는 그때 이미 도움닫기 멀리뛰기에서 젖혀뛰기를 하듯이 점프 헤딩을 할 줄 알았고, 다이빙 헤딩슛도 심심치 않게 성공시켰으며 골키퍼로서 필요한 모든 기본기도 제대로 갖추고 있었다(고 생각했다). 얼마 전 마라도나가 내한했을 때 아나운서가 "네, 높이마저 재면서 센터링을 올리는군요" 하고 값싼 감탄을 연발하여 귀에 거슬린 적이 있었는데, 그 정도는 이미 내가 초등학교 4, 5학년 때 마스터한 기술이다. 그런데 내가 그렇게 열심히 연습하여 습득한 '최신 고난도 기술'이 5학년이 되어보니 웬만큼 축구를 한다고 하는 아이들은 누구나 다 할 수 있고 또 당연히 해야 하는 '쌩기초 기본기'라는 것을 깨닫게 된 것이다. 게다가 나는 다른 아이들처럼 체격이 크고 튼튼하지도 못했고 기초 체력마저 뒤지는지 다른 아이들보다 먼저 지쳐서 헐떡거리곤 했다. 따라서 내가 그렇게 영광스럽게 생각했던 학교 대표팀에서의 위치도 당연히 맨 밑바닥이었다.

나는 나보다 축구를 잘하는 아이들을 따라잡기 위해 더욱 열심히 연습했지만 6학년이 되어서도 내 신세는 달라지지 않았다. 아니, 곧 주전 골키퍼 자리를 차지할 것 같던 내 위치가 6학년이 되자 오히려 후보 수비 선수로 전락하고 말았다.

6학년 무렵의 나의 우상은 아약스팀을 이끌고 유럽컵을 제패하며 3년 연속 유럽 최우수 선수로 뽑혔던 네덜란드의 요한 크루이프였다. 14번을 달고 긴 머리를 휘날리며 그라운드를 휘젓는 그의 모습은 정말 휘황찬란했다. 특히 온 그라운드를 누비며 기가 막힌 아웃 프론트 패스를 찔러넣는 모습은 압권이었다. 나는 감히 그가 펠레보다도 더 위대한 선수라고 생각했고 그의 플레이를 본받으려 애를 썼다. 비록 후보 선수였지만 나는 백넘버로 14번을 선택했다. 아직 74년 월드컵이 열리기 전이어서 크루이프가 누군지 잘 모르는 내 동료들은 당시 국가 대표팀의 유동춘의 번호를 딴 것이라고들 얘길 했지만 나는 속으로 다짐했다.

"요놈들아. 요한 크루이프가 누군지도 모르는구나. 내가 곧 실력 발휘를 하여 14번의 비밀을 가르쳐주마."

6학년 어느 가을날, 우리는 장위초등학교에 시합을 하러 갔다. 축구부에 있는 사실을 숨기느라 다른 아이들처럼 김밥 싸들고 따라온 엄마의 응원을 받을 처지도 못 된 나는 내가 주전으로 뛰어서 그 동안 갈고 닦은 내 실력을 발휘할 때만을 이를 악물고 기다렸다. 드디어 기회는 왔지만 포지션은 실망스럽게 라이트 풀백이었다. 지금 기억나는 것은 내가 상대방의 공격을 끊어서 길게 한 방 날렸던 것밖에 없다. 그리고 다음 경기에서는 다시 후보 선수 신세가 되었다. 결국 8강전에서 우리 팀이 추첨패하여 탈락하는 바람에 그 게임이 축구 선수로서의 마지막 공식 시합이 되고 말았다. 중학교에 가서도 축구반 수준의 축구부 문턱을 들락날락했지만 1년에 단 한 번 서울시장기 체육 대회에나 출전하는 축구반에서도 나는 출전 엔트리에 끼지 못했기 때문이다.

이 무렵에 내가 받은 충격은 굉장한 것이었다. 인생의 의미를 거의 잃은 나에게 지독한 사춘기가 찾아왔다. 나는 중학교 3학년이 되어서는 축구공을 건드리지도 않았다. 오히려 친구들과 농구를 하거나 야구를 하며 돌아다녔다. 그리고 지금도 "옛날에 축구 선수 했었느냐?"는 질문을 받을 때가 제일 마음이 아프다. 떳떳하게 그랬었다고 자랑하고도 싶지만 사실 그저 시시한 후보 선수만 하다가, 아니 중학교 때에는 그것도 제대로 못하다가 그만두었기 때문이다.

고등학교 때에는 학교 친구들과 빵 내기 동네 축구나 하다가 대학에 들어와서야 다시 자연대 축구부 생활을 시작했다. 공부벌레들만 모인 서울대학교에서는 나 정도 실력이면 특급 대우를 받을 수 있었다. 우물 안이니까 활개를 칠 수 있었던 것이다. 마치 옛날 구단주 시절처럼. 그래도 자연대 축구부는 축구 서클이지 '진짜 축구부'는 아니라는 생각이 들었다.

대학 3학년 때 이대로 졸업할 수는 없다는 생각에 학교 축구부 문을 두드려 테스트를 받았다. 당시 서울대 축구부는 제법 강한 편이었다. 국가 대표 김종환도 있었고 대학 연맹전에서 준우승을 차지한 적도 있었다. 나는 한양공고와의 연습 경기에서 테스트를 받았다. 오랜만에 '진짜 축구'를 한 나는 완전히 얼어붙어서 테스트 경기를 엉망으로 치렀지만 어쨌든 박경호 선생님은 내일부터 나와도 좋다는 허락을 하셨다. 그런데 나는 그때 대학신문과 야학 선생 일을 동시에 하고 있었다. 도저히 시간을 낼 수가 없었다. 잠시 뼈아픈 고민을 했지만 상당 부분 '80년대식 사고'에 젖어 있던 나로서는 축구를 포기하는 것이 옳다는 결론을 내릴 수밖에 없었다. 결국 며칠만 서울대학교 축구부와 같이 연습하곤 그걸로 끝이었다.

이상이 축구에 대한 나의 가슴 아픈 짝사랑 이야기이다.

지금도 나는 내가 축구 선수가 되지 못한 것에 대해 미련이 많다. 특히 대학 3학년 때 대학신문이나 야학 선생 짓을 그만두지 않고 축구를 그만둔 것이 일생일대의 실수였다고 생각할 때가 있다. 그러나 후회는 하지 않는다. 나는 내 나름대로는 최선을 다했었고 결국 내 능력이 도저히 미치지 못해서 포기할 수밖에 없었던 것이기 때문이다.

그때에 경험했던 뼈저린 좌절과 허탈함은 내가 그 이후에 살아가는데 커다란 힘이 되었다. 수학을 공부하는 지금도 "나는 수학엔 재능이 없는 모양이다" 하는 생각에 당장이라도 그만두고 싶어질 때가 많다. 그럴 때마다 나는 스스로에게 묻는다.

"내가 축구에 쏟았던 열정만큼 수학에 최선을 다했는가?"

나는 그 질문에 자신 있게 그렇다고 대답할 수가 없다. 내가 어린 시절 밤낮 없이 축구만 생각하며 몰두하던 그 열정으로 전력을 다 바쳐 수학을 공부해온 것은 아니기 때문이다.

수학이란 학문을 계속하는 것에 대한 회의가 들 때마다 나는 나 자신에게 타이른다.

"축구를 했을 때처럼만 열심히 해보자. 그런 후에도 도저히 안 될 것 같으면 그때에 가서 포기해도 늦지 않다."

조 루이스와 막스 슈멜링

중학교에 들어가면서부터 펠레는 저리 가라 하는 위대한 축구 선수가 되는 꿈이 거의 실현 불가능한 망상이라는 것을 깨달으면서도 나는 스포츠를 떠나지 못했다. 내가 완전히 부서져가는 내 인생을 어떻게든 주워 담기 위해 생각해낸 것이 바로 스포츠 전문기자가 되자는 것이었다.

사실 어렸을 때부터 신문과 잡지의 스포츠 난을 탐독해온 나로서는 하나의 승부를 위하여 혼신의 힘을 쏟는 운동 선수들의 뒤안길의 얘기가 너무나 흥미 있었고, 그러한 얘기를 내가 직접 써보고 싶다고 생각한 것도 당연했다. 특히 승자뿐만 아니라 패자 또한 승리를 얻기 위하여 똑같이 노력한 만큼 그들의 이야기도 동등한 무게로 진지하게 그려보고 싶었다. 그래서 이번엔 내 인생의 목표를 고두현 기자는 저리 가라 하는 위대한 스포츠 전문기자가 되는 것으로 바꾸었다.

고두현 기자는 스포츠에 관한 한 나의 첫 스승이라고 해도 과언이 아니다. 주간 스포츠에 연재되었던 『스코어 카드』도 기억에 남지만, 나에게 깊은 인상을 남긴 것은 어린 시절 『새소년』에 연재했던 스포츠 이야기이다. 나는 그분의 글을 통하여 무하마드 알리, 조 프레이저, 조 루이스, 펠레, 자신토 파케티 등 훌륭한 운동 선수들의 이야기를 읽고 수없이 감동했다.

그같은 감동은 스포츠에 대한 나의 관심을 더욱더 자극하고 상상력과 호기심을 끝없이 발동시켰다. 예를 들면 이런 것이다.

조 루이스가 아직 세계 챔피언이 되기 전, 전승 가도를 달리며 세계 타이틀을 목전에 둔 시점에서 당시 전 세계 챔피언이던 노장 막스 슈멜링과 일전을 벌이게 되었다. 전문가들의 예상은 물론 떠오르는 별 조 루이스의 우세였다. 이미 나이가 서른을 넘긴 사양길의 복서 슈멜링은 조 루이스가 챔피언에 오르기 전에 치러야 하는 통과의례에 지나지 않는 것이었다.

모든 전문가들이 조 루이스의 우세를 점치는데도 슈멜링은 조 루이스를 이길 비책이 있다고 큰소리를 쳤다. 경기가 시작될 때까지도 사람들은 그가 허풍을 떤다고 생각했다. 그러나 그는 허풍을 떨고 있는 것이 아니었다. 바로 조 루이스가 레프트를 던진 후에 왼손 가드를 잠시 떨어뜨리는 좋지 못한 버릇이 있다는 것을 관찰했기 때문이었다. 반면에 막스 슈멜링은 나이가 들긴 했지만 아직도 강력한 라이트 크로스를 칠 수 있었다.

경기가 시작되자 그는 끈질기게 기회를 기다렸다. 그리고 마침내 황금 같은 기회가 찾아왔다. 4회에 접어들어 조 루이스가 왼손 잽을 던지고 가드를 떨어뜨리는 순간 막스 슈멜링의 크로스 카운터가 조 루이스의 턱에 작렬한 것이다. 슈멜링의 강력한 라이트 크로스를 연속으로 허용한 루이스는 프로 데뷔 후 처음으로 링 위에 쓰러졌고, 사실상 경기는 그걸로 끝이었다. 커다란 충격에도 불구하고 놀라운 투혼으로 일어선 조 루이스는 4라운드 이후 막스 슈멜링의 라이트 크로스를 무수히 허용하면서도 끈질기게 버텼지만, 12라운드에 접어들자 누적된 충격을 이기지 못하고 비틀거리다가 힘없이 코너에 무너져 내렸다. 치욕의 KO패였다. 세계 챔피언의 자리를 향해 승승장구하던 루이스로서는 뼈아픈 일격이었다.

반면에 권투 전문가들의 예상을 뒤엎고 기적적인 승리를 거둔 막스 슈멜링은 곧 당시 나치 독일의 국민 영웅이 되었다. 그리고 히틀러와 그의 일당들은 강하고 위대한 아리안의 상징으로서 슈멜링을 효과적으로 이용하려고 했다.

세월이 흘러 조 루이스는 드디어 세계 챔피언이 되었지만 막스 슈멜링을 이기기 전까지는 스스로를 챔피언으로 인정하지 않았다. 그리고 그들 사이의 재대결이 벌어졌다. 그들의 재대결은 미국과 독일의 자존심 대결의 양상을 띠기 시작했다. 당시 미국 대통령 루즈벨트는 경기 전에 조 루이스를 불러 격려했다. 히틀러 역시 막스 슈멜링에게 독일 민족의 명예를 걸고 반드시 승리할 것을 당부했다. 이렇게 뜨거운 관심 속에 열린 경기는 그러나 시시하게 끝이 났다. 조 루이스가 막스 슈멜링을 1회에만 무려 네 번씩이나 다운시키며 1회 2분 4초 만에 KO승을 거둔 것이다.

조 루이스는 히틀러의 검은 야심을 때려부순 위대한 복싱 영웅이 되었고 역사상 최고의 챔피언 중 한 사람으로 길이 기억되었다. 그렇다면 '히틀러의 앞잡이'로 등장하여 무참히 부서진 막스 슈멜링은 어떻게 되었을까? 그는 과연 어떤 사람이었을까? 그는 정말로 히틀러의 앞잡이였을까? 내가 그 당시에 가진 소박한 질문은 바로 이런 것들이었다. 모든 사람이 열세라고 하던 상황에서 조 루이스 같은 위대한 권투 선수의 약점을 간파하고 그 작은 허점을 파고들어 기적적인 승리를 거두었던 막스 슈멜링이 그저 조 루이스의 앞길을 가로막은 '히틀러의 앞잡이' 라고만 평가하기에는 뭔가 석연치 않았기 때문이다(막스 슈멜링에 대한 의문은 미국 유학 시절 그의 생애를 다룬 영화를 우연히 보게 되어 상당 부분 풀리게 되었다).

호랑이와 일지매

스포츠에 관한 기사를 읽으면 절로 뜨거운 호기심이 샘솟고 열정과 감동을 느끼게 되는 나는 일간 스포츠와 주간 스포츠, 스포츠 동아, 그리고 '국내 유일의 정통 권투 전문지' 『펀치 라인』 등 각종 스포츠 관계 잡지와 신문을 통독하며 스포츠에 관한 지식을 늘려나갔다. 중학생이던 내 가방에는 항상 일간 스포츠가 들어 있었고 그달의 WBA, WBC 세계 랭킹쯤은 줄줄 외고 다녔다. 크리스 에버트가 처음 나왔을 때 곧 에버트의 시대가 올 것이라는 건방진 예언도 했고, 무하마드 알리는 켄 노턴의 X자 수비를 그의 스타일상 결코 뚫지 못한다는 제법 전문가적인 분석도 하고 다녔다. 74년 뮌헨 월드컵이 시작되기 전에는 요한 크루이프야말로 펠레를 능가하는 위대한 선수라는 평가와 함께(비록 게르트 뮐러의 터닝슛 한 방 때문에 물거품이 되고 말았지만) 크루이프의 네델란드가 74년 뮌헨 월드컵을 차지할 것이라고 자신 있게 예언하기도 했었다. 쉽게 말해서 자칭 아마추어 스포츠 전문가가 된 것이다.

그런데 고두현 기자를 능가하는 위대한 스포츠 전문기자가 되겠다는 나의 야심 또한 예상했던 대로 '호랑이'의 박해에 직면했다. 유신 정권의 서슬이 시퍼렇던 당시 중앙정보부의 감시의 눈초리가 무서워 일기장마저 불태워야 했던 아버지는 12대 장손인 아들이 독재 정권의 3S 정책에 놀아나는 꼴을 눈뜨고 볼 수가 없었다. 자신이 직접 하는 것이야 선수가 되겠다고 설치지 않는 한 묵인할 수 있었지만, 공부는 팽개치고 스포츠 관련 기사만 연구하는 한심한 아들을 도저히 받아들일 수가 없었던 것이다.

내가 공부를 '팽개쳤다'는 표현은 사실은 조금 억울한 것이었다. 나는 스포츠 전문기자가 되기 위해서는 대학을 나와야 유리하다는 것쯤은 알고 있었고 또 글 솜씨가 어느 정도는 있어야 한다는 것 또한 알고 있었다. 따라서 성적이 '빵꾸'가 나지 않을 정도의 관리는 하고 있었던 것이다. 그리고 나는 내 나름대로는 내가 3S 정책에 놀아나고 있는 것이 아니라는 자신이 있었다. 내가 하루아침에 '오빠부대'가 된 것도 아니고 이회택 '澤'자를 외우던 어린 시절부터 착실히 연구 활동을 거듭해온 전공 분야일 뿐인데 어떻게 유신 따위가 나를 농락할 수 있단 말인가.

눈에 띌 때마다 스포츠 기사나 읽고 있는 한심한 아들을 발견하면 '호랑이'가 포효한다.

"이 멍청한 놈아. 그게 다 너 바보 되라는 것이다. 그런 농간에 어리석게 놀아나느냐?"

"온갖 신문에 다 거짓말만 써 있지만 스포츠 난엔 그래도 진실이 있잖아요."

가끔 이렇게 볼멘 소리로 대들었다가는 한바탕 난리가 났다. 나는 그럴수록 더욱 굳세게 고두현 기자는 저리 가라 하는 스포츠 전문기자가 되겠다는 꿈을 키워갔다. 그리고 나의 이런 '순교자적' 인 열정에 하느님도 감동하셨는지 기적 같은 일이 일어났다. 일간 스포츠를 집에서 구독할 수 있게 된 것이다.

아버지는 결과나 알면 됐지 할 일 없이 스포츠 중계 방송을 보고 있는 얼빠진 사람들을 경멸하는 분이니까(그럼 결과만 알면 됐지 살긴 왜 사는가?) 중계 방송까지 본 놈이 다음날 스포츠 신문을 사들고 그 전날의 감격과 아쉬움을 되새겨보는 것은 더욱더 한심하게 생각한다. 따라서 가끔 가방 검사를 하여 내 가방에서 일간 스포츠가 발견되는 날이면 마치 담배갑이라도 나온 것처럼 불호령이 떨어지고 신문을 압수당하기 일쑤였다.

중학교 3학년 어느 봄날, 나는 여느 때처럼 일간 스포츠를 가방에 감추고 귀가했다. 그리고 아버지는 "너 이놈 오늘도 일간 스포츠 샀지?" 하고 눈을 부라렸다. 인생의 살맛을 잃고 고통스러운 사춘기의 열병을 앓고 있던 나는 반항기가 가득한 목소리로 "제가 맨날 그걸 사는 줄 아세요?" 하고 대들었다.

"뭐, 이놈아?"

성질 급한 아버지는 즉시 가방을 빼앗아 일간 스포츠를 찾아냈고 우리 집안엔 다시 난리가 났다.

"너 이놈, 이젠 거짓말까지 하냐?"

(다 알면서 왜 물어보세요, 그럼?)

"너는 어째서 매일같이 이렇게 시시한 신문이나 사보냐?"

(다른 신문은 뭐 좀 나은가요?)

아버지는 일간 스포츠를 1면부터 훑으면서 혹독한 비판을 가하기 시작했다. 이렇게 시시한 내용을 무얼 그리 커다란 컬러 사진까지 곁들여서 실었냐는 둥, 축구 잘한다는 나라치고 잘사는 나라 봤냐는 둥(나는 브라질에 대해서는 할말이 없었지만 당시의 서독과 영국 등 유럽권의 나라들을 가지고는 수많은 반례를 들 수 있었다. 그러나 전세가 불리한 까닭에 인내력을 발휘하여 조용히 참았다) 아버지의 신랄하고 가혹한 비판은 끝날 것 같지 않았다.

드디어 결정적인 순간이 왔다. 고우영 화백의 연재 만화에까지 아버지의 눈길이 다다른 것이다. 당시 일간 스포츠에는 『일지매』가 연재되고 있었다. 아버지는 저질 스포츠 신문에 저질 만화를 연재하는 고우영 화백에 대한 분노를 참을 수 없었는지 한동안 말을 잇지 못했다. 나는 화산처럼 폭발할 '호랑이'의 포효를 예상하고 조용히 숨을 죽였다.

드디어 타오르는 분노에 상기된 표정으로 아버지가 무겁게 입을 열었다.

"우리 이거 내일부터 정기 구독하자."

여기서 우리는 그렇게 엄하고 무섭기만 한 아버지가 만화와 영화만은 매우 좋아한다는 사실을 기억할 필요가 있다. 우리가 어렸을 적에 식구는 열두 명인데 방은 많지 않아 아버지, 어머니 그리고 우리 쌍둥이 형제 이렇게 넷이 한 방에서 자야 했던 시절이 있었다. 어느 날 아버지는 명시 거리 25cm의 모범적인 독서 자세로 밤늦게까지 공부를 하고 계셨다. 밤은 깊었는데 아버지가 환하게 불을 켠 채로 공부를 하고 계시니까 도저히 잠을 이룰 수 없었던 어머니가 이젠 공부 좀 그만

하고 주무시라고 재촉했다.

아버지의 근엄한 대답이 되돌아왔다.

"『어사 박문수』는 참 좋은 만화여."

그러니까 그 동안 아버지가 아들의 버릇을 고친다는 핑계로 일간 스포츠를 압수하면서 사실은 몰래 『일지매』를 읽으며 즐겨왔다는 추론이 성립한다. 좀더 비약하자면 그날 나에게 그렇게 화를 냈던 것도 사실은 내가 거짓말하는 것이 괘씸해서라기보다 뻔히 가방에 들어 있는 줄 아는 일간 스포츠의 존재를 부정하며 아버지가 『일지매』를 읽는 재미를 빼앗으려는 아들에 대한 분노라고 해석해도 무리는 아니다. 요즘은 〈판관 포청천〉에 빠져서 밤늦게까지 심각하고 진지한 표정으로, 그 옛날 다락에 던져넣었던 TV를 강의 듣는 것처럼 열심히 시청하신다. 나는 배우들의 입술 모양을 보고 중국말 대사까지 추측해가며 〈포청천〉을 연구하시는 아버지를 보면서 그 옛날 그 사건에 대한 의혹이 다시 떠오르지만 '나라의 장래를 위해' 덮어두어야 할 것은 덮어두자고 다짐한다.

어쨌든 스포츠에 미친 나와 만화를 좋아하는 아버지 사이에 신사협정이 맺어져서 그후로 일간 스포츠만큼은 자유롭게 볼 수 있게 되었다. 그해 여름 대만에 교환교수로 떠나가신 아버지에게 편지가 왔다.

"석화야. 『일지매』를 보름이나 못 봤더니 살맛이 안 난다."

우리는 대만에 계신 아버지가 살맛을 되찾길 기원하며 『일지매』를 일 주일치씩 가위로 오려내어 보내드렸다. 그리고 나는 『일지매』가 오려져나간 일간 스포츠에서 내가 읽고 싶은 부분을 마음껏 읽을 수 있었다.

실패로 끝난 모범생 흉내

일단 아버지와 신사협정을 맺어 일간 스포츠를 정기 구독하게 된 뒤로는 고두현 기자를 능가하는 스포츠 전문기자가 되겠다는 야심을 가로막는 방해물은 모두 사라졌다. '호랑이'는 대만에 있고 일간 스포츠는 내 손안에 있는데 거칠 것이 어디 있겠는가. 그런데 스포츠 전문기자가 되겠다는 나의 꿈은 의외의 복병을 만나 위기를 맞게 되었다. 앞에서도 얘기했듯이 중학교 2학년 가을 축구반 수준의 우리 학교 축구팀이 서울시장기 대회에 나가는데 나는 출전 엔트리에도 끼지 못한 것이다.

상심한 나는 지독한 사춘기의 열병을 앓기 시작했다. 그때까지 축구만을 위해 살아온 내 인생이 모두 무의미하게 느껴졌고 하늘에 흘러가는 구름만 보아도 인생이 허망해 보였다. 살아가는 의미를 잃은 나는 키에르케고르, 니체 등의 철학 책과 헤세의 소설, 그리고 여러 시집들을 읽으면서 문학 소년의 흉내를 내기 시작했다.

사실 중학교 때까지의 나는 공부와는 거의 담을 쌓은 채 운동장에서 축구만 하던 개구쟁이였다. 축구를 하면 공부를 못한다는 얘기가 듣기 싫어서 시험 보기 직전에 벼락치기로 겨우 '면피할 정도'의 성적은 유지했지만 답답하게 책상 앞에 쭈그리고 앉아 공부나 하고 있는 것은 내 성격에 맞지 않는다고 생각했었다. 그런데 이왕 내가 그렇게 좋아하던 축구로부터 비참하게 '차인' 마당에 공부라고 못할 게 또 뭐냐 하는 엉뚱한 생각이 들었다. 그래서 중학교 3학년 때는 "에라, 나도 한번 공부나 해보자" 하는 오기가 발동해서 모범생 흉내를 내보았다.

그러나 축구에게 실연당한 설움을 풀기 위해 시작한 모범생 생활은 두 달이 못 가서 금방 재미가 없어졌다. 시험 성적을 잘 받기 위해서 하는 공부가 거의 전부인 학교 수업에 흥미를 잃어버린 것이다. 그리고 그 시험 공부라는 것도 사실 생각보다 매우 어려웠다.

그 이전까지는 '면피'만 하면 됐으니까 시험 공부에 그다지 목을 매지 않아도 됐었는데 이왕 공부를 잘해보자고 마음먹었으니 이젠 성적이 아주 좋아야겠다는 생각이 들었다. 그런데 성적이 아주 좋으려면 공부 시간에 배운 내용을 잘 이해하고 소화하는 것으로 충분한 것이 아니라(그 정도면 80점 정도밖에 받지 못한다) 그걸 넘어서서 책 한구석에 있는 표에 뭐가 써 있는지, 함정은 어떻게 비껴가야 하는지 등등을 알아야 하며, 심지어는 출제 선생님의 의도까지 파악해야 한다는 것을 알게 되었다.

예를 들면 국사 시험에 "다음 중에서 관계가 없는 하나를 고르시오"라는 문제가 등장한다. 그전까지 체면치레만 하려고 시험을 볼 때는 그냥 대충 생각하고 쉽게 답을 써버렸는데 이제부터는 공부를 잘하기로 마음먹었으니까 그렇게 무책임하게 답을 쓸 수가 없다. 보기 네 개를 자세히 들여다보아야 한다. 여기서부터 머리가 복잡해진다. 답이 너무 많은 것이다.

우선 살펴보면 1번, 2번, 3번은 삼국시대의 정부기관이고 4번은 조선시대의 기관이니까 4번이 답인 것 같다. 그런데 다시 보면 1번, 2번, 4번은 중앙정부의 기관이고 3번은 지방행정기관이니 그렇게 보면 또 3번이 답인 것 같다. 헷갈려서 다시 들여다보면 1번, 3번, 4번은 국방과 관계된 기관이고 2번은 재무에 관계된 기관이니 2번이 답인 것으로 보인다. 이쯤 되면 짜증이 나서 심지어는 글자 수도 세어보게 된다. 즉 1번은 글자 수가 홀수이고 2번, 3번, 4번은 글자 수가 짝수이니 그럼 1번이 답이라는 '반항적인' 결론까지 내리게 된다는 얘기다. 이게 바로 소위 '출제자의 의도를 파악해야 하는' 문제인 것이다.

내가 무슨 '용가리 통뼈' 인가, 문제가 뭔지도 파악하기 힘든데 출제자의 의도까지 파악하게. 정말 피곤한 일이 아닐 수 없었다(물론 '출제자의 의도' 란 대부분 그 시험을 출제한 선생님이 어느 참고서를 보고 베껴서 낸 문제인가를 알면 파악되는 것이니까 '정보 능력' 과 관계된 문제이다).

나는 그때부터 공부 잘하는 아이들을 다시 보게 되었다. 도대체 그렇게 재미 없고 무의미해 보이는 일을 묵묵히 꾸준히 할 수 있는 모범생들이 신기하게 여겨지기 시작한 것이다. 그래도 그 정도는 인내심을 발휘하면 견딜 수 있었다. 결정적인 것은 음악, 미술, 체육 등 실기과목이었다. 특히 체육은 정말 내 능력을 벗어나는 영역이었다. 내가 운동신경이 유별나게 남보다 뒤지거나 운동을 못해서가 아니다. 그 과목이 부모의 학교 출입의 '약발' 을 반영하기 가장 만만한 과목이어서, 내가 언제 고3이 되었는지도 모르실 정도였던 어머니의 아들인 나로서는 점수 관리가 불가능했던 거다. 나 역시 교육의 한 부분을 담당하고 있는 사람으로서 교육에 대한 불신을 조장할 수도 있는 책임 없는 말은 하고 싶지 않기 때문에 더이상 자세한 이야기는 피하기로 하자. 그저 내가 축구에게 차이고 공부나 열심히 해보려고 했을 때 내 상상을 초월하는 여러 가지 변수들 때문에 그게 내 맘대로 잘 되지 않았다는 것만 밝히겠다.

수학, 그 새로운 유혹 속으로

이렇게 전반적으로 학교 공부라는 것에 흥미를 잃어갔지만 단 한 가지 수학만은 달랐다. 수학이라고 해서 함정이 없는 것도 아니고 애매한 문제가 출제되지 않는 것도 아니어서 우리나라 중고등학교의 수학 교육에 대해 불만이 적은 것도 아니지만, 수학은 그래도 내가 틀렸을 때 그 이유를 납득할 수 있었고 무엇보다도 깔끔하고 아름답다는 생각이 들었다. 정말 멋있고 매력적이었다. 수학이 새로운 유혹으로 다가온 것이다.

중학교 2학년 때 배운 삼각형의 합동에 관한 사실들과 그걸 이용해서 이 문제 저 문제를 풀던 기억은 지금 다시 생각해도 즐겁다. 중학교 3학년이 되어서 인수분해를 배웠을 땐 너무나 예뻐 보여서 아무도 시키지 않아도 혼자서 더 어려운 문제 없나 하고 여러 가지 문제집을 뒤지기도 했다. 고등학교 시절 적분 기호를 멋있게 쓰려고(하라는 공부는 안 하고) 연습장에 적분 기호 쓰는 연습을 무수히 한 적도 있다(지금도 아내는 보통 때는 괴발개발인 글씨가 수학 문제 풀 때만은 깨끗해진다고 놀린다. 수학처럼 아름답고 깨끗한 것을 공부하는 데 감히 글씨를 못 써서 모독할 수는 없지 않은가).

지나치게 입시만을 강조하는 현재의 학교 교육에서는 불행하게도 수학이 지루한 단순 암기 과목으로 전락해버려서 보통 사람들은 거의가 수학이라면 고개를 흔들지만, 사실 사람들이 잘 몰라서 그렇지 수학처럼 흥미진진하고 재미있는 과목도 드물다. 지금 학생이든 아니면 이미 학교는 모두 졸업한 사람이든 시험 점수를 잘 받아야 한다는 강박관념에서 벗어나 지금이라도 『수학의 정석』과 같은 수학 문제집을 집어들고 재미삼아 한 문제 한 문제 풀어보라. 수학은 음악이나 미술 등 예술 분야처럼 창조적인 직관과 기발한 상상력이 매우 커다란 역할을 하는 분야이다. 정해진 시간 안에 반드시 이 문제를 풀어야 한다는 마음의 부담을 떨쳐버리고 수학 자체를 즐기려 한다면 수학 문제가 가져다주는 전율적인 재미를 흠뻑 느낄 수 있을 것이다.

반드시 어려운 문제가 아니더라도 문제를 파악하고 나름대로 풀이 방법을 찾아서 생각을 정리해가는 과정은 지루한 것이 아니라 오히려 즐거운 것이다. 고려대학교의 어느 원로 교수님은 일반 기업체나 정부 부처에서 수시로 영어 실력을 테스트해보는 것처럼 수학 실력도 테스트하면 나라를 위하여 커다란 도움이 될 것이라는 극단적인 주장을 하시기도 한다. 가뜩이나 시험이라면 지겨운데 또 시험을 보자는 생각에는 결사 반대지만 일리가 있는 말씀이다. 우리가 어떤 난관에 직면했을 때 해결해야 할 문제점이 무엇인지를 파악하고 그것들을 우리가 접근할 수 있는 문제로 구성하여 해결책을 강구해볼 줄 아는 분석적 사고력을 기르는 데는 수학처럼 안성맞춤인 것도 없기 때문이다. 그래서 세계의 거의 모든 대학에서 수학을 교양 필수 과목으로 지정하여 학생들을 훈련시키고 있는 것이다. 물론 수학을 단순 암기 과목으로 가르치고 있는 현실에서는 아무 효과도 없는 얘기지만.

나는 축구에서 받은 마음의 상처를 극복하고 수학이라는 새로운 매력에 흠뻑 빠져들어 '새 생활' 을 시작했다. 하지만 불행하게도 축구를 할 때와 마찬가지로 나에게 특별한 수학적 재능이 있는 것은 아니었다. 지금까지 내가 수학을 잘한다는 이유로 상 한 번 타본 일이 없다는 것이 그 사실을 증명한다. 그래도 수학은 축구와는 달리 열심히 하면 어느 정도는 가능성이 있어 보였다. 다시 말해서 축구로는 국가 대표는커녕 학교 대표도 할까 말까 했었는데 수학은 열심히 공부하기만 하면 '프로 수학 선수' 정도는 될 수 있을 것 같았다는 이야기다.

그리고 나는 그때 운이 좋게도 두 분의 아주 좋은 수학 선생님을 만났었다. 한 분은 삼선중학교에서 나를 가르쳐주신 강수길 선생님이고 다른 한 분은 어머니의 친구 분으로서 동덕여중 수학 선생님이던 최옥순 선생님이다. 두 분의 고마운 선생님들은 내가 수학을 잘할 수 있다는 용기를 불어넣어주셨고 내가 축구에게서 입은 마음의 상처를 딛고 수학이라는 것이 정말 재미있고 한번 도전해볼 만한 것이라는 투지를 가질 수 있도록 이끌어주셨다.

그리하여 나는 중학교 3학년 때 수학을 전공하기로 아예 마음을 굳혔다. 그후에도 때로는 다른 분야에 대한 생각, 예를 들어 문학이나 철학을 공부해볼까 하는 생각을 전혀 하지 않은 것은 아니었지만 '아무개의 아들' 로 불리기는 싫다는 묘한 오기 때문에 인문계 진학은 내 앞길의 가능성에서 지워버렸고, 그 밖의 다른 가능성은 생각해보지도 않았다. 이렇게 해서 나는 지금까지 수학을 공부하고 있다. 가끔씩, 아주 가끔씩 축구 선수나 스포츠 전문기자가 되지 못한 나 자신을 보며 아쉬울 때가 있다. 그러나 앞서도 말했듯이 후회는 하지 않는다. 나는 축구를 잘해 보려고 최선을 다했었고, 그것으로 충분한 거니까.

사다리꼴 방에서 만난 사람들

대학에 들어가 수학과로 진로를 결정한 뒤에는 고두현 기자는 저리 가라 하는 위대한 스포츠 전문기자가 되겠다는 꿈은 잊혀졌다. 그리고 내가 대학을 다니던 시절, 나 또한 당시의 '시대적 상황'에서 자유롭지 못했으므로 스포츠에 대한 관심도 상대적으로 많이 식었다. 그런데 그 동안 잊혀졌던 스포츠 전문기자의 꿈이 부분적으로나마 이루어지는 일이 벌어졌다. 대학 3학년 때부터 '국내 유일의 정통 권투 전문지' 『펀치 라인』에서 아르바이트 생활을 하게 된 것이다.

수학을 전공하면서도 아마추어 스포츠 전문가 행세를 하고 다니던 나는 어느 날 매달 사보던 『펀치 라인』의 어떤 기사를 읽다가 몹시 불쾌해졌다. 그 기사는 첫눈에도 잘못 번역한 기사라는 생각이 들었기 때문이다. 우선 수동태형의 문장이 지나치게 많았을 뿐 아니라 영어식 표현을 그대로 옮겨놓아서 원문이 무엇인지 상상할 수 있을 정도였다(번역이 너무 잘 되어서 그랬다는 뜻이 아니다).

번역이 어려운 일인 줄은 잘 알지만 그래도 우리말 어법에도 없는 이상한 영어식 표현을 쓴다는 것은 세종대왕의 후예로서 부끄러운 일이 아닌가. 그리고 그 기사를 번역한 사람은 권투에 관한 한 아무것도 모르는 무지한 사람임이 분명했다. 그 기사 내용대로라면 그게 권투인지 닭싸움인지 분간이 가질 않았다. 따라서 "내가 해도 이것보다는 잘하겠다"는 생각이 든 것도 당연했다. 게다가 나는 당시 『펀치 라인』의 기사에서 종종 나오던 "토머스 헌즈가 피피노 쿠에바스를 2회에 작살내고" 따위의 표현이 매우 마음에 들지 않았었다. 아니 국내 유일의 정통 권투 전문지로서의 품위가 있지 도대체 '작살내고' 가 뭔가, '작살내고' 가.

스물두 살의 젊은 혈기에 넘치던 나는 그 길로 『펀치 라인』 편집실에 전화를 걸고 위치를 확인한 다음 사무실로 찾아갔다. "차라리 나를 아르바이트 학생으로 고용해서 번역을 맡겨주쇼"라는 말을 하기 위해서였다. 전화 속의 어여쁜 목소리가 가르쳐준 대로 대한극장 맞은편에 있던 필동의 어느 허름한 건물 4층에 위치한 사무실을 찾아갔을 때 나는 실망을 금치 못했다. 나는 중학교 1학년 때부터 『펀치 라인』을 애독해온 골수 '펀치 라인 맨' 이다. 그런 내가 상상했던 『펀치 라인』의 사무실은 으리으리한 빌딩의 메인 플로어에 위치한 '삐까번쩍' 한 것이었다. 그런데 곧 귀신이라도 튀어나올 것 같은 허름한 건물 계단을 올라가자니 나도 모르게 한숨이 나왔다. 그래도 이왕 여기까지 온 거니까 일단 들어가보기로 했다.

삐그덕거리는 문을 열고 들어서자 '삐까번쩍' 은커녕 직사각형도 아니고 사다리꼴로 생긴 지저분한 사무실엔 사람 두어 명이 겨우 앉을 만한 손님용 소파와 책상 네 개가 다닥다닥 붙어 있었다. 아름다운

시를 짓고 고상한 글을 쓰는 것이 알맞지 거칠고 야성적인 권투에는 영 어울리지 않을 것만 같은 느낌의 김학섭 편집장님이 점잖게 나를 맞아주었다.

나는 간단하게 영어 번역 아르바이트 일을 할 수 없을까 해서 왔노라고 용건을 말했다. 편집장님은 지금 영어 번역을 하는 사람은 현직 영어학원 강사인데 학생이 그만큼 영어를 잘하느냐고 의혹이 가득한 질문을 했다. 나는 그 사람보다 영어는 잘 못할지 몰라도 우리나라 말은 훨씬 더 잘한다, 그리고 권투에 관한 한 누구보다도 자신 있다고 큰소리를 쳤다. 당시 취재부장이던 김재천 기자님과 '진짜 권투 전문가' 이용만 기자님이 뻔데기 앞에서 주름을 잡고 있는 나를 가소롭다는 듯이 쳐다보며 낄낄댔다. 그때 어여쁜 목소리의 주인공인 김정미 기자님이 커피 한잔하겠느냐고 물었고 나는 건방지게 주스를 마시고 싶다고 대답했다.

편집장님은 하늘 높은 줄 모르고 설치는 내가 몹시 한심해 보였겠지만 품위 있는 자세를 잃지 않고 일단 한번 번역을 해오면 그때 원고를 보고 결정하자고 제안했다. 사실 나도 더이상 잘났다고 우기기도 슬슬 기가 죽기 시작하던 참이라 선선히 그러겠다고 대답하고 『링』지를 한 권 얻어서 당시 세계 미들급 무대를 주름잡고 있던 마빈 해글러에 대한 기사를 번역했다. 그리고 원고지 60장 분량이었던 해글러 이야기가 편집장님의 마음에 들어서 너무나도 즐겁고 행복했던 『펀치 라인』 아르바이트 시절이 시작되었다.

나는 『펀치 라인』에서 아르바이트를 하며 레이 맨시니, 마이클 스핑크스, 헥토르 카마초 등 수많은 해외 유명 권투 선수들에 관한 기사를 번역하여 국내에 소개했다. 파나마의 복싱 영웅 로베르토 듀란이 토머스 헌즈에게 2회 KO로 무참히 무너졌을 때는 번역이 아니라 내 이름으로 '굿바이 듀란' 이라는 기사를 직접 썼던 기억도 난다. 그리고 그런 과정에서 권투에 대한 지식이 점점 늘어만 갔다. 그때까지는 『펀치 라인』에 나오는 기사를 읽는 것이 내 권투 지식을 늘리는 최고의 원천이었는데 이제는 기사에도 나오지 않는 무수한 지식을 흡수하게 되었으니 그야말로 '學而時習之 不亦悅乎' 였다.

내가 자신 있게 증언할 수 있는데 『펀치 라인』의 이용만 기자님은 권투에 관한 한 당시 어느 권투 기자보다도 해박한 지식을 가지고 있었다. 나는 이용만 기자님으로부터 내가 너무 어려서 미처 보지 못했던 슈거 레이 로빈슨, 소니 리스튼, 플로이드 패티슨 등 흘러간 명복서들의 이야기를 듣기도 하고, 그 당시 국내에는 잘 알려져 있지 않았던 밀톤 맥크로리를 비롯, 수많은 훌륭한 복서들의 이야기를 들으며 현대 세계 복싱의 조류를 파악할 수도 있었다. 자연히 아마추어 권투 전문가로서의 내 성가도 높아만 갔다(내 친구들 사이에서 말이다).

'사각의 정글' 속의 휴머니즘

내가 『펀치 라인』 아르바이트를 통해 얻은 가장 귀중한 재산은 그러한 권투에 관한 지식도 지식이지만 김재천 취재부장님으로부터 들은 '사람 이야기' 들이었다. 젊은 시절 여수 신인 선수권 대회에서 우승하는 등 자신이 한때 장래가 유망한 권투 선수였던 김 부장님은 일반 신문기사나 방송에서는 볼 수 없는 권투에 관계된 여러 가지 이야기들을 시간 날 때마다 들려주었고 그때마다 '야만스럽게 치고 받는' 경기인 권투의 이면에 숨겨진 '사람 이야기' 에 깊이 감동하곤 했다.

김 부장님은 정말 '인간적인' 권투 기자였다. 내가 『펀치 라인』 아르바이트 생활을 시작한 지 몇 달이 흘러 마치 『펀치 라인』의 정식 기자나 된 것처럼 설치고 다니던 어느 날, 한때 세계 플라이급 챔피언이었던 김태식이 안토니오 아벨라가 가진 세계 타이틀에 도전했다.

'작은 거인' 김태식은 태풍처럼 몰아치던 인파이팅이 돋보이던 우리나라 최고의 강타자였다. 그가 루이스 이바라가 가진 세계 타이틀에 도전하여 무려 211발의 펀치를 융단 폭격하듯이 퍼부으며 통쾌한 KO승을 거두던 장면은 골수 권투 팬들의 기억에는 아직도 생생하게 남아 있을 것이다.

그러나 김태식은 공격 패턴이 양 훅에만 의존하는 단조로운 스타일인데다가 가드가 자주 벌어져 수비에 치명적인 약점이 있었다. 그런데 챔피언 안토니오 아벨라는 양손 스트레이트 공격이 매서운 강타자였다. 양 훅을 주무기로 싸우는 선수가 스트레이트 위주의 선수를 맞아 가드를 벌린 채 무모하게 달려든다면 그 결과는 뻔한 얘기다. 김태식은 1회가 시작되자마자 아벨라의 매서운 스트레이트 공격에 속수무책이었다. 2회에 접어들어서도 김태식은 제대로 공격 한번 펼치지 못하고 아벨라의 강력한 스트레이트를 무수히 허용하다가 충격이 쌓여 코너에서 허물어지듯 쓰러졌다. 코너에 쓰러진 김태식은 로프를 잡고 일어나보려고 안간힘을 썼지만 필사적인 노력도 헛되이 다시 무너지고 말았다. 그것으로 끝이었다. 가슴 아픈 순간이었다.

진다는 것은 정말이지 가슴 찢어지는 일이다. 특히 권투 선수가 KO패를 당할 때의 심정은 지옥의 끝까지 추락하는 것처럼 비참하다고 한다. 세계 슈퍼 미들급 챔피언을 지낸 박종팔이 신인왕 타이틀을 획득한 지 얼마 지나지 않아서 강홍원이 가지고 있던 한국 미들급 타이틀에 도전했을 때의 일이다. 신인왕다운 패기로 경기가 시작되자마자 강홍원을 몰아붙이던 박종팔은 찬스를 잡았다고 생각하여 더욱 거세게 공격을 퍼붓기 시작했다. 그때 강홍원의 주먹이 번뜩이는가 싶었는데 정신을 차리고 보니 이미 경기가 끝나 있었다. 치욕의 1회 KO패였다. 그날 밤 박종팔은 장충체육관에서부터 필동의 동아체육관까지 비가 추적추적 내리는 길을 아무도 위로해주는 사람 없이 황소처럼 으헝으헝 울면서 혼자서 걸어 돌아왔다고 한다. 권투 선수에게 KO로 진다는 것은 이렇게 비참한 일인 것이다.

김태식의 허무한 패배에 가슴이 쓰라려진 나는 다음날 김태식이 무너지는 사진이 커다랗게 실린 일간 스포츠를 들고 『펀치 라인』 사무실을 찾아갔다. 일간 스포츠의 사진 제목은 '일어나려다 다시 쓰러지는 아, 김태식!' 이었던 것으로 기억한다. 정말 그 경기를 지켜본 모든 권투 팬들의 심정을 대변한 좋은 사진 설명이었다.

사무실에서는 난리가 나 있었다. 평소에는 사람 좋고 마음씨 좋은 도종현 사장님이 김 부장님께 마구 소리를 지르고 있는 것이었다. 김 부장님은 풀이 죽은 모습으로 그저 "할말이 없습니다"만 연발하고 있었다. 호통을 치던 사장님이 씩씩거리며 나간 뒤에 '모든 권투 선수들의 누나' 김정미 기자님께 몰래 자초지종을 물었더니 김 부장님이 그 전날 벌어진 김태식과 안토니오 아벨라 간의 세계 타이틀 전을 취재하러 갔다가 김태식이 쓰러지는 결정적인 장면의 사진을 안 찍고 그냥 돌아왔다는 것이었다. 취재부장으로서 있을 수 없는 일이었다. 어안이 벙벙해진 나는 김 부장님의 기분이 가라앉기를 기다려 도대체 어떻게 그런 실수를 하셨느냐고 조용히 말을 걸었다. 김 부장님이 눈가에 이슬이 맺힌 채 착 가라앉은 목소리로 입을 열었다.

"내가 자리는 잘 잡았었지. 내가 사진기를 들고 있던 바로 그 코너에서 태식이가 쓰러졌거든. 그런데 태식이 이놈이 내 눈앞에서 일어나보려고 발버둥을 치는디, 아, 눈물이 핑 돌아서 '에이, 씨' 하고 나와부렀어."

취재부장으로서 직업의식을 문제삼을 순 있다. 그러나 어느 권투

기자가 그보다 더 권투 선수들을 사랑했다고 말할 수 있을 것인가.

나에게 이렇게 당시의 '시대적 상황'을 떠나 삶의 또다른 면을 가르쳐준 『펀치 라인』 아르바이트 생활은 1985년 내가 미국으로 유학을 떠나면서 끝이 났다. 나의 사이비 스포츠 전문가 행세도 그것으로 끝났다. 이젠 본격적으로 수학 공부에만 전념해야 하는 시간이 되었기 때문이다. 그리고 벌써 10년의 세월이 흘렀다. 지금은 '국내 유일의 정통 권투 전문지' 『펀치 라인』이 사라지고 없는 것 같지만 나는 지금도 그때 그 시절이 생각난다. 대한극장 맞은편 허름한 사무실에서 권투 선수가 방문할 때마다 새벽 러닝의 중요성을 강조하곤 하던 도종현 사장님을 비롯, 시인 김학섭 편집장님, '인간적인 권투 기자' 김재천 취재부장님, '진짜 권투 전문가' 이용만 기자님, 그리고 '모든 권투 선수들의 누나' 김정미 기자님 등 권투를 너무나 사랑하던 『펀치 라인』 식구들로부터 재미있고 따뜻하고 때로는 가슴이 뭉클한 인생의 이야기를 듣던 시절이.

---

* 이 부분은 역사적 사실과 부합하지 않는다. 내가 『펀치 라인』에서 아르바이트 일을 시작한 것은 1982년인데 김태식이 안토니오 아벨라에게 KO로 진 것은 1981년이다. 따라서 내 기억의 어딘가가 잘못되었음에 틀림이 없다. 아마 김 부장님께서 내용이 비슷한 다른 사건으로 사장님께 혼이 나고 있었고 그날 김태식 얘기도 함께 나왔던 모양이다. 이 책을 처음 쓸 때 지나치게 기억에만 의존하다보니 이렇게 진실이 헷갈리게 되었다.

2부 우리들의 일그러진 영웅

우리 인생의 프리즘 허재

내가 워낙 스포츠를 좋아하는 만큼 내가 좋아했던, 그리고 좋아하는 선수들도 많다. 그중에서도 아주 선별하여 내가 좋아했던 선수들을 몇 명만 꼽으라면 축구의 이회택, 이세연, 차범근, 김석원, 농구의 신동파, 신선우, 강현숙, 홍혜란, 배구의 강만수, 권투의 홍수환, 유명우, 야구의 박노준 등이고 지금 현역으로 뛰고 있는 선수들 중에서는 축구의 홍명보, 신태용, 농구의 허재, 현주엽, 이상민, 야구의 김재현, 박정태 등이다.

대부분이 선수로서 최고의 영예를 누린 유명한 스타 플레이어들인 만큼 따로 설명이 필요 없겠지만 내가 김석원과 박노준을 특히 좋아하는 이유는 조금 설명이 필요할 것 같다.

우리나라 청소년 대표를 거쳐 국가 대표팀에서 잠시 활약하다가 지금은 축구계를 떠난 김석원은 스케일 큰 드리블과 100미터를 11초 7에 달리는 스피드로 차범근에 버금가는 우리나라 축구의 대표 주자가 될 것이라는 엄청난 기대를 받았었다. 현대 축구의 윙 하프로서 가장 알맞은 스타일이라고 여겨졌기 때문이다. 그가 뛰어난 재능을 활짝 펴 보이지 못한 채 부상으로 인해 축구를 그만둔 것을 지금도 아쉽게 생각한다. 승부 근성이 조금 부족해 보이던 것이 그가 지녔던 무한한 가능성을 모두 드러내지 못했던 요인이 아닐까 추측해볼 뿐이다.

프로야구 OB와 쌍방울에서 선수생활을 했던 박노준 또한 내가 너무나 좋아하던 선수였다. 선린상고 시절에 보여준 그의 천재적인 플레이에 반한 나는 그가 위대한 선수로 성장할 것을 믿어 의심치 않았으며 대성하기 위해 제발 혹사되지 않기만을 바랐었다. 불행하게도 내 우려가 현실로 나타났는지 94년에 골든 글러브에 뽑혀 고교 시절부터 그를 사랑하던 팬들을 기쁘게 한 것을 제외하고는 프로 무대에서 이렇다 할 활약을 보여주지 못하고 그저 평범한 선수로 끝났다.

나는 한때 '야구 천재' 였던 박노준이 페넌트 레이스 MVP가 될 정도의 맹활약을 보이는 것을 기대했던 것이 아니다. 나는 스포츠 신문을 사면 제일 먼저 쌍방울의 경기 결과와 그의 성적부터 봤다. 그리고 그가 찬스에서 적시타라도 한 방 날리면 가슴이 뜨거워지고 그의 결정적인 활약으로 쌍방울이 이기는 경기가 있을 때마다 한없이 기분이 좋아지곤 했다. 지금도 가끔씩 TV에서 야구 해설을 하는 그의 모습을 볼 때마다 나는 반가운 마음에 가슴이 설렌다.

그러나 내가 좋아했던, 그리고 좋아하는 그 수많은 운동 선수들 중에서 허재만큼 내 마음을 사로잡은 선수는 없었다. 허재가 용산고와 중앙대를 거쳐 기아자동차에서 선수 생활을 하는 동안 나는 그가 보여주는 신들린 듯한 플레이에 매료되었고, 누가 뭐라 해도 우리나라 농구 역사상 최고의 선수는 바로 허재라고 믿게 되었다.

뚜렷하게 응원하는 선수나 팀이 없는 가운데 운동 경기를 보는 것처럼 김 빠지는 일도 없다. 반면에 좋아하는 선수가 뛰는 경기를 보며 그 선수와 그가 속한 팀을 응원하는 것은 정말 흥미진진한 일이다. 그런 경기는 슛 하나에 열광하고 패스 하나에 숨을 죽이며 터치 아웃 하나에도 안타까워하게 되는 것이다. 나는 허재의 플레이를 보며 그가 멋진 플레이를 펼칠 때마다 '오빠 부대' 못지 않게 열광했고, 그가 실수라도 하면 마치 내 일처럼 가슴이 아팠다. 그리고 바쁜 생활 때문에 그의 농구하는 모습을 자주 보지 못하고 신문과 방송을 통해서만 소식을 듣는 것이 안타까웠다.

그러던 참에 지난 93년 허재가 국가 대표팀에서 제외되는 사건이 발생했다. '무절제한 사생활' 이 이유였다고 한다. 나는 허재가 국가 대표팀에서 제외되었다는 신문기사를 읽고 무언가 잘못되었다고 생각했다. "성적이 아무리 좋은 학생이라도 품행이 남의 눈에 거슬리면 우등상을 줄 수 없다"는 이유 같지 않은 이유에는 분노마저 느꼈고, 그러한 논리가 허재의 가장 큰 스승인 정봉섭 감독을 비롯한 농구계의 지도층 인사들에게 자연스럽게 받아들여지는 분위기가 안타까웠다.

베니스 영화제와 모스크바 영화제에서 여우 주연상을 받아 '월드 스타' 로 발돋움한 영화배우 강수연이 어느 시사 월간지와의 인터뷰에서 다음과 같이 말한 적이 있다.

"여배우는 모름지기 어떻게 처신해야 합니까?"

"영화 배우는 연기 잘하면 되는 거죠. 어떻게 처신해요?"

그녀는 가수는 노래를 잘 부르면 되고, 기자는 기사를 잘 쓰면 되고, 정치인은 정치를 잘하면 되는 것 아니냐고 반문했었다. 마찬가지로 농구 선수인 허재는 농구를 잘하면 된다. 비록 그가 그 동안 숱한 폭력 사태와 스캔들에 시달렸지만 그가 우리나라 최고의 농구 선수라는 사실이 변했던 적은 없다. 그런데 왜 그가 사생활을 이유로 국가 대표팀에서 제외되어야 하는가?

나는 이러한 사건이 바로 우리 사회가 허재와 같은 천재적인 인간을 대하는 데 얼마나 미숙한가를 단적으로 보여주는 것이라고 생각한다. 사실 우리 사회뿐 아니라 어느 사회에서든지 허재와 같이 개성이 강하고 특이한 천재적인 인간을 대할 때 우리 보통 사람들은 애증이 교차하는 감정의 소용돌이를 경험하며 당혹해하기 마련이고, 거의 본능적으로 여러 가지 형태로 그들을 소외시키려 애쓰게 된다.

그러나 우리가 '천재'라고 부르는 사람들도 그들보다 조금이라도 더 뛰어난 사람들을 대할 때는 그저 '보통 사람'일 뿐이며 마치 우리가 그들을 대하는 것과 똑같이 당혹해하고 무기력해하기 마련이다. 따라서 성숙한 사회, 성숙한 인간이라면 그들의 천재성을 겸허하게 인정하고, 자신의 정체성을 잃지 않는 범위 내에서 그들에게서 배울 점을 찾아 받아들여 자기 자신의 그림을 그릴 수 있어야 한다. 중요한 것은 우리가 '천재'라고 일컬어지는 사람들과의 관계를 설정할 때 자신도 모르게 겪게 되는 감정의 소용돌이 속에서도 어떻게 건전하고 발전적인 것만을 골라내어 한 차원 더 높은 바람직한 관계로 승화시켜나갈 수 있을 것인가일 것이다. 그리고 그 대답을 나름대로 찾아보려는 것이 내가 이 책을 쓰기 시작한 직접적인 동기이다.

나는 수학에 대한 강의를 하거나 토론을 할 때도 스포츠를 예를 들어 비유하여 말하기를 좋아한다. 그만큼 스포츠가 우리에게 시사하는 바가 많다고 생각한다. 특히 학생들을 격려하거나 충고할 때는 허재의 예를 들 때가 많다. 사실 우리나라 운동 선수들 중에서 허재처럼 평가가 극단적으로 엇갈리고 팬들의 애증이 교차하는 선수도 없다. 겸손함과는 거리가 먼, 자존심 강하고 오만한 그의 성격은 유교적 보수성이 강한 우리 사회에서는 쉽게 받아들여지기 어려울지도 모른다. 그러나 나는 바로 그의 그러한 면 때문에 그를 좋아하며 긍정적이든 부정적이든 그가 우리에게 던져주는 메시지가 그만큼 강렬하다고 생각한다.

그는 어떤 의미에서는 우리가 우리의 인생을 비춰볼 수 있는 프리즘 같은 존재이다. 허재라는 프리즘을 통하여 인생을 비추어보면 다음과 같은 몇 가지 화두(話頭)가 떠오른다. 천재의 고독과 불안, 보통 사람이 살아가는 방법, 시대의 흐름에 대한 반항과 오기, 인생에서의 승부와 도전, 그리고 무언가를 이루어보려는 성취 욕구 등이 바로 그것이다.

나는 철학자도 아니고 스포츠 전문가도 아니다. 그저 수학을 공부하는 풋내기 수학도일 뿐이다. 또 겨우 34년 남짓 살아온 터에 인생을 논할 만한 경륜이 있는 것도 아니다. 그러나 젊은 사람으로서 내 나름대로 허재가 던져주는 화두를 그 동안 내가 스포츠를 통해 생각하고 느낀 것들을 중심으로 풀어가보는 것도 의미가 있다고 생각했다. 이 책을 읽는 사람들이, 특히 내가 가르치는 학생들이 무언가를 느끼고 배운다면 그 이상의 보람은 없다.

부활한 천재

후반 13분. 64대 60. 삼성 리드.

95년 3월 1일에 벌어진 94~95 농구대잔치 최종 결승 4차전 삼성전자와 기아자동차의 경기. 게임 스코어 1승 2패로 벼랑 끝에 몰려 있는 삼성으로서는 배수의 진을 치고 나섰고, 주전 선수 대부분이 삼십대로 체력 저하가 눈에 띄는 기아자동차 또한 4차전의 패배가 5차전에서의 고전으로 이어질 것이므로 결코 물러설 수 없는 한판이다.

남은 시간은 약 7분 정도. 손에 땀을 쥐게 하는 팽팽한 접전이지만 문경은이 부상에도 불구하고 놀라운 투혼을 보이며 맹활약을 하고 있는 삼성이 김현준의 3점슛으로 다시 점수 차를 벌리며 상승 무드. 이때 기아의 '농구 천재' 허재가 삼성 진영 좌우중간에서 잇달아 외곽포를 명중시키며 간단히 동점을 만들어버린다.

게임은 다시 원점. 허재의 외곽슛이 다시 살아난 것일까? 나는 나도 모르게 두 주먹을 불끈 쥔다.

전반 내내 기아자동차는 허재, 강동희의 3점슛이 번번이 림(rim)을 맞고 나오는 등 외곽슛의 부진으로 고전을 면치 못했다. 도대체 이상한 일이었다. 내가 기억하는 허재는 슛만 던지면 다 들어가는 그런 선수였다. 그런데 이날은 전반전에 3점슛만 여덟 개를 날렸는데 겨우 한 개만 성공했다. 이날만이 아니다. 94~95 농구대잔치가 벌어진 석 달 동안 몇몇 경기를 제외하고는 허재의 3점슛은 부진을 면치 못했다. 사람들의 말대로 허재도 이제 한물간 것일까? 허재에 버금가는 뛰어난 가드 강동희 또한 전반에서 겨우 2득점만을 기록할 정도로 부진했다.

반면 삼성은 허재의 마크맨으로 기용된 허영이 3점슛만 세 개를 기록하며 기대 이상으로 선전하고, 이충희의 대를 이은 '슛장이' 문경은과 김현준이 호조를 보여 경기를 비교적 쉽게 풀어나갔다. 기아자동차는 노련한 센터 김유택이 골 밑을 장악하고, 허재가 파워 포워드로 변신한 것처럼 골 밑을 집중적으로 공략하며 분전, 외곽슛에서의 열세를 상쇄했지만, 전반전이 끝난 뒤의 스코어는 35대 34로 삼성이 박빙의 리드.

후반 초반은 완전히 삼성의 페이스였다. 특히 후반 5분께까지 삼성의 공격은 성난 파도와 같았다. 삼성이 자랑하는 외곽포 부대 문경은, 김현준, 허영으로부터 3점슛만 다섯 발을 정신없이 얻어맞으며 54대 47로 점수 차가 벌어졌을 땐, 기아의 승리는 절망적이었다. 이후 전반 내내 부진하던 강동희의 3점포가 살아나고, 허재, 김유택의 골 밑 분전으로 겨우 58대 58 동점을 만들면서 게임은 다시 원점으로 돌아갔지만, 미처 기아가 분위기를 회복할 틈도 없이 후반 13분경 삼성이 김현준의 3점슛으로 64대 60으로 달아나면서 승패의 추는 삼성 쪽으로 기운 것처럼 보였었다.

그러나 바로 그때였다. 허재가 불을 뿜기 시작한 것이. 삼성이 마지막 리드를 잡았던 후반 13분경부터 약 4분 30초 동안은 그야말로 신이 허재를 위해 마련한 허재만의 화려한 독무대였다. 외곽포 2발로 간단히 동점을 만든 허재가 다시 삼성 진영 좌중간에서 돌고래처럼 솟구쳐 올라 3점포를 터뜨린다. 역전이다. '오빠 부대'가 까무라칠 듯 기성을 질러댄다. 삼성의 반격. 김현준의 3점슛이 림을 튀기고 나온 것을 김유택이 리바운드, 강동희에게 패스. 비호처럼 삼성 골 밑을 파고들던 강동희가 3점슛 라인 밖에서 기다리는 허재에게 길게 연결하자, 허재가 다시 그림 같은 3점슛을 터뜨린다.

눈 깜짝할 사이에 70대 64. 어린애처럼 좋아하는 허재. 허재가 저렇게 좋아하는 것은 한 번도 본 적이 없다. 그는 본래 화려한 제스처와는 거리가 멀다. 아무리 멋진 슛을 성공시킨 뒤라도 "이 정도는 내겐 보통이야"라고 말하는 듯한 무표정한 모습으로 백코트를 할 뿐, 저렇게 어린애처럼 좋아하는 모습은 본 적이 없다. 그때 왜 갑자기 그의 고독과 불안이 내게 진하게 느껴졌을까?

이번에는 전광석화 같은 인터셉트. 비호처럼 내달아 단독 드리블, 레이업슛 골인. 72대 64. 중계 방송을 하던 아나운서가 혀를 내두른다.

"별거 별거 다 하는군요."

다음날 조간 신문에 어느 기자가 쓴 것처럼 허재는 그가 왜 '농구 천재'라고 불리는가를 증명이라도 하듯, 4분 30초 동안에 3점슛 세 개를 포함하여 혼자서 17점을 폭죽처럼 터뜨리는 환상의 연기를 펼쳤다. 그 사이 삼성은 김현준의 자유투로 1점을 추가하는 데 그쳐 2분 35초를 남기고 77대 65. 승리의 여신은 이제 기아의 품으로 완전히 날아들었다.

경기는 결국 83대 75로 마무리되었고, 허재는 기아가 얻은 83점의 절반에 해당하는 41득점을 올려 기아자동차가 여섯번째로 정상에 오르는 데 결정적 공헌을 했다. 경기가 끝난 후 김승규씨가 허재를 인터뷰했다.

"아들 웅이에게 한 말씀 해주시죠."

"웅이도 나중에 자라서 무엇을 하든지 그 분야에서 일인자가 되기를 바랍니다."

이번에는 독감에 걸린 채 남편을 애타게 응원하던 허재의 아내 이미수씨를 카메라가 잡았다.

"스타의 아내, 괴롭습니까, 행복합니까?"

"괴롭죠. 하지만 오늘은 행복해요."

이로써 그는 그 동안의 슬럼프에서 벗어나 '농구 천재'로서 완전히 부활했다. 이젠 허재의 시대가 저물어가는 것이 아니냐 하는 사람들의 의구심을 한순간에 씻어버린 그야말로 '농구 천재'의 진면목을 보여준 멋진 한판이었다. 나는 화려한 스포트라이트 뒤에 감추어져 있을 허재의 고독과 불안, 무언가 대단한 일을 해낸 뒤 며칠 후면 어김없이 그를 찾아올 뼈저린 허탈감, 그리고 그후에도 다시 아무 일도 없었던 것처럼 살아가야 하는 그의 인생을 생각하며 이미 사라져버리고 없는 그의 뒷모습을 되새기고 있었다.

이카루스의 도전

내가 허재를 처음 알게 된 것은 그가 고등학교 3학년이던 83년 여름에 열린 쌍룡기 쟁탈 전국 고교 농구 선수권 대회를 통해서였다. 그 동안 수없이 많은 '초고교급' 선수들을 보아왔지만 허재처럼 발군의 기량을 지닌 진짜 초고교급 선수는 처음이었다.

허재가 나타나기 이전까지 나는 '드리블의 마법사' 유재학의 플레이에 매료되어 있었다. 특히 찰나의 허점을 파고드는 그의 어시스트는 도저히 말로는 다 표현할 수 없는 눈부신 것이었다. 그러나 유재학은 아쉽게도 작은 키 때문에 자신의 훌륭한 기량을 한껏 펼쳐 보일 수가 없었다. 물론 연세대와 기아자동차를 거치는 동안 89~90 농구대잔치 최우수선수로도 뽑히는 등 국내 정상의 선수로서 화려한 선수생활을 했지만, 그의 키가 5cm만 더 컸더라면 그의 플레이는 더욱더 아름답게 피어났을 것이다.

그런데 허재는 고등학생이던 그 당시에 이미 유재학에 못지 않은 기량을 지니고 있었을 뿐 아니라 가드로서는 드물게 보는 장신이었다. 지금은 문경은 등 190cm대의 슈터도 적지 않지만, 당시 187cm에 달하는 그의 신장은 중국과 일본의 장신벽에 막혀 분통을 삼키며 장신 가드를 염원해오던 우리 농구계에는 가뭄 뒤의 단비와도 같은 희망이었다. 코트 아무 곳에서나 던져도 링 안으로 빨려 들어가는 중장거리포와 그림같이 아름다운 골 밑 돌파 능력, 그리고 뛰어난 체력과 천재적인 센스를 무기로 한 리바운드와 탄탄한 수비 능력 등은 그를 당장 국가 대표 선수로 뽑아야 한다는 생각이 들게 할 정도였다.

그러나 그해 가을 쌍룡기 대회가 내 기억에 남아 있는 것은 그의 화려하고 아름다운 플레이를 처음으로 접한 대회이기 때문이 아니라, 당시 용산고등학교 3학년이던 허재가 쌍룡기 대회가 끝난 직후 연세대나 고려대가 아닌 중앙대로 진로를 결정, 발표한 사실 때문이다.

해마다 스카우트 시즌이 되면 되풀이되는 일이지만, 그해에도 역시 초고교급 스타인 허재를 잡으려고 벌써부터 여러 대학들이 치열한 경쟁을 벌였고, 특히 중앙대의 정봉섭 감독은 낚시를 좋아하는 허재의 아버지 허준씨를 따라 전국 방방곡곡 낚시터란 낚시터는 다 돌아다녔다고 할 정도로 정성을 쏟았다. 고려대 또한 박한 감독을 앞세워 허재를 끌어들이려고 커다란 노력을 기울였고, 한때는 허재가 고려대로 진학하는 것이 거의 결정적이라는 소문이 나돌기도 했다. 그러나 열쇠를 쥐고 있는 허재의 아버지 허준씨는 "어느 학교에 가든 아들이 운동 선수이기 이전에 한 인간으로서 인격과 교양을 길러주길 바란다"는 원칙론만 되풀이할 뿐, 진로에 관해서는 쌍룡기 대회가 끝난 후에 밝히겠다고 함구로 일관했다.

드디어 쌍룡기 대회가 끝나고 허재가 맹활약한 용산고는 이 대회의 우승을 차지함으로써 3관왕에 올랐다. 그리고 허준씨는 허재가 중앙대로 진학하기로 진로를 결정했다고 발표했다. 그 소리를 들은 사람들은 누구나 깜짝 놀랐다. 아무리 중앙대가 정성을 쏟았다고 해도 고교 농구 최고의 스타가 전통과 명예를 자랑하는 연세대나 고려대를 외면하고 중앙대를 선택한다는 것은 커다란 도박이었기 때문이다.

허재를 잡으려고 온갖 정성을 다 쏟았던 정봉섭 감독은 미리 귀띔을 못 받았는지 허재가 중앙대로 진로를 결정했다고 발표하는 순간 너무나 기쁜 나머지 엉엉 울었고, 고려대측 관계자들은 허탈한 표정을 감추지 못했다. 허재는 그만큼 모든 사람들이 탐내던 보물이었던 것이다.

그렇다면 허재가 연세대와 고려대를 마다하고 중앙대를 선택한 이유는 무엇이고, 또 그 의미는 과연 무엇일까?

농구뿐만 아니라 축구, 야구 등 인기 있는 구기 종목들이 거의 다 같은 사정이지만, 그 동안 우리나라 농구계는 연세대와 고려대라는 두 사학 명문팀에 의해 자라났다고 해도 과언이 아니다. 백남정, 김영기, 김영일, 신동파, 유희형, 김동광, 신선우, 이충희, 박수교, 이민현 등 우리나라 농구 역사에 빛나는 스타들은 거의 다 연세대나 고려대 출신들이다. 그 외에도 한 시대를 풍미한 스타 플레이어들은 거의 다 연고대 출신들이고, 역대 국가 대표 선수들 역시 거의 다 연고대 출신들이다. 따라서 고등학교 선수들이라면 누구나 연세대나 고려대에 진학하여 선수 생활을 하는 것이 꿈이었다. 그리고 우수 선수들은 연세대나 고려대로 진학하는 것이 당연시되는 풍조였다. 이 두 대학에 진학했느냐 못 했느냐에 따라 선수의 질을 평가하는 분위기까지 있었던 것이다.

그러나 중앙대 정봉섭 감독의 생각은 달랐다. 그 자신의 표현에 따르면 이제까지 연고대 출신들이 '말아먹어오던' 농구계의 질서를 자신의 힘으로 '바로잡아야겠다' 고 생각하고, 연고대를 중심으로 한 농구계의 구도에 강력한 도전장을 던져놓고 있었던 것이다.

사실 연세대와 고려대는 국가 대표 선수의 산실로 불릴 정도로 우리나라 농구 발전에 공헌한 바가 컸던 반면에 농구계가 이 두 대학 출신 농구인들을 중심으로 질서가 잡히다보니 부작용도 적지 않았다. 그동안 한양대, 경희대, 국민대 등 나름대로 특색 있는 컬러를 갖춘 팀들이 연세대와 고려대의 아성에 도전했었지만 번번이 실패했었다. 우선 선수 구성면에서 차이가 나는데다가 농구계 전체가 연고대 출신들이 주축을 이루다보니 심판 판정 등 눈에 띄지 않는 견제가 여러 방면에서 작용했기 때문이다.

또하나 내가 안타깝게 생각했던 것은 워낙 우수한 선수들이 한두 군데로 집중되다보니 다른 팀에서라면 충분히 주전 선수로 활약하며 자기 기량을 활짝 펴볼 수 있었을 선수들이 후보 선수로 벤치에 앉아 고함이나 질러대고 있는 것이었다. 게다가 언제나 결승전은 연고대가 맞붙는 것이 기정 사실이 되다시피하니 대학 농구에 대한 흥미가 반감되는 것 또한 사실이었다.

물론 이런 것들은 연고대의 책임은 전혀 아니다. 연고대가 다른 팀들의 균형 있는 발전을 위하여 일부러 농구부에 투자를 인색하게 하고 우수한 선수들을 확보하지 않음으로써 자기 팀의 전력을 떨어뜨려서 대학 농구의 균형을 유지할 수는 없는 노릇이기 때문이다. 어디까지나 연고대 이외의 대학들이 자포자기의 패배의식에서 벗어나 자신들도 열심히 노력하면 연고대를 능가할 전력을 지닐 수 있다는 다부진 각오로 덤벼들어야 정도(正道)인 것이다. 마치 정봉섭 감독이 그랬던 것처럼 말이다.

정봉섭 감독의 야심

정봉섭 감독이 언제부터 '타도 연고대'를 계획했었는지는 분명치 않다. 그러나 그가 우리나라 최장신이던 한기범이 중학생일 때부터 눈독을 들인 것을 보면 그가 연고대라는 커다란 장벽에 사나이답게 도전해보리라는 꿈을 가진 것이 하루 이틀의 일은 아니었던 것만큼은 분명하다. 그는 우선 그때까지는 아직 그저 키만 큰 장대들에 불과했던 한기범과 김유택을 잇달아 스카우트한 뒤 집중적으로 덩크슛 훈련을 시키고, 스카이 패스에 의한 골 밑 공략법을 개발하는 등 우리나라 최초로 장신을 이용한 고공 농구를 시도했다. 당시 2m 7cm의 우리나라 최장신 한기범과 함께 197cm의 김유택이 구성한 중앙대의 센터진은 과연 막강했다. 1983년 4월 춘계 대학 연맹전 때 첫선을 보인 이들 '쌍돛대'의 고공 농구는 가공할 위력을 발휘, 그 동안 국내 남자 대학 농구계를 지배해오던 연고대의 아성을 간단히 무너뜨리고 대학 농구계를 평정한 것이다.

정봉섭 감독은 여기에서 한 걸음 더 나아가 아예 국내 성인 남자 농구계를 제패할 야심을 키웠다. 그리고 그러한 야심의 한가운데에는 '농구 천재' 허재가 있었다.

앞서 얘기한 대로 정봉섭 감독은 낚시를 좋아하는 허재의 아버지를 졸졸 따라다니며 허재를 중앙대로 끌어오기 위해 온갖 정성을 다 쏟아부었다. 허재 또한 연고대의 스타 군단에 들어가 전통에 안주하는 것보다는 이제 막 자라나기 시작한 중앙대에 들어가 자신의 힘으로 중앙대의 전성 시대를 만들겠다는 당찬 야심이 있었다.

과연 허재가 가세하면서 중앙대의 전력은 현대, 삼성 등 실업 정상팀을 위협할 정도로 막강해졌다. 올라운드 플레이어인 허재가 내외곽을 가릴 것 없이 휘저어대고, '쌍돛대'를 이용한 골 밑 공격에 강정수의 외곽슛까지 작렬하니, 사실상 중앙대의 전력은 무적에 가까웠다. 이제 바야흐로 국내 성인 남자 농구계에 중앙대라는 태풍의 눈이 등장한 것이다.

중앙대의 등장으로 농구대잔치는 더욱 흥미진진해졌다. 그 동안에는 역시 연고대 출신 선수들이 주축인 현대나 삼성이 서로 번갈아가며 왕좌를 주고받는 형편이었다. 현대에는 '슛도사' 이충희를 비롯, 박수교, 황유하, 이원우 등 슛부대들이 활약중이었고, 삼성 또한 이충희에 필적하는 슛장이 김현준과 임정명, 조동우, 신동찬 등 호화로운 멤버들이 즐비했다. 여기에 이제 겨우 대학 1년생인 허재가 혜성처럼 등장, 단번에 이충희, 김현준의 권위를 위협하며 맹위를 떨치기 시작했다. 중앙대의 경기가 있을 때마다 체육관은 허재를 보러 몰려든 '오빠 부대'들로 넘쳐 흘렀고, 허재는 파워가 넘치면서도 빠르고 세련된 플레이로 농구팬들의 마음을 사로잡았다.

중앙대가 등장하기 이전까지 우리나라 남자 농구의 중심은 '메이드 인 코리아' 라는 별명까지 가지고 있는 정확한 중거리슛이었다. 벤치에서 지시하는 여러 가지 공격 전술의 핵심도 결국은 어떻게 슈터들에게 완벽한 찬스를 제공하느냐 하는 데 있었고, 따라서 센터들의 플레이 또한 포스트를 이용한 직접 공격을 노리기보다는 슈터들에게 공을 배분하는 역할이 더욱 강조되었다. 실제로 국제 무대에서는 중국, 일본 등의 장신 숲에 파묻히게 되는 우리나라로서는 어쩔 수 없는 선택이기도 했다.

그러나 중앙대의 플레이는 달랐다. 우선 한기범과 김유택은 비록 몸싸움에서는 약간 밀리는 경우가 있지만 덩크슛을 마음놓고 구사할 수 있는 신장과 점프력이 있었다. 따라서 중앙대의 '고공 농구' 는 이들 두 포스트가 스카이 패스에 의해 직접 득점에 가담하는 것이 주류였다. 이것은 우리나라에서는 전혀 처음으로 시도된 획기적인 것이었을 뿐 아니라 그 동안 연고대가 주름잡아오던 대학 농구계를 일거에 평정할 정도로 가공할 위력을 지닌 것이었다.

여기에 가세한 허재의 플레이 또한 그 이전의 다른 가드들과는 다른 것이었다. 아무래도 가드들은 신장이 비교적 단신이었고, 따라서 중거리슛과 볼 배급이 좋은 가드라도 수비 능력이나 리바운드에는 문제점을 지니고 있는 경우가 많았다. 그러나 허재는 드리블, 어시스트, 수비, 리바운드, 그리고 슈팅력 등 모든 면에서 최고 수준인 올라운드 플레이어였다. 그는 마술사 같은 드리블 솜씨와 곧이어 이충희를 위협하게 되는 3점슛 능력, 다이나믹하고 세련된 골 밑 돌파와 투지 넘치는 리바운드 등 '농구 천재' 라는 별명이 무색치 않은 화려한 플레이로 농구 코트를 장식했다.

그에 더하여 중앙대에는 강정수라는 빼어난 슈터가 있었다. 이렇게 중앙대는 한기범, 김유택을 이용한 고공 농구와 강정수의 중거리슛, 그리고 허재라는 천재적인 올라운드 플레이어의 환상적인 연기를 모두 보여줄 수 있는, 농구팬들 사이에 가장 인기 있는 팀으로 떠올랐다.

이렇게 허재의 중앙대 진학에는 연고대가 주도해온 농구계 기존 질서에 대한 도전이라는 의미가 있었다. 그리고 그가 연고대가 아닌 중앙대를 선택한 덕분에 우리나라 남자 농구는 획기적인 성장을 이룰 수 있었다. 그러나 그의 도전적인 선택은 그의 앞날에 험난한 가시밭길이 놓여 있음을 예고해주는 것이기도 했다.

"야, 나와!"

중앙대의 과감한 도전은 예상했던 것 이상으로 엄청난 견제를 받았다.

정봉섭 감독은 선수들에게 끊임없이 '타도 연고대'의 구호를 주입시키며 정신무장을 다졌다. 그 동안 거두어온 나름대로의 성공에 따른 자신감과 젊은 선수 특유의 패기에 차 있던 중앙대 선수들은 정봉섭 감독이 강조하는 철학에 스스로를 일치시켜갔다. 따라서 중앙대 선수들은 연고대나 삼성, 현대 등 정상의 팀을 만날 때마다 강렬한 투지를 불태웠고, 반면에 그 동안 누려왔던 자리를 송두리째 빼앗길 위기에 처해버린 상대 팀들도 중앙대와의 경기에서는 특별한 정신무장을 하고 경기에 임하게 되었다.

그러한 '특별한' 투지와 정신무장은 종종 그릇된 승부의식과 맞물려 경기가 과열되는 사태로 나타나곤 했다. 중앙대와 싸우는 팀들은 중앙대 전력의 핵인 허재를 수단과 방법을 가리지 않고 집중적으로 마크했다. 그 과정에서 동원된 방법은 거의 대부분 폭력에 가까운 것이었다. 그러나 심판들은 이러한 반칙들에 대하여 상대적으로 관대하게 대응했다. 어떤 경우에는 심판들이 눈에 띄게 편파적인 판정을 하는 것이 느껴질 정도였다.

허재의 매너가 거칠어진 것도 사실 그때부터이다. 허재는 그에게 지나치게 거친 반칙이 가해지는데도 심판이 파울을 불어주지 않을 경우 원색적인 용어를 서슴없이 써가며 항의하기 일쑤였고, 신문 지면에는 허재의 나빠진 매너에 대한 이야기가 등장하기 시작했다.

중앙대가 비록 강한 전력을 지녔다고는 하지만 아직은 경험이 적은 어린 선수들일 뿐이었다. 반면에 현대나 삼성의 선수들은 경험이 풍부한 노회한 선수들이었다. 중앙대 선수들이 일거에 제압할 수 있었던 것 같은 대학생들인 연고대 선수들과는 다른 차원의 선수들이었다. 중앙대 선수들은 연고대라는 '전통의 벽' 은 넘을 수 있었지만, 현대와 삼성이라는 '재벌의 벽' 을 넘기에는 아직은 조금 이른 듯이 보였다. 거기에다가 심판의 아리송한 판정마저 가세하니 중앙대 선수들의 심판에 대한 불신, 더 나아가 그러한 편파적인 심판 판정의 원인이라고 여겨지는 연고대 출신들이 주도하고 있는 농구계 질서에 대한 적대감은 더욱 부풀어올랐다.

86~87 농구대잔치 결승 시리즈, 현대와 중앙대의 경기에서 성질이 불같기로 유명한 정봉섭 감독은 심판의 편파적인 판정에 화가 난 나머지 중앙대가 29대 24로 리드하고 있었음에도 불구하고 선수들을 불러들여 게임을 포기해버렸다. 아무리 물증이 없다고 해도 사람들은 모두 느끼고 있었다. 기득권을 지키려는 기존 농구계의 견제가 그만큼 심한 것이었다는 것을. 그때 중앙대 선수들을 불러들이던 정봉섭

감독의 "야, 나와!"라는 한마디는 연고대와 재벌로 대표된 기존 농구계의 질서에 도전한 중앙대의 분노와 좌절을 적나라하게 드러낸 것이었다.

태양을 향해 날아오르다

중앙대의 과감한 도전이 현대와 삼성이라는 재벌의 벽에 막혀 좌절하는 동안에도 허재의 주가는 하늘 높은 줄 모르고 치솟기만 했다.

허재는 대학 1년생이던 1984년 4월 서울에서 열린 아시아 청소년 농구 선수권 대회에서 눈부신 활약을 보여주며 한국팀을 우승으로 이끌었다. 특히 중국과의 결승전에서는 28득점, 리바운드 6개, 인터셉트 3개 등으로 맹활약, 우리나라의 우승에 가장 큰 공헌을 했다.

대학 2학년 때인 85년 말 국가 대표 유니폼을 입은 허재는 말레이시아에서 열린 제13회 아시아 남자 농구 선수권 대회를 시발로 86년 아시안 게임 등에서 국가 대표 주전 가드로 활약하면서 아시아 최고의 가드로 부상, 이제는 이충희의 대를 잇는 슈퍼스타로서 완전히 자리를 굳혔다. 86년 아시안 게임 중국과의 결승전에서는 발목 부상으로 경기 시작 5분 만에 코트를 나와야 했고, 우리나라는 중국에게 아깝게 패해 은메달에 만족해야 했다. 만일 우리나라가 이때 농구에서 금메달을 따냈더라면, 종합 메달 집계에서도 중국을 금메달 한 개 차이로 따돌리고 종합 우승을 차지할 수도 있었으니만큼, 그 경기는 두고두고 아쉬움을 주었으며, 농구 팬들 사이에는 '허재만 있었더라면' 하는 짙은 안타까움을 남겼다. 대학 4학년 때는 단국대와의 경기에서 혼자서 75점을 집어넣는 엄청난 기록을 세우기도 했다.

이렇게 우리나라 최고의 농구 스타로 성장한 허재가 대학 3학년이 되자 당연히 치열한 스카우트 전쟁이 시작되었다. 이미 한기범, 김유택 등 중앙대 출신 선배들을 확보한 신생팀 기아자동차가 가장 유리한 고지를 확보한 가운데, 그 동안 허재에게 혼쭐이 난 현대와 삼성 두 재벌 팀도 거액의 스카우트 비를 내걸고 허재 확보에 총력전을 펼쳤다. 그러나 이렇게 치열하게 펼쳐진 스카우트 전쟁은 비교적 싱겁게 끝났다. 허재가 실업 최강인 현대나 삼성을 마다하고 신생팀인 기아자동차를 선택하는 또 한번의 모험을 한 것이다.

그 결정의 막후에는 물론 자신의 제자들로 실업 무대마저 평정하려는 정봉섭 감독의 강한 의지가 있었다. 허재 또한 그 동안 경쟁심을 불태워오던 연고대 출신들이 득실거리는 현대나 삼성보다는 한기범, 김유택 등 중앙대 시절 한솥밥을 먹던 선배들이 있는 기아자동차가 더욱 매력적이었을 것이다.

'승부사'로 유명한 방렬 감독을 사령탑으로 86년 4월 창단한 기아자동차는 한기범, 김유택의 '쌍돛대'와 화려한 드리블을 자랑하는 또 하나의 '천재 가드' 유재학, 그리고 '수비의 달인' 정덕화 등 뛰어난 선수들을 중심으로 이미 현대와 삼성의 아성을 위협하며 국내 성인 남자 농구계에 돌풍을 일으키고 있었다. 이제 '농구 천재' 허재의 입단으로 기아자동차는 선수 구성면에서도 현대와 삼성을 능가하는 실업 최강의 전력을 보유하게 되었다.

그해 말부터 벌어진 88~89 농구대잔치에서 기아자동차는 현대, 삼성 등 전통의 강호들을 제압하고 첫 패권을 잡음으로써 '기아자동차 전성시대'의 화려한 막을 올렸다. 우리나라 농구 역사상 최고의 공격형 가드인 허재의 환상적인 플레이를 중심으로 기아자동차는 국내 최강의 팀으로 자리잡았고, 기아자동차와 현대, 삼성, 그리고 연고대와 중앙대가 격돌하는 농구대잔치는 폭발적인 인기를 모으며 겨울 스포츠의 여왕으로 발전, '농구 세대'라고 불리는 신세대 젊은이들을 양산하는 씨앗이 되었다. 90년에는 중앙대 출신의 강동희마저 입단함으로써 그야말로 무적의 진용을 갖추게 된 기아자동차는 소위 '허동택 농구'를 완성하여 지난 92~93 농구대잔치까지 무려 5연패를 기록하는 금자탑을 세웠다.

기아자동차가 이렇게 화려한 전성시대를 펼쳐나가는 동안 허재 또한 농구 선수로서 절정을 향해 치달았다. 기아자동차에 입단한 88년 여름, 허재는 88올림픽에서 선수 대표 선서를 하는 운동 선수 최고의 영광을 맛보았다. 89~90 농구대잔치에서는 드디어 이충희를 제치고 득점왕에 올랐으며, 91~92 농구대잔치에서는 이충희, 김현준에 이어 통산 득점 3천 점을 돌파하면서 농구대잔치 MVP로 선정되었다. 특히 92~93 농구대잔치에서는 3점슛 4백 개 돌파의 기록을 세워 2위 김현준과의 차이를 1백 개 이상으로 벌려놓는 한편, 가드로서는 처음으로 리바운드 1천 개 돌파라는 대기록을 수립하여 천재 올라운드 플레이어로서의 진면목을 만천하에 과시했다. 농구에 관한 한 허재에 대항할 선수는 없는 것처럼 보였다.

그러나 태양을 향해 날아오르던 이카루스처럼 허재 역시 끝이 안 보이는 나락으로 추락하는 순간이 다가왔다.

오만한 천재의 추락

1993년 8월 28일, 대한농구협회 강화위원회는 같은 해 11월 12일부터 11월 21일까지 인도네시아 자카르타에서 열리는 제17회 아시아 남자 농구 선수권 대회에 참가할 국가 대표팀을 구성했다. 무려 6시간에 걸친 마라톤 회의 끝에 발표된 대표팀 명단에는 놀랍게도 '농구 천재' 허재의 이름이 빠져 있었다.

지난 85년 대학 2년생의 어린 나이로 태극 마크를 단 이후 허재가 대표팀에서 제외된 적은 없었다. 아니, 이전에도 폭력 사태로 인한 징계라든가 부상 등으로 몇 번 제외되었던 적은 있었다. 그러나 그때마다 대회가 임박해서는 반성의 빛이 보인다며 징계를 풀어주고 대표팀에 합류시키곤 했다. 물론 실제 이유는 그가 빠진 데 따른 전력의 공백이 너무 컸기 때문이다.

그러나 이번에는 달랐다. 허재는 제17회 아시아 남자 농구 선수권 대회가 시작될 때까지, 그리고 우리나라 대표팀이 중국에게 무려 30

여 점 차로 참패하고 귀국할 때까지 태극 마크를 달지 못했다. 그야말로 완전히 제외되었던 것이다.

기아자동차 팀의 일원으로 터키에 원정중이던 허재는 이 소식을 전해 듣고 충격을 감추지 못했다고 한다. 허재에게는 아마 이 사건이 그의 인생에서 최대의 좌절이었을 것이다. 허재는 이 모든 고초를 자신이 연고대를 택하지 않은 탓으로 돌리고, 그 분노를 삭이느라 '폐인처럼' 술로 세월을 보냈다. 자존심이 상해 견딜 수 없었다는 것이다.

그렇다면 그의 뛰어난 기량에도 불구하고 허재가 이렇게 철저하게 배제되었던 이유는 무엇일까? 강화위원회가 허재의 대표팀 탈락의 이유로 밝힌 것은 "무절제한 생활 습관과 불성실한 훈련 태도로 세대교체된 젊은 선수들에게 악영향을 미칠 우려가 많다"는 것이었다고 한다. 여기서 '무절제한 생활 습관'이란 직접적으로 1993년 8월 18일 벌어졌던 대전 엑스포 기념 농구 대회 당시 허재가 경기 전날 숙소를 이탈, 새벽까지 술을 마시고 다음날 연세대와의 경기에 출전하지 못하게 된 것과, 같은 달 초 첫아들을 얻은 허재가 친구들과 축하주를 마시고 병원에서 150미터쯤 떨어진 택시 정류장까지 친구들을 바래다주다가 음주 운전 단속에 걸린 사건을 말한다. 특히 엑스포 기념 농구 대회에서 숙소를 무단 이탈한 것이 기아자동차 최인선 감독의 분노를 샀고, 결국 기아자동차는 허재에게 출장 정지라는 극약 처방을 내렸는데, 이것이 허재를 대표팀에 선발하지 않은 결정적인 이유로 알려졌다.

농구 선수가 다음날 경기를 할 수 없을 정도로 술을 마셨다면 그 선수의 직업의식을 의심할 만큼 중대한 문제이다. 그러나 그렇게 형편

없는 직업의식을 가진 선수가 투철한(?) 직업의식을 가진 다른 누구보다도 농구를 잘한다면 그의 직업의식을 트집잡아 국가 대표팀에서 제외시킬 수는 없는 노릇이다. 게다가 허재의 경우는 팀의 규칙을 어기고 밤늦게까지(사실은 다음날 이른 아침까지) 숙소를 무단 이탈한 것이 기아자동차 최인선 감독의 분노를 산 것이지 그가 육체적으로 도저히 경기를 할 수 없을 만큼 술에 취했던 것은 아니었다. 즉 허재 개인적인 차원에서 경기에 출전할 수 있는 컨디션을 유지하고 안 하고의 문제가 아니라, 팀워크가 무엇보다도 중요한 단체 경기에서 팀의 규율을 어긴 것이 문제가 되었던 것이다. 그러나 이것은 어디까지나 기아자동차 팀 내부의 문제였고 또 팀 자체에서 이미 징계를 한 일이다. 일사부재리의 원칙을 들먹이지 않더라도 그 사건을 이유로 허재를 대표팀에서 제외시킨다는 것은 설득력이 약하다.

무단으로 숙소를 이탈할 정도로 형편없는 정신자세를 가진 선수는 국가를 대표하는 선수로서의 자격이 없다는 논리로 그를 제외시킨 것이라면, 형평의 문제가 제기된다. 예를 들어보자.

온 국민이 거의 7년 동안 올림픽만 생각하고 말하며 살아온 것처럼 느껴지던 88년 서울 올림픽 당시, 세계 8강 진입을 노리던 한국 남자 농구팀은 중앙 아프리카 공화국과의 첫 경기에서 무기력한 경기를 펼친 끝에 그만 지고 말았다. 그런데 그날 밤에 주장이 대표 선수들을 이끌고 숙소를 이탈, 폭음을 한 사실이 마침 그 술집에서 술을 마시던 어느 기자의 눈에 띄어 기사화되면서 수많은 농구팬들이 분노한 일이 있었다. 온 국민이 긴 세월 동안 준비하며 기다려 온 88올림픽에서 나라를 대표하는 선수로 뽑힌 사람들이 첫 경기에서 졌으면 자숙을 하고 다음 경기에 대비했어야지 오히려 뻔뻔스럽게 폭음을 하고 있었으니 농구팬들이 어찌 분노하지 않았겠는가?

이 사건은 올림픽이 끝난 뒤 그야말로 일벌백계로 다스렸어야 하는 사건임에도 불구하고 그 당시 코칭 스태프나 농구협회는 주동 멤버들에게 아무런 벌을 주지 않았다. 그런데 허재는 단순한(?) 국내 경기를 앞두고 혼자서 숙소를 이탈, 음주를 했을 뿐 다른 선수들을 끌고 나간 것도 아니었다. 또 소속팀으로부터 이미 그에 대한 징계를 받은 터에 굳이 그것을 이유로 허재를 대표팀에서 제외시킨 것은 잘 납득이 되지 않는다.

대부분의 성인 남자가 음주에 관한 한 무절제하고, 또 그것이 사나이다움으로 미화되기까지 하는 우리나라의 병적인 음주 문화를 고려해볼 때, 유독 허재에게만 '절제된' 생활 습관을 요구하는 것은 불합리하다는 생각이다. 더욱이 허재의 '무절제한 생활 습관'을 문제삼은 강화위원들 중 대부분이 바로 그러한 무절제한 음주 문화의 신화를 양산하여 그 자랑스러운(?) 전통을 후배들에게 물려준 장본인들이 아닌가.

허재의 연습 태도가 불성실하므로 국가 대표 선수로 선발할 수 없다는 이야기는 대학 입학 시험에서 어느 수험생이 시험 성적은 매우 뛰어나지만 입학 시험 공부를 열심히 하지 않았으므로 합격시킬 수 없다는 말과 같다.

허재의 훈련 태도가 건전한 상식으로 판단할 때 모범적이라고 할 수는 없을 것이다. 실제로 92년 여름 기아자동차 팀의 하계 훈련중 허재가 최인선 감독의 연습 스케줄이 무리한 것이라고 반발하고 연습장을 뛰쳐나간 적도 있다. 그리고 그러한 행위가 팀워크에 얼마나 커다란 악영향을 미치는 것인가는 구구히 설명할 것도 없다.

그러나 그의 제멋대로인 행동을 비난하는 것만큼, 그를 가르치는 감독의 지도력 또한 문제삼지 않을 수 없다. 허재가 농구를 하루 이틀 해온 것도 아니고, 그 기나긴 세월 동안 그의 좋지 않은 훈련 태도가 고쳐지지 않았다면, 그 동안 그를 가르친 지도자들 중 어느 누구도 그를 제대로 컨트롤하지 못했다는 얘기가 된다. 심하게 말하자면 허재의 기량을 이용한 눈앞의 승리에만 관심을 두었을 뿐 장기적으로 허재의 인격 완성을 고려, 그의 제멋대로인 성격을 고쳐볼 생각은 하지 않았다는 얘기도 된다. 즉 교육자로서의 책임감을 문제삼을 수도 있을 것이다.

그리고 소위 '불성실한' 연습 태도 때문에 그의 농구 실력이 대표 선수로 선발할 수 없을 정도로 떨어진 적은 없다. 어떤 의미에서는 그는 자기 훈련만큼은 스스로 알아서 한다고 말할 수 있다. 허재는 지는 것을 이 세상에서 가장 싫어한다. 언제든 자신의 위치가 조금이라도 흔들리는 것을 느낄 때면 그는 자시 자신을 독하게 다스림으로써 자기 자리를 지켜내곤 했다. 즉 훈련의 밀도만큼은 나름대로 스스로 조절할 줄 아는 선수라는 얘기다.

이렇게 보면 강화위원회가 허재를 대표팀에서 제외시킨 이유로 발표한 '무절제한 생활 습관'과 '불성실한 훈련 태도'는 무언가 밝히기 어려운 진짜 이유를 가리기 위한 대외용이라는 느낌을 떨쳐버리기가 쉽지 않다.

그 자리에서 방렬 감독은 허재가 대표 선수다운 '지성'과 '인격'이 결여되어 있다고 대표 선수로서의 결격 사유를 강하게 지적했다고 한다. 모름지기 한 나라를 대표하는 선수라면 건전한 시민으로서의 상식과 인격을 갖추어야 할 것이다(방렬 감독이 말하는 '지성'의 정의를 감히 짐작할 수 없으므로 '상식'으로 대신했다). 그러나 우리가 '지성' 대표 선수를 뽑는 것도 아니요, 더구나 '인격' 대표 선수를 뽑는 것도 아닌 만큼, 허재의 인격이 태국에 가서 환락 관광 따위나 일삼는 수준 이하가 아니라면, 이 문제가 그를 대표 선수로 선발할 수 없는 결정적인 이유가 되어서는 안 될 것이다.

물론 자기 중심적이고 개성이 강한 그의 성격이 팀 내의 인화를 해칠 소지가 있는 것은 사실이다. 그러나 대표팀에 뽑힌 선수라면 누구나 최고 수준의 기량을 지니고 있는 만큼, 그들의 자부심과 스타 의식 또한 강하게 마련이다. 그들의 강한 개성과 뛰어난 기량을 잘 조화시켜 대표팀의 전력을 극대화하는 것, 바로 그것이 대표팀 감독이 해야 할 일이 아닌가.

그러니까 이러한 문제는 감독이 지도력을 발휘하여 해결해야 할 성실의 것이지 해당 선수를 탈락시킴으로써 회피해버릴 문제는 아니다. 결국 대한농구협회 강회위원회가 허재를 대표팀에서 제외시키기로 결정한 것은 기량은 뛰어나지만 다루기가 골치 아픈 선수를 아예 처음부터 제외시켜 골칫거리를 덜겠다는 무책임한 태도로 비난받아 마땅한 일이다.

그렇다면 허재의 '인격적인 결함'을 강하게 지적한 방렬 감독의 주장이 강화위원들에게 비교적 설득력 있게 받아들여지고 대다수의 동의를 끌어낼 수 있었던 이유는 무엇일까? 어째서 허재를 지도한 농구 지도자들은 한결같이 "재능은 최고, 정신 자세는 밑바닥"이라고 그를 평가하는가?

허재가 이렇게 농구계에서 완전히 '찍힌' 것은 90년 5월의 '그 사건' 때문이다. 그 사건 때문에 허재 자신이 가장 믿고 존경한다는 중앙대 정봉섭 감독마저 "현재의 스승을 잡아먹은 사람이 과거의 스승인들 배신하지 않겠느냐"면서 허재의 대표팀 탈락을 강력히 주장했던 것이고, 허재의 대표팀 탈락 소식을 듣고도 사람들은 자업자득이라는 냉담한 반응마저 보였던 것이다.

그렇다면 '그 사건'은 과연 무엇이기에 허재를 그렇게 철저히 파괴시킬 수 있는 빌미를 제공한 것일까?

허재의 원죄

기아자동차의 창단 사령탑인 방렬 감독은 자타가 공인하는 우리나라 최고의 농구 이론가이며 탁월한 코치이다. 유창한 영어 실력을 바탕으로 미국의 선진 농구 기술과 전술을 우리나라에 수혈하여 '트라이앵글 투'와 같은 새로운 수비 전술을 선보이는 등 그가 수입하고 개발하여 보급한 농구 전술만 해도 이루 다 헤아릴 수 없을 정도이다. 특히 그는 전술의 요점을 알기 쉽게 선수들에게 설명하는 탁월한 지도 방식으로 선수들 사이에 인기가 높았다. 따라서 허재, 김유택, 유재학 등 뛰어난 선수들을 보유한 기아자동차가 방렬이라는 명감독의 조련 아래서 좋은 성적을 거두는 것은 어떻게 보면 당연한 일이기도 했다.

그러나 유재학, 정덕화, 한만성 등의 연세대 라인과 허재, 한기범, 김유택 등의 중앙대 라인으로 구성된 선수단은 언제 폭발할지 모르는 갈등을 내포하고 있었다. 지난 수십 년간 대학 농구계를 호령해오다가 중앙대의 돌풍에 말려 권좌를 내주어야 했던 연세대 출신 선수들과, 그들을 타도 대상으로 여기며 칼을 갈아온 중앙대 출신 선수들을 합쳐 한 팀을 만들었으니, 그들 사이의 갈등이 없으리라고 믿는 것이 사실 이상한 일이다.

특히 중앙대 출신 선수들은 무엇 때문인지, 그리고 누구의 사주 때문인지는 모르지만, 연세대 출신인 방렬 감독이 연세대 출신 선수들을 싸고돈다는 의심을 품고 있었다. 이렇게 된 배경에는 연고대 출신들이 '말아먹어온' 농구계를 우리들(중앙대 출신들)이 정화해야 한다는 사명감을 주입시켜온 중앙대 정봉섭 감독의 정신 훈련에 세뇌된(?) 중앙대 출신 선수들이 가지고 있는 연고대 출신 선수들에 대한 적개심말고도, 방렬이라는 너무나도 거대한 산에 가로막힌 어느 특정인의 야심 또한 한 원인이었을 것이다.

기아자동차는 속으로는 이렇게 곪을 대로 곪은 상처를 안은 채로 89~90 농구대잔치를 맞이했다. 지난해 기아에게 왕좌를 물려준 현대와 삼성은 기아에게 설욕을 하기 위해 칼날을 갈았고, 그 칼날은 기아자동차 전력의 핵심인 허재에게 집중되었다. 그리고 불행하게도 그 칼날은 때로는 야비하기까지 한 반칙을 동반한 거친 수비로 나타나서, 급기야는 삼성의 손영기가 허재의 얼굴을 강타하여 허재가 코뼈가 내려앉는 중상을 입는 사태까지 벌어졌다. 거듭되는 반칙과 거친 수비로 전신이 고장나버린 허재가 허리의 통증까지 호소하자, 기아팀에서는 허재를 병원에 입원시키지 않을 수 없었다. 앞길이 구만리 같은 한창 젊은 선수를 무리하게 혹사시켜 선수 생명을 단축할 수는 없기 때문이었다.

허재가 입원해버리자 현대와의 최종 결승전을 앞둔 기아자동차는 전력에 커다란 구멍이 생겼다. 이러한 때에 설상가상으로 이번에는 기아자동차 고공 농구의 한 축인 김유택이 간통 사건으로 피소되어 선수로서 품위를 손상시켰다는 이유로 농구협회로부터 최종 결승전 출장 정지라는 징계를 받았다.

이렇게 팀이 풍전등화의 운명에 처해 있을 때, 예상을 뒤엎고 허재가 병원을 박차고 나와 팀에 합류했다. 와해 직전까지 몰렸던 팀 분위기는 허재의 합류로 일신되었고, 허재는 도저히 뛸 수 없는 상황임에도 불구하고 그 특유의 오기와 승부 근성이 발동, 마취 주사까지 맞아가며 경기에 출전, 눈부신 활약을 보임으로써 기어이 기아자동차를 정상에 올렸다. 이로써 허재는 화려한 그의 테크닉뿐 아니라 그의 근성과 투지까지도 슈퍼스타에 걸맞은 수준임을 만인에게 보여주었고, 사람들의 뇌리에는 기아자동차를 정상에 올린 주역은 '역시 허재' 라는 인식이 뚜렷하게 각인되었다.

그런데 농구대잔치가 끝나고 발표된 최우수 선수는 허재가 아닌 유재학이었다. 최우수 선수란 농구대잔치 전 경기를 통틀어 가장 훌륭한 플레이를 펼친 선수에게 주는 것이지 결승전 한 게임만 잘한 사람에게 주는 것이 아니다. 따라서 포인트 가드로서 팀을 이끌어온 유재학이 최우수 선수가 된 것이 그리 이상한 일만은 아니다. 실제로 통이 크고 보스 기질이 있는 유재학은 '바람 잘 날 없는' 기아자동차 팀을 주장으로서 훌륭하게 잘 이끌어왔다.

그러나 허재의 반발은 거셌다. 결승전뿐 아니라 농구대잔치 전체를 통틀어 허재만큼 화려한 플레이를 펼친 선수가 없었기 때문이다. 허재는 '슛장이' 이충희를 제치고 득점왕에 오른 것을 비롯, 3점슛, 리바운드, 어시스트 등 전 분야에서 고르게 뛰어난 활약을 보인 것이다.

허재의 반발은 방렬 감독에게로 화살이 겨누어졌다. 방렬 감독의 말대로 감독이 최우수 선수를 추천하는 것이 아니라고 하더라도, 아무래도 감독의 입김으로 좌우되는 것이 MVP라는 통념이 지배하던 시점이었다. 허재는 연세대 출신인 방렬 감독이 자신의 후배인 유재학의 팔을 들어주었다고 생각했다. 허재의 아버지는 직접 방렬 감독에게 팔이 안으로 굽는 것이 아니냐며 격렬히 항의했고, 중앙대 선수들 또한 심하게 반발했다. 그러지 않아도 방렬 감독이 연세대 출신 선수들을 싸고돈다고 생각하던 중앙대 출신 선수들의 불만은 이 사건으로 극에 달했다.

이렇게 농구대잔치가 끝나고 두 달 만에 코리언 리그가 열렸다. 이 코리언 리그에서 기아자동차는 전패를 기록하며 최하위로 떨어졌다. 농구대잔치에서 삼성, 현대 등 기존의 강호들을 뿌리치고 2연패를 달성한 것이 바로 엊그제인데 만년 하위 팀들인 금융단 팀들에게도 전패를 당하는 수모를 겪은 것이다. 물론 농구대잔치가 끝난 뒤의 코리언 리그는 각 팀이 그해에 스카우트한 선수들과 기존 멤버들 간의 팀워크를 맞추고 신예들의 기량을 테스트해보는 등 자체 전력을 점검하는 성격이 강하다. 그렇다고 해도 기아자동차 같은 강팀이 전패를 당하는 것은 이해할 수 없는 일이었다.

방렬 감독은 처음 몇 게임은 선수들이 기나긴 농구대잔치를 치르며 지친데다가 농구대잔치 직후에 일본으로 원정을 다녀와서 탈진한 탓이라고 생각했다고 한다. 그런데 넷째 경기부터 이상한 느낌이 들더라고 했다. 감독의 작전 지시가 영 먹혀들지를 않는 것이었다. 그리고 생각하니 아무래도 이상했다. 허재, 김유택, 한기범 등 주전 선수들뿐만 아니라 선수들을 독려하고 채찍질해야 할 코칭 스태프마저 움직이지를 않는 것이었다. 그제서야 방렬 감독은 자신이 무서운 음모의 한가운데에 걸려들어 있음을 깨달았다. 중앙대 출신 선수들이 누군가의 사주에 의해 사보타지를 한 것이다. 물론 그 목적은 방렬 감독을 무능한 지도자로 몰아서 쫓아내는 데 있었다. 이러한 야비한 음모를 사주한 것이 바로 허재로 알려졌고, 참담한 배신감을 느낀 방렬 감독은 즉시 회사에 사표를 냈다.

유감스럽게도 이 비열한 음모는 대성공을 거두었다. 이 사건의 주모자로 알려진 허재와 방렬 감독 사이에서 기아자동차측이 허재를 택한 것이다. 기아자동차 농구단은 방렬 감독을 총감독으로 임명, 일선에서 퇴진시키는 상식 밖의 미봉책(?)으로 사태를 해결하고자 했다. 그러나 그러한 결정은 허재 자신에게도 아무런 도움이 되지 않는 것이었다.

이 사건이 허재의 사주에 의한 것이라는 사실이 알려지자 전체 농구계는 분노했다. 특히 연세대 출신 농구인들의 분노는 극에 달했고, 그 이후 연세대는 여러 해 동안 단 한 명의 선수도 기아자동차에 보내질 않았다(95년이 되어서야 겨우 한 명이 입단했다). 그리고 이 사건은 두고두고 허재를 망령처럼 따라다니는 멍에가 되었다.

나 또한 허재의 열렬한 팬으로서 그에 대한 무수한 비난에 가능한 한 모든 반론을 펴며 그를 싸고돌곤 하지만(한 번도 만난 적도 없으면서), 이 사건에서만은 도저히 그를 변호할 수가 없다.

운동 선수란 대체 무엇인가? 운동 경기란 이기려고 하는 것이다. 운동 경기란 주어진 규칙을 준수하면서 그 테두리 안에서 승리하기 위하여 혼신의 힘을 쏟고, 그리고 나선 이기든 지든 최선을 다한 상대방을 얼싸안는 정말로 아름다운 것이다. 어느 한 팀이 이기기를 포기한 경기는 재미가 없게 마련이고, 하물며 일부러 지려고 경기를 한다는 것은 운동 선수로서 가장 큰 죄악을 저지르는 짓이다. 운동 선수가 이기려고 하지 않는다는 것은 스포츠의 존재 이유 자체를 부정하는 것이기 때문이다.

나는 이렇게 고의로 져주는 경기를 하는 행위가 농구장 안에서의 폭력이나 농구장 밖에서의 문란한 사생활보다 훨씬 더 부도덕한 행위이며, 따라서 회사 차원에서뿐 아니라 농구협회 차원에서 엄중한 징계를 내렸어야 되는 일이라고 생각한다. 그런데 기아자동차측은 오히려 방렬 감독을 퇴진시키는 상식 밖의 수습을 했고, 농구협회 또한 아무런 조치도 취하지 않았다. 허재의 너무나도 뛰어난 기량이 아까웠던 것이다. 아니, 그의 뛰어난 기량이 필요했다는 표현이 더 알맞을 것이다. 기아자동차는 기아자동차대로 허재를 제재함으로써 비롯될 다른 선수들의 동요와 전력의 공백을 두려워했고, 농구협회는 농구협회대로 허재 없는 국가 대표팀을 생각하니 차마 단호한 대처를 할 수 없었을 것이다.

* 나중에 허재 선수에게 방렬 감독이 퇴진한 부분에 대해 확인해볼 기회가 있었다. 그는 자신이 그런 비열한 음모를 사주했다는 소문을 단호히 부인했다. 그 대회 동안 자신은 병원에 입원해 있었는데 어떻게 그런 일을 할 수 있었겠느냐고 항변하는 그의 말을 나는 믿기로 했다.

반항과 분노의 가시밭길

90년 5월의 그 사건 이후 허재의 농구 인생은 위기와 좌절, 그리고 반항과 분노로 가득 찬 가시밭길이라는 표현이 가장 적절한 것이다. 허재를 크게 혼내주었어야 하는 사건에 대해(사실 그들 자신의 이익 때문이기도 했지만) 그를 협회 차원에서 벌을 주지 못한 '주류' 농구인들이 정상적인 경로가 아닌 다른 방식으로 그를 응징하기 시작했기 때문이다.

허재는 우선 그에게 가해지는 폭력에 가까운 무수한 반칙에 시달리게 되었다. 그것은 물론 기아자동차 플레이의 핵심인 허재의 플레이를 위축시키려는 상대팀의 방어 전술 때문이기도 하지만, 관중의 눈에 뚜렷하게 보일 정도로 지나친 반칙에도 비교적 관대하게 넘어간 심판들의 보이지 않는 방조 또한 큰 몫을 했다. 허재는 그때마다 감정을 원색적으로 분출시키며 심판들에게 대들기 일쑤였고, 그것은 그에 대한 더욱 가혹한 응징으로 되돌아왔다.

허재의 거친 항의가 여과 없이 TV를 통해 많은 농구팬들에게 전달되면서, 허재는 도무지 매너라고는 없는 건방진 선수라는 인식이 확산되기 시작했다. 기아자동차가 최인선 감독 체제로 재출발한 90~91 농구대잔치에서 허재는 뛰어난 플레이로 득점왕과 MVP를 향해 쾌속 순항중이었다. 그러나 부산에서 열린 현대와의 최종 결승 2차전에서 임달식, 김성욱 등과 충돌, 폭력 사태를 빚고 퇴장당함으로써 허재는 MVP와 득점왕 2연패의 꿈도 날리고 6개월간의 자격 정지라는 징계만 받은 채 병원에 입원하는 신세가 되었다. 허재는 피해자로서 억울함을 호소했지만, 이 사건으로 허재는 '코트의 폭력배'로 낙인이 찍혔고, 국가 대표팀에서도 제외되는 등 만신창이가 되었다.

허재가 받아야 했던 고초는 상당히 많은 부분 허재가 자초한 면도 있지만, 또 한편으로는 허재의 표현대로 감히 기존 농구계의 권위에 도전했던 허재에 대한 '주류' 농구인들의 철저한 응징이기도 했다. 허재는 그후로도 끊임없이 다양한 박해(?)에 시달리게 되고, 거기에 그의 성격대로 원색적으로 반발하는 과정에서 그와 농구인들, 더 나아가서 그와 농구팬들 사이에는 커다란 애증의 간극이 생기고 말았다.

사실 허재는 그를 지도해야 하는 지도자나 그의 동료들의 처지에서 보면 참으로 다루기 힘든 골치 아픈 존재일 것이다. 그는 성격이 호쾌하고 직선적이며 가식이 없다. 그의 태도는 겸손함과는 거리가 멀다. 그리고 그의 강한 자부심은 때때로 오만함으로 나타난다. 성격이 급하고 직선적인 까닭에 심판이 자신에게 불리한 판정을 내리면 심판에게 정면으로 대들기 일쑤이고, 농구에 관한 한 자신이 최고라고 생각하니까 때때로 감독의 지시마저 무시할 때가 있으며, 심지어는 감독을 제치고 자신이 직접 작전을 지시하려 들기까지 한다. 어느 선수이든 감독보다 좋은 생각을 가질 수는 있다. 그러나 그것을 표현할 때는 선수와 감독이라는 거리를 고려하는 대화의 테크닉이 필요하다. 특히 우리나라처럼 위계 질서를 중시하는 사회에서는 더욱 그렇다. 불행하게도 그러한 인간적 성숙함을 기대하기에는 허재의 자신감이 너무 컸다.

한마디로 말해서 허재는 '다루기 힘든 골치 아픈 존재' 라는 인식이 이심전심으로 전해져 있는 것이다. 반면에 그의 출중한 농구 기량은 그의 건방진 태도만을 이유로 썩혀버리기엔 너무나 아깝다. 그가 있으면 도저히 이길 수 없을 것 같던 경기도 승리하는 경우가 종종 일어나는 것이다. 여기에 허재를 지도해야 하는 농구 지도자들의 딜레마가 있다.

허재는 90년에는 부상을 이유로 대표팀에 제때에 합류하지 않고 있다가 미모의 탤런트와의 만남이 기자들의 레이다에 걸리면서 구설수에 올랐다. 젊은 남자와 젊은 여자가 만나 데이트를 하는 것은 선사 시대부터 있어왔던 자연스러운 일이다. 또 허재가 누구를 만나서 데이트를 하건 그것은 그의 사생활이니만큼 다른 사람들이 왈가왈부할 일도 아니다. 그러나 이미 색깔이 짙은 안경을 쓰고 세상을 바라보는 '기자님' 들과 일반 팬들은 허재를 그들이 생각하는 방향으로만 몰고 가려고 했다.

91년에는 임달식, 김성욱과의 폭력 사태에 따른 징계로 대표팀에서 제외되었다. 이미 '코트의 폭력배' 로 낙인이 찍혀버린 허재에게는 선수 생활의 위기였다. 허재는 미국 프로 농구 월드 바스켓볼 리그(WBL)에 진출함으로써 난관을 타개하려고 했다. 그러나 그의 시도는 농구협회의 반대로 무산되었다. 그리고 대표팀 정광석 감독의 강력한 요청으로 허재는 대표팀에 합류했다.

그러니까 그를 맡아야 하는 대표팀 감독들은 그의 기량이 절실히 필요하면서도 그의 독특한 개성을 컨트롤할 자신이 없고, 다른 선수들과의 관계에서 명확한 원칙을 세우지도 못한 채 그에게 질질 끌려온 것과 다름없이 지난 몇 년을 보내온 것이다.

그런데 93년에는 유독 허재가 각종 말썽을 양산해냈다.

1월에는 허재와 함께 술을 마신 한만성이 귀가하려고 택시를 잡다가 교통 사고를 당해 식물인간이 되는 가슴 아픈 사고가 일어났다. 냉정히 생각하면 허재에게는 아무 잘못이 없는 일이었지만, 그는 어렸을 적부터 고락을 같이해온 친구에 대한 도의적 책임감으로 커다란 마음고생을 해야 했다. 8월 초에는 음주 운전 단속에 걸려 100일 동안 운전 면허 정지 처분을 받는 망신을 당했고, 곧이어 대전 엑스포 기념 농구 대회에서 숙소를 무단 이탈한 사건이 잇달아 터졌다. 기아자동차 팀은 허재에게 출전 금지라는 극약 처방을 내렸지만, 허재는 "나 없이도 할 수 있으면 해보라"는 태도로 버텼다.

농구 지도자들은 허재의 잇단 돌출 행동과 오만한 태도가 그들의 인내의 한계를 넘어선 것이라고 판단했다. 그래서 이번에는 '눈 딱 감고' 다루기 힘들고 귀찮은 허재를 아예 빼버리고 대표팀을 구성하는 용감한(?) 결단을 내리게 된 것이다.

그러나 이렇게 용감하게 내린 결정은 결국 제17회 아시아 농구 선수권 대회에서 중국에게 커다란 차이로 참패하는 결과로 나타나 그가 없는 빈자리가 얼마나 큰 것인가를 뼈저리게 느껴야 했고, 농구협회는 문제의 본질은 회피한 채 무책임하게 허재를 대표팀에서 제외했다는 비난을 감수해야 했다. 여기서 말하는 '문제의 본질'이란 국가 대표팀이란 선수들 중 가장 기량이 뛰어난 선수들을 선발하는 것이 원칙이며 국가 대표 감독은 그러한 선수들을 하나의 단위로 묶어서 가장 강력한 팀을 구성하는 것이 그의 의무라는 당위를 뜻한다.

물론 개인으로서의 기량은 뛰어나지만 팀 전체로는 오히려 해가 되는 선수도 있다. 만일 대한농구협회 강화위원들이 허재가 바로 그런 선수라고 판단했다면 그들은 허재 없는 대표팀이 허재 있는 대표팀보다 전력이 오히려 강하다는 것을 증명할 수 있어야 했고, 또 아시아 선수권 대회 이후에도 허재 없는 대표팀을 고수했어야 했다. 그러나 허재 없는 대표팀은 허재를 강력하게 응징하는 데는 성공했지만 중국에게 참패함으로써 실패로 돌아갔고, 허재는 비록 '반성과 자숙'의 시간을 가졌다고는 하지만 93~94 농구대잔치가 끝난 뒤에는 별다른 설명 없이(허재를 제외시킬 때나 설명이 필요하지 그를 선발할 때는 설명이 필요 없는 것도 사실이다) 다시 국가 대표 선수로 선발되어 히로시마 아시안 게임에서 활약할 수 있게 된다.

'농구 천재' 를 둘러싼 순환 공식

93년 연말부터 벌어진 93~94 농구대잔치에서 기아자동차는 문경은, 이상민, 서장훈, 우지원 등이 포진한 연세대에게 연장전 끝에 2점차로 무릎을 꿇었다. 허재는 혼자서 44득점을 올리며 분전했지만, 김유택과 강동희가 컨디션 난조와 부상으로 부진한 공백을 메우기엔 힘겨웠다. 그리고 플레이오프 8강전에서는 방심하다가 홍사붕, 김승기, 김영만 등이 맹활약한 중앙대에게 덜미를 잡혀 탈락하는 수모를 겪었다.

허재는 93~94 농구대잔치에서 통산 4000득점, 6000어시스트, 3점슛 500개 등 3대 대기록을 작성했지만 팀의 도중 하차로 빛을 잃었고, 그의 농구 인생에서 처음으로 쓸쓸히 무대 뒤로 퇴장해야 했다. 연세대학교는 93~94 농구대잔치에서 연전 연승, 대학팀으로서는 처음으로 농구대잔치 정상에 오르는 기염을 토했고, 문경은, 이상민, 현주엽, 우지원, 전희철, 서장훈 등 X세대 스타들의 인기는 하늘을 찌를 듯했다. 한때는 운동 선수와 연예인을 통틀어 최진실에 이어 2위를 기록할 정도로 높던 허재의 인기도 X세대 스타들에게 밀리는 양상이었다. 이렇게 허재가 지난 10여 년간 지켜온 우리나라 최고의 농구 선수로서의 자리가 흔들리는 가운데 94~95 농구대잔치가 시작된 것이다.

94~95 농구대잔치에서도 대학세의 돌풍은 거셌다. 특히 연세대나 고려대의 경기가 있는 날이면, '오빠 부대' 들로 경기장은 미어 터졌다. 그들은 "산소 같은 남자 이상민" "주엽, 희철 좋아요" 등 여러 가지 카드를 손에 들고 열광적인 응원을 펼쳐, 나같이 아들놈의 손목을 잡고 농구장을 찾는 '늙은' 팬들은 어깨를 못 펼 지경이었다. '골리앗' 서장훈을 앞세우고 '산소 같은 남자' 이상민의 지휘로 '코트의 귀공자' 우지원 등이 활약한 연세대학교는 정규 리그에서 전승을 거두는 막강한 전력을 선보였다. '한국의 바클리' 현주엽과 전희철, 양희승 등을 거느린 고려대학교 또한 정상을 넘볼 수 있는 전력을 선보이며 정규 리그에서 2위를 기록했다.

반면에 한기범, 김유택, 허재 등 주전들이 이미 삼십줄에 들어선 기아자동차는 초반부터 비틀거렸고, 허재는 극심한 부진을 보였다. 게임당 득점이 20점에도 미치지 못하고, 전에는 던지기만 하면 명중되는 것 같던 3점슛도 번번이 림을 맞고 튕겨나오는 등 영 '농구 천재' 답지 않은 모습이었다. 급기야는 신문에 '허, 재 왜 저러나' 라는 제목의 기사가 날 정도로 그가 94~95 농구대잔치 정규 리그에서 보여준 플레이는 실망스러운 것이었다. 이젠 허재도 한물간 게 아니냐는 얘기들이 여기저기에서 흘러나왔다. 나이 어린 중학생들 입에서 "허재는 인제 꼴았어요" 라는 말들이 서슴없이 튀어나왔다.

기아자동차는 김유택과 강동희가 허재가 부진한 틈을 메우며 분투했지만, 연세대, 삼성, 한양대 등에게 3패를 기록하며 정규 리그에서는 3위에 그치고 말았다. 나는 비틀거리는 기아자동차와 부진한 허재의 플레이를 안타깝게 바라보며 마치 한 시대의 종막을 목격하는 기분이었다. '허동택' 트리오의 농구가 이젠 절정을 넘어선 것이 분명해 보였기 때문이다.

플레이오프가 시작되어 준준결승전에서 상무를 가볍게 꺾은 기아는 준결승전에서는 고려대와 힘겨운 경기를 펼쳐야 했다. 고려대는 특유의 파워 넘치는 플레이를 바탕으로 체력면에서 떨어지는 기아 자동차를 밀어붙였다. 전희철의 전천후 플레이와 양희승, 김병철의 외곽슛, 그리고 가드 신기성의 플레이 메이킹이 돋보이는 고려대는 이미 정규 리그 2위의 성적이 보여주듯 연세대와 함께 정상에 가장 근접해 있는 팀이었다. 그리고 고려대엔 무엇보다도 '한국의 바클리' 현주엽이 있었다. 치열한 몸싸움을 요구하는 파워 농구가 국제적인 조류인 요즈음 국제 무대에서 통할 선수는 허재와 현주엽밖에 없다는 평을 들을 정도로 파워와 탄력이 뛰어난 선수이다. 그는 언제나 싱글싱글 웃는 얼굴에 심판에게 항의할 때도 그저 씩 웃으며 귀엽게(?) 얘기하는 모범적인 매너로 X세대 스타들 중 인기 1, 2위를 다투고 있다.

고려대와 한 차례씩 승패를 주고받은 기아자동차는 벌써 체력이 고갈된 듯이 보였다. 허재는 2차전에서 이지승에게 꽁꽁 묶여 별다른 활약을 부여주지 못해 그 역시 기력이 쇠진하지 않았나 하는 느낌을 주었다. 3차전이 시작되자 고려대는 역시 힘을 바탕으로 치열한 체력전을 전개했다. 2차전에서 극도의 부진을 보였던 허재는 3차전에선 새로이 에너지를 공급받은 듯 체력전을 전개하는 고려대 수비진을 헤집고 다니며 기아자동차의 공격에 활기를 불어넣었다. 허재는 32득점에 4개의 리바운드, 3개의 어시스트, 2개의 인터셉트 등 맹활약, 기아자동차가 고려대를 꺾고 결승전에 진출하는 데 수훈을 세웠고, 각 신문마다 '기아자동차 수호신 화려한 부활' 등 농구 천재의 부활을 알리는 기사가 실려 허재의 팬들을 흥분케 했다.

최종 결승전에서의 상대는 삼성이었다. 삼성은 93~94 농구대잔치에서 연세대를 우승으로 이끈 슛장이 문경은을 받아들여 전력을 크게 보강, 93~94 농구대잔치의 우승을 노리고 있었다. 그런데 삼성은 예상을 뒤엎고 초반부터 연세대, 고려대 등에게 연패하며 비틀거렸다. 정규 리그가 끝날 때쯤 삼성의 성적은 7, 8위를 오락가락하고 있었다. 그때 연고대가 격돌한 정규 리그 게임에서 연세대의 포인트 가드 이상민이 고려대 김병철과 겹치면서 발목에 중상을 입는 사건이 일어났다. 삼성은 재빠르게 이에 대처, 정규 리그 마지막 게임에서 중앙대에 고의성 짙은 패배를 기록하며 정규 리그 8위를 차지함으로써 준준결승에서 정규 리그 1위인 연세대와 맞붙게 되었다. 이상민이 빠진 연세대는 역시 허점이 많았다. '산소 공급'을 받지 못한 서장훈과 우지원이 페이스를 잃는 것이 눈에 띄었다. 그래도 서장훈의 위력은 막강했고 삼성은 고전을 면치 못했다. 다급해진 삼성은 동네 패싸움을 방불케 하는 육탄전을 벌여 드디어는 '골리앗' 서장훈마저 부상시켜 쫓아내며 연세대를 이길 수 있었다. 그리고 준결승전에서는 SBS를 가볍게 제압, 결승까지 올라온 것이다.

기아와 삼성의 결승 1차전은 허재의 독무대였다. 허재는 180도 회전 드리블, 2단 점프슛, 트위스트 레이업슛 등 NBA급 기량을 선보이며 철저히 삼성을 유린했다. 사람들은 "허재 혼자 다 하네" 하며 그가 다시 천재적인 기량을 보이기 시작한 것에 대해 놀라워했다.

결승 2차전에서 기아는 위기에 빠졌다. 허재가 후반전이 시작되자

마자 5반칙으로 퇴장당한 것이다. 삼성 벤치는 희색이 역력했다. 허재가 빠졌으니 기아자동차는 엔진이 고장난 고물차이고 이제 삼성전자가 전자총으로 분해하기만 하면 되는 것이다. 그런데 이게 웬일인가. 플레이오프에서 왠지 부진한 듯하던 강동희가 펄펄 날고 덩달아 김유택, 한기범, 봉하민 등의 팀 플레이가 살아나면서 삼성을 몰아붙여 삼성은 17점 차라는 대패를 감수해야 했다.

막판에 몰린 삼성은 3차전에서는 박상관과 이창수를 모두 포스트에 투입하는 총력전으로 맞서 기아를 잡아내 시리즈 스코어 2대 1의 상태에서 결승 4차전이 열렸다. 그리고 4차전에서 양 팀 모두 숨막히는 명승부를 펼치다가 허재가 막판에 신들린 듯 17점을 집중적으로 터뜨리는 폭발력을 보여주며 승부를 가름한 것이다.

삼성과의 4차전에서 환상의 연기를 보인 덕으로 허재는 정규 리그에서의 극도의 부진에도 불구하고 농구대잔치 MVP로 선정되는 영예를 안았고, 곧이어 서울에서 열리는 제18회 아시아 남자 농구 선수권 대회에 출전할 국가 대표팀의 주장으로 뽑혔다. 물론 언론에서는 '아픈 만큼 성숙해지고' 등 인간적으로 달라진 허재의 면모를 부각시켰고, 허재 또한 스스로 자숙하는 모습을 보이려 노력함으로써 이젠 우리의 슈퍼 스타 허재가 그 동안의 '말썽쟁이' 또는 '코트의 반항아'의 이미지에서 벗어난 것처럼 보였다. 실제로 허재는 결혼 후에는 아내와 아들을 생각해서 인내력을 발휘하려 노력한다고 밝힌 바 있다. 그러나 나는 그에 대한 지금까지의 신문기사들을 보며 어떤 순환 공식을 발견했다.

'반항아 허재, 건방진 매너로 말썽' → '충격. 허재, 징계받다' →

'허재, 자숙과 반성의 나날들' → '허재, 백의종군 복귀. 아픈 만큼 성숙해지고' → '역시 농구 천재. 허재, 환상의 맹활약'.

전에도 그에 대한 농구팬들의 태도나 언론의 보도는 이같은 순환 공식을 크게 벗어나지 않았고, 또 앞으로도 그러할 것이다. 앞으로도 허재는 그에게 요구되는, 일면 무리하기까지 한 요구를 나름대로 수용하려고 노력하지만 결국엔 다시 반발하며 끊임없이 화제를 몰고 다닐 것이다. 그리고 그에 대한 사람들의 평가 또한 위의 순환 공식 언저리를 맴돌 것이다. 허재와 같은 스타에게서 '농구 천재' 라는 별명에 걸맞은 뛰어난 기량뿐 아니라 그에 상응하는 엄격한 윤리적 완성도를 요구하는, 어떤 의미에서는 전근대적이라고까지 말할 수 있는 우리나라의 농구 문화가 허재라는 너무나도 특이한 천재를 무리 없이 받아들일 수는 없기 때문이다.

---

* '농구 천재를 둘러싼 순환 공식' 은 그 뒤에도 여러 번 사실임이 입증되었다. 허재는 애틀랜타 올림픽 때 '음주 파동' 을 일으켰고, 그해 11월에는 '음주 운전 뺑소니' 사고로 구속되기까지 했다. 덕분에 프로 농구가 시작된 1997년에는 극도의 부진을 보여 결승전에서는 벤치를 지키는 수모를 당하기도 했다. 그러나 그 다음해에는 극적으로 부활, 지금도 전설로 남아 있는 '부상 투혼' 을 발휘하며 프로 농구 최우수 선수에 선정됨으로써 IMF 경제 위기로 실의에 빠져 있던 우리 국민들에게 커다란 용기를 불어넣어 주었다.

아마데우스 모차르트

몇 년 전 우리나라에서도 크게 유행했던 영화 〈아마데우스〉를 생각해보자. 그리고 우리 모두 그 영화에 나오는 살리에리의 처지가 되어 생각해보자. 물론 그 영화는 피터 셰퍼가 자기 마음대로 쓴 희곡에 따른 것이니까 아마 역사상의 사실과는 매우 다를 것이다. 실제로는 모차르트가 그렇게 방정맞게 "이히히힛" 하고 웃지도 않았으려니와 살리에리가 별로 그럴듯하지도 않은 플롯으로 모차르트를 죽음에까지 이르게 했다는 내용 또한 믿어지지도 않지만, 일단 그렇다고 치고 생각해보자.

어려서부터 성당에서 합창단으로 활동한 살리에리는 음악이 너무 좋았다. 그래서 자신의 음악으로써 신의 무한한 영광을 표현할 수 있게 해달라고 항상 기도했다. 드디어 '신이 그의 기도를 들어주어' 음악은 전혀 모르고 돈 버는 데만 혈안이 되어 있던 자기 아버지의 목에 고기뼈를 끼워넣어 죽게 해주셨다. 그가 '신의 뜻에 의해' 빈에 와서 음악 활동을 할 수 있게 된 것이다.

그는 오래지 않아 황제의 눈에 들어 궁정 작곡가로 활동하게 되었고, 사람들은 그를 빈 최고의 오페라 작곡가로 인정해주었다. 그러던 어느 날 그는 운명처럼 아마데우스 모차르트를 만난다. 네 살 때 바이올린을 켜고, 여덟 살 때는 교향곡을 작곡할 정도였던 천재 모차르트. 그의 음악은 너무나도 아름다워서 살리에리에게는 신의 소리, 바로 그것으로 들렸다.

드디어 운명의 날은 밝고, 살리에리는 모차르트를 만나게 되어 있는 파티에 참석한다. 파티장에서 살리에리는 음식이 가득 차려져 있는 부엌을 우연히 발견하여(사실은 일부러 몰래 숨어 들어갔는지 아닌지는 아무도 모르지만) 올리브 한 알을 입에 넣는다. 순간 갑자기 어딘가에서 쿵쾅거리는 소리가 들려온다. 살리에리는 깜짝 놀라 커튼 뒤에 숨어 지켜본다. 그 시끄러운 소리의 주인공은 어떤 버르장머리 없는 어린애와 그의 애인인지 여자친구인지였는데 머리에 피도 안 마른 것들이 노는 꼴을 보니 가관이다. 잡놈 잡년이 따로 없다(살리에리가 열여섯 살밖에 안 되었던 우리 이도령과 성춘향이 어떻게 놀았는지 춘향전을 미리 읽어두었더라면 그렇게까지 놀라진 않았을 것이다). 그런데 갑자기 어디선가 아름다운 음악 소리가 들리더니 이 '잡놈'이 "어, 내 음악 소린데?" 하더니 달려나가는 것이 아닌가. 나가서는 점잖게 머리를 고치고 '대타'의 지휘봉을 유연하게 빼앗아 능숙하게 지휘를 하는데 알고 보니 그 '잡놈'이 바로 모차르트였던 것이다.

살리에리는 몹시 실망하고 만다. 신의 소리를 자유자재로 만들어내는, 신이 내린 것이 분명한 천재 음악가가 겨우 저런 잡놈이었으니 얼마나 기막힌 일인가. 게다가 살리에리가 사랑하던 소프라노는 모차르트가 결혼할 여인이 있는 줄도 모르고 놀아나다가 살리에리가 보는 앞에서 모차르트에게 꽃다발을 던지고 울며 돌아선다. 그때 살리에리가 느낀 당혹감을 우린 모두 안다. 이쪽은 그를 사랑하고 존경할 준비가 다 되어 있는데 느닷없이 '잡놈'의 모습으로 나타나서는 자신은 감히 손가락 하나 대지 않은 흠모하던 여인까지 버려놓았으니 살리에리가 얼마나 황당했을 것인가?

그 뒤로 살리에리가 모차르트에 대해 가졌던 흠모의 마음은 그에 대한 끝없는 미움으로 발전한다. 도저히 부인할 수 없는 그의 천재성에 감탄하는 한편, 그가 가진 천재적인 재능에 비례하여 그에 대한 증오심 또한 눈덩이처럼 불어간다. 그런 '잡놈'에게는 그렇게 천재적인 재능을 내려주고, 자신과 같이 언제나 신을 찬미하고 모든 음악적 재능을 신의 영광을 위하여 바칠 준비가 되어 있는 사람에게는 겨우 '모차르트의 재능을 알아볼 정도'의 재능만 허락한 신에 대해서도 더이상의 찬미와 존경을 거두고 아예 악마에게 영혼을 팔기로 결심한다. 그리하여 서서히 모차르트를 파멸시켜 결국은 죽음에까지 이르게 하지만, 끝까지 모차르트에 대한 열등감에서 헤어나오지 못하는 불쌍한 살리에리에게서 우리는 한 천재를 사랑하고 우러러보던 감정이 결국엔 지독한 미움으로 변해가는 과정을 본다. 그렇게 극단적인 애증이 교차하는 감정이 바로 천재에 대해 보통 사람들이 가지는 공통된 느낌인 것이다.

천재 소년 김웅용

지금도 『기네스 북』에 세계 최고의 IQ를 가진 사람으로 김웅용 소년이 기록되어 있는지는 모르지만, 나는 '천재' 하면 모차르트나 아인슈타인보다는 그를 생각하게 된다. 그는 나와 나이가 비슷해서(아마 같을 것이다) 어렸을 적에 『소년 중앙』 같은 어린이 잡지에 그에 관한 기사가 나면 묘한 경쟁 심리가 움트던 기억이 난다.

그는 그 당시에 알려지기에는 지능지수가 210이며, 네 살 때인가에 벌써 동시집을 냈고, 초등학교에 들어갈 무렵에는 고등학교 2, 3학년 정도의 미적분학 문제를 풀 수 있다고 했다. 실제로 일본 후지 TV의 '깜짝쇼'에 나가 수학 실력이 우수한 고등학교 학생이나 풀 수 있는 특이적분 문제인 감마 함수의 값을 계산해내는 묘기(?)를 선보인 일도 있다고 한다.

내가 자라면서 나 자신의 일에 바빠 그에 대한 관심이 식기도 했지만 웬일인지 그에 관한 소식은 어렸을 적에 비하면 아주 가끔씩만 들려올 뿐이었다. 그리고 그 소문이라는 것도 그가 하버드 대학에서 박사 학위 과정을 밟고 있으며(내가 중학생일 때쯤) 아인슈타인을 능가하는 훌륭한 과학자로 성장할 것이라는, 일면 황당하면서도 그렇다고 믿지 않을 수도 없는 그런 얘기들뿐이었다.

내가 그에 대한 가장 믿을 만한, 그러나 너무나도 믿기 어려운 소식을 접한 것은 고등학교 3학년 때 어느 일간 신문의 가십란에서였다. 그 기사에 의하면 그가 사실은 그 동안 국내에, 그것도 집 안에만 틀어박혀 있었으며, 그 전날 대입 검정 고시 체력장을 받으러 나타났다가 턱걸이를 한 개인가 두 개밖에 못했다는 것이었다(그가 턱걸이를 한 개를 하건 스무 개를 하건 그게 사실 무슨 상관인가). 그러니까 그 동안 그가 하버드 대학에서 공부했다거나 하는 것은 모두 거짓말이었고, 검정고시 성적도 겨우 평균 65점인가 그 근처에서 노는 그저 하나의 '범재'에 불과하다는 것이다. 도대체 지능지수 210의 천재에게 그 동안 무슨 일이 일어났었다는 말인가?

나는 그후엔 오히려 그에 대한 기사가 나올 때마다 조금은 관심을 가지고, 그리고 가슴 아파하며 그 내용들을 읽었다. 그 동안 내가 몇몇 기사를 통하여 알아낸 사실을 요약하자면, 그는 애초에 그렇게 천재도 아니었는데 극성스러운 부모에 의하여 천재로 과대 포장되었다가 시간이 흐르면서 진실이 드러났다는 것이다. 그를 초기에 알던 어느 교육 전문가에 의하면 그는 암기력이 뛰어났을 뿐 '영재'의 특징인 '창의력'이 보이질 않더라고 했다('천재'란 낱말의 정의가 워낙 혼란스러우므로 이렇게 '교육적'인 경우에는 '영재'라는 표현을 쓰기로 하자). 또 부모가 시키는 대로 외우기는 했지만 그것들을 응용할 정도는 아니었다고 했다. 특히 그의 지능지수는 아무도 제대로 잰 사람이 없다는 것이다. 『기네스 북』의 공신력에 의심이 갈 만한 사실인데 도대체 어떻게 된 것일까?

나는 그에 대한 여러 가지 기사들을 읽으며 묘한 분노에 사로잡혔다. 대부분의 기사에서 그에 대한 인간적인 동정을 거의 느낄 수 없었기 때문이다. 오히려 '지가 그러면 그렇지' 하는 일종의 가학적 심리마저 느껴졌다고 하면 내가 지나치게 비뚤어진 것일까?

나는 우선 그가 애초에 영재가 아니었다는 데는 동의할 수가 없다. 암기력이 뛰어난 것도 영재이다. 아무것도 외우지 않고 창의력만 있는 사람도 있는가. 창작을 하려 해도 주인공 이름은 외워야 할 것이 아닌가. 또 그놈의 창의력이란 것은 도대체 어떻게 측정할 수 있는 건지 궁금하다. 그걸 어떻게 그렇게 금방 알 수 있단 말인가. 부모가 강제로 시켜서 외웠건 아니건 간에 그가 그 나이에 감마 함수의 값을 계산할 수 있었다는 것은 정말로 놀라운 일이다.

내 말이 말 같지 않다고 생각하면 당장 당신의 아이를 데리고 실험해보라. 피아노 하나 치러 보내는 데도 오만 가지 짓을 다하며 아이와 씨름해야 하는데 그 재미없고 어려운 감마 함수 값을 계산해내는 아이가 영재가 아니라면 도대체 누가 영재란 말인가. 교육 전문가라는 사람은 자기가 내는 문제는 그가 잘 못 풀더라고 했다. 그가 겨우 예닐곱 살이었을 텐데 웬 무서운 아줌마가(아니면 아저씨가) 갑자기 처음 보는 문제를 주면서 빨리빨리 풀라고 다그치면 겁이 나서 머리가 돌아가겠는가.

아들을 천재로 키우려다가 결국은 아이 하나 버려놓았다는 평을 면할 수 없는 그의 부모 또한 어떤 의미에서는 불쌍한 피해자이다. 그들이 그 동안 아들의 신상에 대해 진실성이 결여된 정보를 흘린 것은 떳떳한 일은 아니지만, 그들이 영재를 교육할 수 있는 여건이 전혀 갖춰져 있지 않던 당시, 유난히 똑똑했던 아들을 두었던 것이 비극이었을 뿐이다. 사실 다른 부모들에게서 똑똑한 아들 하나 두었다는 이유로 (그리고 그것을 대놓고 자랑했다는 이유로) 얼마나 시기 질투를 받았겠는가.

사람들은 이렇게 얘기할 것이다.

"김웅용 소년을 봐라. 어렸을 때부터 천재니 신동이니 떠들어대더니만 결국엔 그저 그렇고 그런 인간밖에 더 되었느냐. 그건 다 극성스러운 부모들이 괜히 아이 하나 잡으려고 하는 얘기다. 그러니까 어렸을 때부터 영재 교육이니 뭐니 하며 설칠 필요가 없다. 애들은 그저 뛰어노는 게 제일 중요하다."

지극히 옳은 말씀이다. 그러나 그렇게 얘기하는 사람들이 자기 자식을 자유롭게 뛰어놀게 내버려두느냐 하면 결코 그렇지 않다는 데 문제가 있다. 조금 심하게 얘기하면 남들에게는 그렇게 얘기해서 '방심하게' 만들어놓고 그 틈에 자시 자식만은 '천재' 아니라 '만재' 라도 만들고 싶은 '야비한' 마음이 적어도 상당수의 우리나라 부모들에게는 있는 것처럼 보인다(여기서 감히 단정적인 말투를 쓸 수 없는 내 심정을 이해해주기 바란다).

나는 그의 경우에서 우리 보통 사람들이 '천재' 라는 낱말에 대해 지니고 있는 어떤 적의를 느낀다. 나는 적어도 그가 초등학교에 들어갈 무렵까지는 분명히 천재의 싹을 지니고 있었다고 생각한다(아니, 그냥 영재였다고 해도 좋다). 그의 부모들이 특별히 신경을 썼다 하더라도(부모가 자식의 교육에 대해 특별한 신경을 쓰는 것이 나쁜 일인가) 김웅용 소년이 그 나이에 그 정도의 재능을 보여준 것은 정말 놀라운 일이다. 그가 어떤 이유에서인지 천재성을 더욱 빛내지 못한 것은 사실인 것 같지만, 제대로 교육받을 수 있는 교육 기관이나 교육 프로그램이 없었다든가, 우리 사회가 단지 영재라는 이유만으로 그를 지나치게 광대처럼 다루어 소외시켰다든가 하는 것을 문제의 본질로 파악해야지, "그러면 그렇지, 괜히 깜짝 놀랐잖아" 하면서 가슴을 쓸어내린다고 해서 문제의 심각성이 사라지는 것은 아닐 것이다. 성경을 보면 예수님께서도 "어느 예언자도 자신의 고향에서는 환영받지 못했다"고 그 자신 고향인 나자렛에서 무시당한 분통함을 드러내신 바 있다. 김웅용 소년의 경우도 어쩌면 우리 사회의 '옆집 아이 우습게 보는 분위기'가 그가 더욱 뛰어난 영재로 성장하는 데 걸림돌이 되었을지도 모른다.

내가 그에 대한 마지막 기사를 읽던 당시 '김웅용 청년'은 그저 평범한(?) 대학원생이었다. 아마 지금쯤은 박사 학위를 마치고 어느 대학에서 또는 연구소에서 자신의 일에 몰두하고 있을 것이다. 나는 아인슈타인을 능가하는 과학자로 성장할 수 있었다는 그의 가능성이 그렇게 사그라져버린 것이 아쉽지만, 그가 나름대로 보람을 느끼는 인생을 살아가고 있기를 바란다. 그리고 우리들 역시 그에 대한 어떤 사시적인 시선을 거두고, 화제를 뿌리며 등장했다가 지금은 잊혀져버린 그의 천재적인 재능의 의미를 깊이 생각해보아야 할 것이다.

황영조와 올림픽 금메달

94년 10월 일본 히로시마 아시안 게임 마라톤 경기. 화창한 가을 하늘 아래 아시아 각국에서 모인 건각들이 인간의 극한 의지를 시험하는 마라톤 경기에 출전하여 자기 자신과 조국의 명예를 걸고 가쁜 숨을 몰아쉬며 힘차게 달리고 있었다.

선두 그룹엔 우리나라의 황영조와 김재룡, 그리고 일본의 하야타가 서로 치열하게 견제하며 맹렬한 다툼을 벌이고 있다. 나는 마라톤을 지켜보는 것이 이렇게 흥미진진한 일인 줄 이때 처음 알았다. 하야타는 색이 짙은 선글라스를 껴서 표정을 읽을 수가 없다. 일부러 표정을 가리기 위해 쓴 것은 아니겠지만 그것마저 주최국의 신경전으로 보여 괜히 기분 나쁘다. 35km를 지날 즈음부터 김재룡이 약간 처지기 시작한다. 안타깝다. 언제나 정상 일보 직전에서 분한 눈물을 삼키곤 하는 그의 운명이 가슴 아프다. 하지만 우리에겐 황영조가 있으니 마음이 든든하다. 하야타와는 최고 기록이 2분 정도 차이가 나니까 아무래도 황영조가 한 수 위다. 게다가 승부 근성만큼은 누구에게도 지지 않을 테니 마지막 스퍼트에선 더욱 유리할 것이다.

어쨌든 일본 선수만 이겨다오. 여기는 히로시마가 아니더냐. 평화공원 한쪽 구석에 위치한 2만여 명의 한국인 원폭 희생자의 위령탑을 보면 눈물이 저절로 나온다. 황영조가 일본 선수를 통쾌하게 꺾고 우승하여 히로시마 하늘에 태극기를 드날리면 남의 나라에 억지로 끌려가 밤낮없이 일하다가 남의 나라끼리의 전쟁에 억울하게 희생된 우리 동포의 원혼이 조금이라도 위로받지 않겠는가.

드디어 황영조가 스퍼트하기 시작한다. 이제 승부를 걸어야 할 때라고 판단한 모양이다. 결의에 가득 찬 표정으로 간간이 혀로 입술을 축이며 힘차게 뛰쳐나간다. 하야타도 이를 악물고 쫓아간다. 누가 보아도 승부의 결정적인 고비임을 한눈에 알 수 있다. 황영조가 힘차게 내닫는다. 하야타도 끈질기게 쫓아간다. 드디어 두 사람의 간격이 조금씩조금씩 벌어지기 시작한다. 잘한다, 황영조. 조금만 더 떨어뜨려 놓으면 안심이다. 하야타는 안간힘을 쓰지만 거리는 오히려 점점 더 벌어진다. 짙은 선글라스 너머로 그의 표정이 일그러진다.

이제 거리는 100m 이상 차이가 난다. 이것으로 승부는 결정이 났다. 저기 결승 테이프가 보인다. 황영조가 힘차게 달려 들어온다. 오른손 주먹을 허공을 향해 강하게 뻗으며 골인. TV를 지켜보던 나는 겨우 긴장이 풀리며 그에게 감사한다. 황영조는 지치지도 않는지 대형 태극기를 흔들며 결승선 부근을 한 바퀴 돈다. 이제야 2등을 한 하야타가 결승선에 들어와 무너지듯 주저앉는다. 쓰라린 패배의 아픔 때문일까. 선글라스를 벗은 그의 얼굴이 더욱 일그러져 보인다. 사실 그는 잘 싸웠다. 세계적 대선수인 황영조를 상대로 마지막까지 최선을 다했다. 그에게는 또 얼마나 커다란 부담이 지워졌겠는가. 선전을 하고서도 일그러진 표정을 짓는 그가 안타깝다. 곧이어 김재룡이 쓸쓸히 골인한다. 또다시 3등. 사람들은 모두 우승을 한 황영조에게 몰려들고, 백리 길을 달려와 아시아에서 3등을 한 그는 또다시 다음을 기약해야 한다.

우리나라 스포츠 사상 최고의 천재는 과연 누구일까? 나는 사실 이렇게 등수 매기는 질문은 싫어하지만 그냥 한번 해보자. 축구의 차범근일까, 야구의 선동렬일까, 아니면 농구의 허재일까. 모두가 우열을 가리기 힘든 불세출의 '천재'들이지만, 나는 아마도 바르셀로나 올림픽의 영웅 황영조가 우리나라 스포츠 사상 최고의 천재일 것이라고 생각한다. 한때 양궁에서 전 부문의 세계 최고 기록을 가지고 있던 '신궁' 김수녕 선수도 황영조의 천재성에는 미치지 못할 것이다.

황영조는 마라톤에 입문하여 풀 코스에 도전한 지 겨우 네 번 만에 올림픽 금메달을 목에 걸었다. 그야말로 혜성처럼 등장하여 눈 깜짝할 사이에 세계를 제패해버린 것이다. 그뿐이 아니다. 그는 마라톤 풀 코스를 한 번 뛸 때마다 놀라운 기적들을 하나씩 창출해내었다.

황영조가 맨 처음 국내 마라톤계에 신고한 것은 91년 봄 동아 마라톤 대회였다. 그때까지 중장거리 선수였던 황영조는 그 당시 선배 선수의 페이스 메이커로서 동아 마라톤 대회에 출전했다. 극한 상황에서의 정신력 싸움인 마라톤에서 선수끼리 순위 경쟁에 치중하다보면 기록은 보통 저조해지기 마련이다. 따라서 10분 벽을 깨는 것이 목표였던 당시 코오롱 마라톤 팀은 갓 출전한 애송이인 황영조에게 빠른 스피드로 경기를 이끌어주는 임무를 부여했다. 아무래도 처음 출전한 선수가 무리하게 빠른 스피드로 뛰다보면 보통 반환점 근처에서, 혹은 잘해야 악마의 고비라는 35km 지점 못 미쳐 기권하기 마련이다. 그러니까 황영조의 임무는 당시 우승 후보인 선배들이 좋은 기록을 낼 수 있도록 자신을 희생하는 것이었다. 그런데 황영조는 주제도 모르고(?) 끝까지 마구 달려서 당시 2위를 한 선배에게 조금 뒤진 2시간 12분 35초라는 좋은 기록으로 3위를 차지하는 기염을 토했다. 차마 선배보다 앞설 수는 없어서 우승까지도 할 수 있었는데 그만 3위에 그치고 말았다는 농담이 진담으로 들릴 정도로 놀라운 일이었다.

그가 두번째 풀 코스를 뛴 것은 91년 여름 셰필드 하계 유니버시아드 대회였다. 여기서 그는 2시간 12분 40초라는 기록으로 보란 듯이 우승을 차지하여 우리나라의 최정상급의 마라토너로 성큼 뛰어올랐다.

92년 2월 세번째 뛴 일본 벳푸 마라톤에는 세계적인 강호들 사이에서 2위를 차지하며, 2시간 8분 47초라는 한국 신기록을 작성, 그 동안 10분 벽을 깨는 것이 염원이던 우리 마라톤계의 숙원을 풀어줌과 동시에 상금 1억 5천만원을 차지하는 행운도 누렸다. 바로 한 달 후에 열린 동아 마라톤에서 김완기와 김재룡이 2시간 9분대의 좋은 기록으로 1, 2위를 차지했지만, 이미 황영조에게 우리나라 최고 기록과 함께 최고의 마라토너 자리도 내준 뒤었다.

그리고 네번째 뛴 마라톤이 바로 바르셀로나 올림픽이다. 지금까지도 우리의 기억에 생생한 몬주익 언덕에서의 질주로 찰거머리처럼 따라붙던 일본의 모리시타를 따돌리고, 한국 사람으로서는 손기정 이후 처음으로 올림픽 마라톤에서 금메달을 따내는 장거를 이루어낸 황영조를 보면 바로 이런 사람을 두고 천재라고 하는구나 하는 감탄이 절로 나오지 않을 수 없다.

그러나 황영조와 같은 천재의 위대한 업적 이면에는 그에 상응하는 치열한 노력과 뼈를 깎아내는 듯한 고통을 이겨낸 강인한 의지력이 뒤를 받치고 있는 법이다. '천재니까' 올림픽 금메달쯤은 쉽게 딸 수 있다고 생각해서는 안 된다는 말이다. 우리가 어느 위대한 천재의 업적을 이야기할 때 "정말 굉장한 천재로구나" 하고 감탄하는 이면에는, "그는 천재인데, 뭐" 하고 한쪽으로 멀리 제껴놓으려는 반사 심리가 있다는 것 또한 부인할 수 없는 사실이다. 황영조의 경우에도 우리는 그러한 잘못을 종종 저지른다.

황영조가 바르셀로나에서 귀국한 후 서너 달이 지난 92년 겨울, 그가 별안간 은퇴를 선언했다가 육상 연맹 임원들의 간곡한 만류로 은퇴 의사를 번복하는 등 심하게 방황한 적이 있다. 바로 우리가 그를 대하는 태도에 문제가 있었기 때문이다. 예를 들어보자. 나는 그가 금메달을 딴 직후 한 신문기사를 보고 크게 분노한 적이 있다. 바로 '96년 애틀랜타 올림픽 금메달을 향해 쉬지 않고 전진' 어쩌고저쩌고 하는 내용의 기사 때문이었다. 나는 순간적으로 "기사 쓴 기자놈 너나 뛰어라" 하는 생각이 들 정도로 흥분했다. 도대체 이제 막 올림픽에서 우승한 사람보고 벌써부터 4년 뒤의 올림픽 얘기를 꺼내는 건 어쩌자는 얘긴가?

미국의 스피드 스케이팅의 영웅 댄 젠슨은 1000m 경기에 관한 한 세계 최고 기록을 가지고 있고, 월드컵 시리즈에서도 줄곧 우승하는 등 세계 제일임을 누구나 인정하는 뛰어난 선수임에도 불구하고 올림픽에서는 이상하게도 거듭되는 불운으로 금메달을 따는 데 번번이 실패했었다. 그러던 댄 젠슨이 드디어 94년 릴레함메르 동계 올림픽에서 금메달을 목에 건 후 여러 방송 기자들이 몰려와서 인터뷰를 가졌다. 그때 한 기자가 앞으로의 계획을 물었다. 나는 "기자란 동물은 어느 나라고 마찬가지구나" 하고 씁쓸해졌다. 그때 댄 젠슨이 웃으며 대답했다.

"우선은 충분히 쉬면서 지금의 이 기분을 충분히 즐긴 다음 그때 가서 앞으로 무얼 할지 생각하겠다."

그는 충분히 그럴 자격이 있다. 황영조도 충분히 그럴 자격이 있다. 그는 사람이다. '뛰는 기계' 가 아니란 말이다. 그는 이제 올림픽에서 우승도 했으니 충분히 휴식도 취해야 하고 또 그 영광스러운 기분도 충분히 누릴 자격이 있다. 그 다음에 그가 더 뛰고 싶으면 그때 가서야 서서히 연습을 재개하고 컨디션을 점검하는 것이 순서이다. 막말로 얘기해서 그가 이제부턴 그만 뛰고 실컷 먹고 즐기며 살겠다고 해도 그만이다. 그는 그럴 자격이 있는 것이다.

도대체 그가 금메달 따는 데 뭐 보태준 것이 있다고 벌써부터 애틀랜타 올림픽 금메달 타령인가. 그는 다른 보통 사람들이 일생에 걸쳐 이룩할 만한 업적을 이미 이룬 것이다. 그러니까 이젠 좀 놀아도 된다. 솔직히 내가 황영조라면 매일 술이나 퍼마시면서 "그때 몬주익 언덕에서 말야. 고 일본 놈이 옆에서 알짱알짱 대는데, 내가 이 한번 딱 악물고 쫘악 나가니까 뚝 떨어지는데 말야……" 어쩌고저쩌고 하면서 잘난 척만 하면서 살겠다. 그러다가 인생이 그래도 그런 게 아니라는 생각이 들면, 그 다음에 무얼 할지는 그때 가서 생각할 문제이다. 괜히 다른 사람들이 간섭할 문제가 아닌 것이다. 만일 사람은 나태해지면 안 된다는 등 뭔가 훈계하려는 사람이 있다면 "당신이나 좀 똑바로 살아보슈!" 하고 쏘아줄 준비도 되어 있다(좀, 너무 했나?).

그런데 우리가 그를 대하는 태도는 그게 아니다. 지금 막 올림픽을 마치고 돌아온 사람에게 숨 돌릴 틈도 주지 않고 다음 올림픽에서 금메달을 따내란다. 올림픽 금메달이 뉘 집 애 이름인가. 황영조도 좀 쉬고 놀아야 할 게 아닌가. 그가 어쩌다가 먹고 즐기는 파티에라도 참석하면 그 즉시 올림픽 금메달을 딴 후에 정신 자세가 해이해졌다는 등 신랄한 비난 기사가 신문에 나온다. 그러는 한편 사람들은 그가 가만히 쉬지도 못하게 여기저기서 그를 불러낸다. 그것도 대부분은 자기들이 폼잡고 싶어서 그러면서 괜히 황영조를 위해서 그러는 척한다. 황영조가 연습 스케줄을 이유로 거절한다든지 하면 올림픽에서 금메달 하나 따더니 사람이 건방져졌다는 등 쓸데없는 트집들을 잡는다. 그러니 황영조가 제정신을 차릴 수 있겠는가.

황영조가 그의 선수 생명을 건 발바닥 수술을 받고 보스턴 마라톤 대회에서 재기하여 히로시마 아시안 게임에서 우승하기까지, 그는 이러한 모든 오해와 편견, 그리고 엄청난 국민의 기대라는 부담감을 안은 채 정말로 길고 긴 방황의 터널을 헤쳐나와야만 했다. 그리고 앞으로도 그의 고행은 끝나지 않은 것처럼 보인다. 우리는 지금도 그가 애틀랜타 올림픽에서 우승할 것을 철석같이 믿고 있으니 말이다.

1964년 일본은 전란의 폐허 위에서 그들이 이루어낸 업적을 도쿄 올림픽을 통해 만천하에 과시했다. 도쿄 올림픽을 계기로 국제 사회의 일본에 대한 인식은 대전환을 가져왔고, 그 이후 일본은 승승장구, 세계 7대 강대국의 하나로 떠올랐다.

도쿄 올림픽 마라톤에서 일본의 츠브라야는 예상을 뒤엎고 동메달을 목에 거는 이변을 연출했다. 일본에서는 그야말로 난리가 났다. 서구 문화에 대한 뿌리깊은 열등감을 감추지 못했던 일본이 한 마라톤 선수의 동메달로 어깨를 쭉 펼 수 있게 된 것처럼 호들갑을 떨었다. 그러나 자신의 능력 이상의 실력을 발휘하여 올림픽 동메달이라는 아름다운 열매를 수확해낸 것이 츠브라야에게는 비극이었다. 일본 매스컴은 도쿄 올림픽이 끝나기도 전에 '멕시코 올림픽의 금메달을 향하여' 따위의 전형적인 기사를 연일 터뜨리며 그의 일거수 일투족을 감시했다. 츠브라야는 자신의 능력을 훨씬 벗어나는 일본 국민들의 기대를 어깨에 얹고 그 나름으로는 그 기대를 실현시켜보려고 몸부림치다가 결국에는 할복 자살이라는 극한적인 방식으로 그가 도저히 그러한 일을 이루어낼 수 없음을 일본 국민들에게 사과하며 짧은 생애를 끝맺고 말았다. 나는 위와 같은 일은 한 인간에 대한 대중의 무책임한 린치나 다름없는 일이라고 생각한다.

얼마 전 김한길씨의 칼럼에서 황영조의 삭발에 대한 글을 읽은 적이 있었다. 황영조가 애틀랜타 올림픽에서의 금메달을 반드시 따내겠다는 결의의 표시로 삭발한 채 훈련에 돌입했다는 얘기를 듣고 쓴 글이었다. 김한길씨는 '삭발 투혼' 어쩌고 하는 뻔한 찬사를 늘어놓는 대신에 "과연 누구를 위한 삭발인가?"라고 반문하며 우리가 그에게 엄청난 기대를 거는 일의 무책임함과 독선을 지적하고 있다. 나는 황영조라는 외로운 천재를 하나의 인간으로서 따뜻하게 대하는 글을 발견한 것 같아 매우 반가웠다. 천재라고 해서 아무 일이나 다 할 수 있는 마술사가 아니며, 대중의 변덕에 따라 이리저리 움직이는 광대는 더더욱 아닌 것이다.

사실 황영조가 애틀랜타 올림픽에서 또다시 금메달을 목에 걸 수 있는 확률은 그리 높지 않다. 실제로 그의 최고 기록 2시간 8분 9초는 세계 기록인 2시간 6분 50초와는 상당한 차이가 있다. 그가 그의 최고 기록을 세운 보스톤 마라톤 대회에서 4위에 그쳤음을 상기하면 우리가 사실 얼마나 무리한 요구를 하고 있는지 금방 알 수 있을 것이다.

내가 지금 황영조가 금메달을 딸 가망이 전혀 없다는 얘기를 하고 있는 것이 아니다. 우리가 황영조의 금메달이 따놓은 당상인 양 과도한 기대를 해서는 안 된다는 얘기다. 언제나 그렇듯이 위대한 업적에는 적어도 일정한 양 이상의 운도 따라야 하는 법이다. 바르셀로나 올림픽에서는 지나치게 무더운 날씨가 오히려 황영조에게는 긍정적인 방향으로 작용했었다. 그러니까 우리는 그저 황영조가 상위 입상할 것을 기대하고, 혹시 운도 따른다면 금메달까지도 가능하지 않을까 하는 가벼운 마음으로 그를 대하는 것이 그에게도, 또 우리에게도 현명한 일이다. 이제는 그가 그 자신일 수 있도록 제발 그를 좀 내버려 두자.

---

* 황영조는 96년 3월에 열린 동아 마라톤 대회에서 불의의 발바닥 부상으로 29위에 그친 뒤 전격적으로 은퇴를 선언했다. 이 대회는 애틀랜타 올림픽 대표 선발전을 겸한 것이었는데, 황영조가 (순위를 보면 알겠지만) 대표로 선발되지 못한 것이다. 대한육상경기연맹은 황영조를 예비 엔트리에 포함시키는 등 어떻게 해서든지 그에게 출전 기회를 주려고 했지만, 황영조는 다음과 같은 말을 남기고 선수 생활을 그만두었다.
"올림픽 2연패도 중요하지만 원칙을 지키는 스포츠 정신은 더욱 중요하다. 개인적으로는 아쉽고 허무하지만, 나 아니면 안 된다는 생각을 버려야 하고 또 그래야 한국 마라톤이 발전할 수 있다고 생각한다."

애증의 소용돌이 속의 천재

위에서 살펴본 바와 같이 우리는 어떤 천재적인 인간들을 대하면 당혹감을 느끼며 자신도 모르게 극단적인 애증이 교차하는 감정의 소용돌이를 경험하게 된다. 우리는 많은 경우 그들을 정면으로 대하는 것을 포기하고 인간적인 결함을 들어 비난하면서 그들을 배척하거나, 아니면 그들이 '단지 천재라는 이유만으로' 마치 무슨 일이든지 할 수 있는 요술 방망이 취급을 하여 소외시킨다. 두 가지 모두 건전한 태도라고 볼 수는 없다.

허재가 대표팀에서 제외되었다는 기사를 본 순간 나는 우리 사회가 그를 이런 식으로 대접한다면 우리 사회의 질적 발전에는 뚜렷한 한계가 있을 수밖에 없다고 생각했다. 한 천재적인 인간이 주는 메시지가 받아들이기에 거북할 만큼 강렬하다고 해서 그 의미를 외면하고 회피한다는 것은 우리 사회가 새로운 도약을 할 수 있는 기회를 스스로 포기하는 것이나 다름없기 때문이다.

94~95 농구대잔치를 통해 허재가 '농구 천재'로서 화려하게 부활했지만, 그의 나이도 이미 서른이다. 우리나라 농구가 막 프로 시대로 접어들려고 하는 지금, 아쉽게도 그의 전성시대는 앞으로 그리 오래 남지 않은 것만큼은 분명하다. 그는 자신이 최고의 선수일 때 최고의 선수로서 은퇴하고 싶다고 한다. 따라서 그의 아름다운 플레이를 보며 깊은 감동에 빠질 날도 얼마 남지 않았다. 이젠 허재의 팬들 중엔 '오빠 부대'는 그리 많지 않다. 오히려 그가 용산고 선수일 때부터 꾸준히 그를 좋아했던 사람들이 많은 것 같다. 허재의 열렬한 팬들도 이젠 더이상 맹목적으로 그의 플레이에 열광적인 환호를 지르진 않는다. 그의 화려한 플레이가 꽃필 때마다 가슴이 뜨거워지고, '역시 허재'라며 고개를 끄덕일 뿐이다.

나는 이제는 우리가 그를 차분한 마음으로 바라보아야 한다고 생각한다. 그리고 지금이야말로 허재라는 하나의 천재적인 인간을 우리가 어떻게 받아들여야 하며, 그가 우리에게 주는 의미는 과연 무엇일까를 깊이 생각해야 할 때라고 믿는다.

이제부터 나는 허재라는 한 천재가 우리에게 던져주는 메시지는 과연 무엇이며 우리가 그에게서 배울 점은 무엇인지를 내 나름대로 얘기해보려고 한다. 그리고 그와 같은 천재가 아닌 보통 사람들은 어떻게 자기 자신의 정체성을 유지하며 보람 있게 살아갈 수 있는가를 생각해보려고 한다.

---

* 허재는 지금 프로 농구 원주 삼보 엑서스에서 선수 생활을 하고 있다. 이미 불혹을 바라보는 나이인 만큼 예전처럼 다른 모든 선수들을 압도하는 휘황찬란한 플레이를 펼치지는 못한다. 그래도 나는 허재를 믿는다. 허재는 선수 생활을 마무리하기 전에 한 번은 더 휘황찬란하게 빛날 것이다.

3부 도전하는 젊음을 위하여

농구 천재의 비결

70년대 말부터 80년대 중반까지 세계 테니스계의 정상에 군림했던 미국의 테니스 선수 존 매켄로는 강력한 서비스와 함께 네트 근처에서의 감각적인 터치가 돋보이는 천재적인 선수였다. 그러나 다른 한편으로는 경기중에 심판들과 잘 싸우기로도 유명한 악동이었다. 예를 들어 자신이 결정타라고 생각하고 친 회심의 일타를 심판이 아웃이라고 판정하기라도 하면 심판에게 고래고래 욕설을 퍼부으며 대들고, 라켓을 집어던지거나 발로 차는 등 공포 분위기(?)를 조성하기 일쑤였다.

뛰어난 테니스 실력으로 각종 권위 있는 세계 대회를 휩쓸다보니 엄청나게 많은 돈을 벌었지만, 코트에서의 거친 매너 때문에 벌금도 많이 내서, 아마 그가 낸 벌금만도 보통 선수들이 몇 년 동안 번 돈보다도 훨씬 많을 것이다. 흥미 있는 사실은 그가 심판과 싸울 때는 대부분의 사람들이 심판이 잘못 판정했기 때문에 그가 그렇게 흥분하는 것이라는 사실을 인정한다는 것이다. 즉 거의 대부분의 사람들이 그가 옳다는 것은 인정한다는 말이다.

그러나 심판이 좀 잘못했다고 해서 심판에게 모욕을 주고, 자기의 성질을 못 참아 라켓을 집어던지거나 발로 찬다든지 하는 그의 거칠고 폭발적인 태도는 신사적인 매너를 중시하는 테니스계에서는 받아들여지기 어려운 것이었다. 따라서 테니스 팬들 사이에는 그를 좋아하는 사람들이 많은 만큼이나 그를 싫어하는 사람도 많다. 그가 어느 TV 광고에 나와서 "많은 사람들이 매켄로를 좋아합니다. 그런데 어떤 사람들은요, 으으으으……" 하며 손바닥을 수평으로 하고 흔들면서 얼굴을 찡그리던 장면을 보고 몹시 재미있어한 적이 있다. 매켄로처럼 개성이 강한 천재적인 스타에 대해서는 이처럼 팬들의 애증이 엇갈리는 것이 어쩌면 당연한 일인지도 모른다.

허재 또한 그의 천재적인 농구 기량과 더불어 그의 독특한 성격 때문에 그에 대한 주위 사람들의 평가는 애증의 양극단을 달리는 경우가 많다. 농구인이면 누구나 인정하는 얘기지만, '농구 천재'라는 허재의 별명처럼 그의 기량을 한마디로 표현해주는 말도 없을 것이다. 그는 슈팅, 드리블, 돌파력, 패스, 수비, 리바운드 등 농구 선수가 갖추어야 할 모든 기량을 골고루 완벽하게 갖추고 있다. 이렇게 여러 가지를 다 잘하는 선수들은 대부분 뭐 하나 딱 부러지게 잘하는 것이 없기 마련인데, 허재의 경우는 위에 열거한 모든 테크닉을 적어도 아시아에서는 최고 수준이라고 평가할 수 있을 만큼 완벽에 가깝게 갖추고 있다.

그렇지만 아무리 뛰어난 기술을 가진 선수라도 체력이 뒷받침되지 않으면 무용지물이다. 따라서 운동 선수라면 고려대의 현주엽 선수처럼 강인한 체력을 먼저 갖춘 후에 그것을 바탕으로 하여 고급의 테크닉을 익혀야 좋은 선수이다. 그런데 보통 테크닉이 뛰어난 선수는 체력이 약해서 몸싸움에는 약한 경우가 많고, 반대로 체력이 강하고 몸싸움에 능한 선수는 세기가 딸리는 경우가 많다. 반면에 허재의 기량은(어렸을 때부터 먹었다는 3천 마리의 뱀 때문인지는 알 수 없지만) 단단한 체력을 바탕으로 한 것이라서 균형이 잘 잡힌 아주 이상적인 경우이다. 운동 선수로서는 기술적으로도 체력적으로도 더 바랄 것이 없다는 얘기다.

그리고 무엇보다도 그의 플레이는 아름답다. 현주엽이 언젠가 "허재 형은 슛 하나를 넣더라도 멋있게 넣는다"고 감탄했던 것처럼 허재의 플레이에는 멋이 넘쳐 흐른다. 그렇다고 그가 '겉멋'을 부리는 것은 아니다. 그의 플레이를 보면 거의 모든 동작에 군더더기가 없다. 예를 들면 그는 3점슛을 날릴 때도 거의 수직으로 솟아올라 쓸데없는 동작 하나 없이 전체적인 동작이 물 흐르듯 연결된다. 정말 깨끗하다. 그런 것이 진짜 멋있는 플레이인 것이지 오만 가지 '개폼'을 다 잡는다고 해서 멋있는 플레이가 되는 것은 아니다.

톰 카이트 등 많은 일류 프로 선수를 길러낸 텍사스 주립대학의 골프 코치 하비 페닉은 그가 쓴 『작은 빨간 책 *Little Red Book*』에 다음과 같은 명언을 남겼다.

"It is simple things that last long(단순한 것이 오래 간다)."

여기서 'simple' 하다는 것을 '단순' 하다고 번역했는데, 그 뜻이 제대로 잘 전달된 것인지는 의문이다('간결하다'가 더 나을까?). 그가 말하려고 했던 것은 쓸데없는 군더더기가 없이 깨끗하고 명쾌한 스윙이었다. 수학의 증명에 비유를 하자면 아마 '간단 명료한 증명' 쯤 될 것이다. 허재의 플레이가 바로 그렇다. 그래서 그의 플레이에서는 마치 석가탑을 보는 것 같은 엄숙한 조형미와 깨끗함이 느껴지는 것이다.

그러나 허재를 한 번이라도 지도해본 지도자들은 누구나 예외 없이 "재능은 최고, 정신 자세는 밑바닥"이라고 못박고 있다고 한다. 그와 함께 한솥밥을 먹고 생활을 한 적이 잇는 그의 팀 동료들도 그에 대한 인간적인 평가는 인색한 편이다. 사람들이 그의 결점으로 자주 지적하는 자기 중심적이고 독단적인 성격은 단체 경기에서는 생명과도 다름없는 팀워크와 동료 선수들과의 인화를 해치는 경우가 잦다. 특히 국가 대표팀이나 기아자동차처럼 저마다 자부심과 개성이 강한 기라성 같은 스타들이 모여 있는 가운데에서 허재의 독단적인 성격이 아무 무리 없이 받아들여지기는 힘든 노릇이다.

농구팬들 사이에서도 허재에 대한 평가는 양극단을 보여준다. 누구나 그의 걸출한 기량은 인정하면서도, 그를 좋아하는 사람들과 싫어하는 사람들이 뚜렷하게 갈리는 것이다. 누가 뭐라 해도 허재는 우리나라 최고의 농구 선수인 만큼 그의 기량을 인정하고 사랑하는 팬들의 수는 무수히 많다. 요즈음에는 X세대 스타들에게 조금 밀리는 감도 없지 않지만, 지금도 허재의 인기는 여전하다. 우리나라 농구에서 허재라는 존재는 그야말로 신화적인 것이다. 그러나 한편으로는 허재라는 말만 나와도 대놓고 거부감을 피력하는 사람들 또한 많다. 한마디로 '건방지다'는 것이다. 사람 사는 곳은 다 마찬가지이다. 사람들은 오만한 사람보다는 겸손한 사람을 훨씬 더 좋아한다. 특히 허재처럼 '오만할 자격이 있는' 사람의 경우에는 더욱 그러하다. 못난 사람이 잘난 체하는 것은 비웃으면 그만이다. 그런데 잘난 사람이 잘난 체하면 이미 '잘난 체'가 아니라 '정말로 잘난 것'이니까 듣는 사람은 더욱 열등감에 빠지게 되고 괜히 '정말로 잘난 놈'이 미워지는 것이다.

허재는 겸손함과는 거리가 먼 사람이다. 농구에 관한 한 자기가 최고라는 자부심에다가 성격 또한 직선적이고 화통하기 때문에 빈말로라도 자신을 낮추는 경우가 드물다. 게다가 성질이 불같이 급하고 고집마저 세다보니 심판들에게까지 자신의 주장을 굽히지 않는 일이 흔하고, 자연히 '건방지다'는 평가가 나오는 것이다. 특히 그가 자신의 성질을 이기지 못하고 분노를 폭발시키는 장면들이 TV를 통해 생생하게 보여질 때, 그 장면을 일방적으로 지켜봐야만 하는 팬들은 짜증이 나게 마련이다. 가뜩이나 짜증이 나는 일이 많은 현대 사회에서 스포츠를 통하여 스트레스를 해소하고 활력을 찾으려고 TV를 보는 일반 농구팬들이 무슨 이유로 그가 짜증내고 신경질내는 것을 인내하겠는가. 그 동안 그가 폭력 사태라든가 판정 시비, 그리고 음주 운전 등 많은 불상사에 연루되면서 낱낱의 사건들의 속사정이나 시시비비와는 상관없이 '허재는 말썽쟁이'라는 인식이 많은 사람들에게 부지불식간에 심어지게 되었고, 수많은 팬들이 그에게서 등을 돌리게 되었다.

이렇게 우리가 허재라는 인간을 받아들이는 데 양극단의 모습을 보이는 것은 바로 너무나도 특이한 그의 인간형 때문이다. 나는 그의 독특한 성격이 사람들로 하여금 당혹감을 느끼게 하고 좋아하는 사람과 싫어하는 사람으로 뚜렷하게 갈리도록 하는 단점이 있는 것은 사실이지만(그렇다고 해서 사람들로 하여금 좋아하는지 싫어하는지 헷갈리게 하는 것이 좋다는 뜻은 아니다) 그가 우리나라 최고, 아니 아시아 최고의 농구 선수로 확고하게 자리잡게 된 것은 바로 그의 성격상의 특질에 기인하는 바가 크다고 생각한다.

내가 허재의 성격상의 특질로 생각하는 것은 다음 네 가지이다.

첫째, 지는 것을 매우 싫어한다.

둘째, 성질이 불같이 급하다.

셋째, 고집이 세다.

넷째, 욕심이 많다.

이 네 가지 성질은 사실 거의 모든 사람들이 버려야 하는 '나쁜' 성질들로 생각하는 것들이다. 실제로 위와 같은 성격을 지닌 사람들은 많은 경우 주위 사람들과 끊임없이 마찰을 빚게 마련이고, 우리는 바로 이러한 성격상의 단점들 때문에 파탄에 빠진 사람들의 예를 너무나 많이 알고 있다. 그러나 나는 바로 이 네 가지의 성격상 특질들이 지금의 '농구 천재' 허재를 탄생시킨 원동력이라고 믿는다.

운동 선수이든 정치인이든 기업인이든 소위 성공했다는 사람들을 보면 위에 열거한 네 가지 성질 중 적어도 두 가지 이상씩은 지니고 있는 것을 발견하게 될 것이다. '인간 탐험' 시리즈로 유명한 오효진씨는 그가 만나본 수많은 성공한 사람들이 모두 하나같이 성질이 급하더라는 얘기를 한 적이 있다. 특히 현대의 정주영 회장이나 대우의 김우중 회장 같은 사람들이 이 네 가지 성질을 모두 가지고 있다는 것은 이미 잘 알려져 있는 사실이다. 따라서 허재가 원색적으로 표출하곤 하는 이 네 가지 성질은 사람이 어느 분야에서든지 성공하려면 반드시 갖추어야 하는 덕목(?)이라고 나는 감히 주장한다.

만일 우리가 이러한 성질들을 모두 버리는 데 성공한다면 우리는 누구에게서도 비난을 듣지 않는 소위 '원만한' 인간이 될 수는 있을 것이다. 그러나 우리는 진정으로 의미 있는 것은 아무것도 창조하거나 성취할 수 없는 그저 그렇고 그런 인간으로 그치고 말 것이다. 그게 뭐 어떠냐고 항변한다면 할말은 없다. 그렇지만 여기서 내가 얘기하려는 것은 평범한 사람이 평범하게 살아가는 데 성공(?)할 수 있는 비결은 아니다. 나는 어느 정도 고초를 겪는 한이 있더라고 무언가 비범한 성취를 이룰 수 있는 비결을 얘기하고 싶은 것이다.

그러니까 우리가 만일 어떤 분야에서 작은 성취라도 이루기를 원한다면 위의 네 가지 '나쁜' 성질을 버리려고 노력할 것이 아니라 오히려 그런 성질들을 가지고 있음을 감사해야 할 것이다. 중요한 것은 그러한 성질들을 어떻게 건전한 방향으로 발휘할 것이냐이지 무조건 버리려고 노력할 일이 아닌 것이다.

이제 내가 감히 '농구 천재의 비결' 이라고 주장하는 허재의 네 가지 성격상의 특질들을 하나하나 살펴보기로 하자.

이기려는 열망과 강인한 승부 근성

이 세상에 지는 것을 이기는 것보다 좋아하는 사람은 거의 없을 것이다. '지는 것이 이기는 것' 이라는 속담마저 사람들이 이기는 것을 얼마나 갈망하는가를 역설적으로 말해주는 것이라고 생각한다. 여기서 내가 굳이 '거의' 라는 표현을 쓴 것은 테레사 수녀님처럼 이기든 지든 뭐 그런 속물적인 것에는 관심이 없는, 따라서 기를 쓰고 이기려는 사람에게는 오히려 져줌으로써 기쁨을 느끼는 그런 특별한 사람들도 있다는 것을 알고 있기 때문이다. 그렇지만 나는 그런 특별한 사람들을 제외한 대부분의 사람들에 대해서 얘기하는 것이니까 내가 뭐 그리 틀린 명제를 얘기하고 있는 것은 아닐 것이다.

어쨌든 운동 선수치고 지려고 시합하는 선수는 아마 없을 것이다. 그리고 없어야 한다. 이기려고 하지 않는 경기는 '경기' 라는 정의에 이미 어긋나는 것이고, 따라서 이기려고 하지 않는 운동 선수는 운동 경기의 존재 의의를 오염시키는 암적인 존재일 뿐이기 때문이다. 허재는 그중에서도 유별날 정도로 승부욕이 강하다. 그는 "지는 것이 세상에서 제일 싫다"고 말한다. 나는 이렇게 지는 것을 죽기보다 싫어하는 그의 성격이 '농구 천재 허재'를 탄생시킨 가장 중요한 요인 중 하나라고 생각한다.

지기 싫어한다는 것은 바로 이기려는 열망과 승부 근성이 강하다는 것을 말하며, 여러 가지 어려움에도 쉽게 꺾이거나 포기하지 않는다는 것을 의미한다.

사람이 살아가면서 아주 작은 성취라도 이루어내려면 누구나 많은 어려움을 이겨내야 하고 그만큼의 희생을 치러야 한다. 이기려는 열망이 강한 사람은 자신이 정한 목표를 이루기 위해서 끊임없이 자기 자신을 향상시키려고 노력하며, 그에 따르는 어려움과 희생을 회피하지 않고 기꺼이 받아들인다. 운동 경기뿐 아니라 세상사에서의 모든 승부가 상대방보다는 자기 자신과의 싸움에서 거의 다 결말이 지어진다는 사실을 생각해보면, 무슨 일이든지 쉽게 포기하지 않고 끝까지 최선을 다하는 승부 근성이야말로 어떤 일을 성취해내는 데 있어서 첫번째 필요 조건임을 쉽게 깨닫게 된다.

장기 레이스를 펼치는 프로 스포츠에서 감독들이 연패를 당하는 것을 싫어하는 이유는 지는 것이 버릇이 되는 것이 두려워서이다. 지는 것이 버릇이 되면 결정적인 승부처에서 자신감을 잃어 쉽게 포기하게 되고 그것이 얼마나 비참한 결과를 가져오는지는 구구히 설명할 필요도 없을 것이다. 사실 승부 근성이 없는 선수는 선수로서 제 구실을 할 수가 없다. 팀이 위기에 몰렸거나 조금 큰 차이로 지고 있을 때 쉽게 포기해버리는 선수는 아무짝에도 쓸모가 없다(좀 심했나?). 운동 선수만이 아니라 보통 사람도 이러한 승부 근성이 없다는 것은 결국은 의지가 약하다는 이야기이며, 그런 사람은 미안하지만 남에게 짐이 될 뿐이다(다른 사람에게 짐이 되는 사람도 한 인간으로서 존엄하게 살아갈 권리가 있으며 깊이 존중해야 한다는 것은 이것과는 또다른 차원의 이야기니까 헷갈리지 말기 바란다).

80년대 후반 세계 헤비급 복싱 무대를 주름잡던 '핵주먹' 마이크 타이슨은 한 방송과의 인터뷰에서 "나는 지는 것을 거부한다"고 기염을 토한 적이 있었다. 그리고 그러한 강한 승부 근성이 핵폭탄처럼 강한 주먹만큼이나 그의 전성시대를 지탱해준 기둥이었다.

타이슨은 데뷔 첫해에 무려 15번을 싸워 모조리 KO승을 거두는 등 가공할 위력을 선보이며 열아홉 살의 어린 나이로 세계 챔피언 자리에 오른 그야말로 천하무적의 선수였다. 그가 마이클 스핑크스를 불과 91초 만에 침몰시키고 타이틀을 방어했을 당시만 해도 이 세상에 그를 이길 선수는 없었다고 단언할 수 있다. 그 무렵 래리 머천트나 알 번스타인 등 미국의 복싱 전문가들은 그를 꺾을 수 있는 상대는, 즉 그 자신의 가장 큰 적은 아직 제대로 균형잡힌 인간으로서 다듬어지지 않은 그 자신뿐이라고 진단했었다. 실제로 그가 그와 전혀 어울리는 것 같지 않던 영화배우 로빈 기븐스와 이혼하고 나서(사실 이 경우 로빈 기븐스나 타이슨보다는 여러 가지 말썽을 부리고 다니던 타이슨의 장모가 더 문제였었다) 복싱에 대한 집중력이 떨어졌을 무렵 일본 도쿄에서 그저 그렇고 그런 선수인 제임스 더글러스에게 10회 KO로 패해 '세기의 이변'을 만들어주고 타이틀을 넘겨준 것만 봐도 승부욕이 사라진 선수가 얼마나 무력한 것인가를 알 수 있다.

83년 노스캐롤라이나 주립대학은 도저히 불가능하리라는 전문가들의 예상을 깨고 NCAA 정상에 오르는 기적적인 드라마를 연출했다. 그리고 그러한 기적의 드라마 뒤에는 짐 발바노라는 풍운의 승부사가 있었다. 우리나라의 박종환 감독을 연상시키는 날카로운 눈매와 매부리코가 특징인 발바노의 트레이드 마크는 "결코 포기하지 않는다(Don't ever, never give up)"였다.

짐 발바노는 NCAA에 소속된 수많은 감독들 중에서 가장 뛰어난 감독은 결코 아니었다. UCLA를 10번이나 NCAA 정상에 올려놓은 전설적인 명감독 존 우든이라든지 인디애나 대학의 보비나이트, 그리고 듀크 대학의 시셰프스키 등에 비하면 훈련 프로그램이나 전술적인 면에서는 아무래도 한 수 뒤진다는 느낌이다. 그러나 아무리 어려운 상황이 와도 절대로 물러서지 않는다는 그의 오기에 가까운 철학은 당시 선수 구성면에서는 비교적 뒤떨어지던 노스캐롤라이나 주립대학을 미국 대학 농구의 정상에까지 올려놓았던 것이다.

경기 종료 2초를 남기고 공격권을 얻어낸 노스캐롤라이나 주립대학이 경기 종료 버저와 함께 골밑슛을 성공시켜 역전 우승을 차지한 뒤에, 우승의 감격에 넘친 발바노가 미친 듯한 눈빛으로 농구 코트를 이리저리 뛰어다니던 모습이 눈에 선하다. 그는 지난 93년 비교적 젊은 나이에 암과 싸우다가 세상을 떠났다. 나는 그가 세상을 떠나던 그 순간까지도 삶에 대한 희망과 열정을 결코 포기하지 않았을 것으로 확신한다.

내가 지난 94~95 농구대잔치 중 허재의 경기 모습에서 가장 감명을 받은 부분이 바로 그의 투지 넘치는 모습이었다. 정규 리그 연세대와의 경기에서라든지 고려대와 싸운 플레이오프 준결승 경기 등 적어도 그 자신이 중요하다고 생각하는 경기에서 허재는 정말 최선을 다해 싸웠다. 막강 멤버를 자랑하는 기아자동차로서는 허재 없이도 이길 수 있는 경기가 많이 있지만, 고려대와의 경기 같은 경우에는 허재같이 활화산처럼 타오르는 열정으로 체력이 강하고 탄탄한 고려대 수비진을 휘저어주는 선수가 있어야만 고공 농구든 뭐든 시도할 수가 있는 것이다. 특히 삼성과 최종 결승전 네 차례 경기를 치르는 동안 그가 몸을 던져 루스볼을 잡아내고, 문경은 등 상대방 선수를 악착같이 마크하며, 188cm의 키로 공격 리바운드에 헌신적으로 가담하는 모습들을 보면서, 3점슛이나 180도 회전 드리블 등 그의 화려한 플레이 뒤에 감춰진 활활 타오르는 그의 진정한 승부사적 기질을 느낄 수 있었다.

자신이 최고라는 자부심을 바탕으로 한 승리에 대한 열망, 그리고 끝까지 포기하지 않고 최선을 다하는 강인한 승부 근성. 바로 그러한 '지기 싫어하는 성격' 이 '농구 천재' 허재를 탄생시킨 가장 중요한 비결인 것이다.

과감한 정면 승부

지난 95년 6월에 열린 제18회 아시아 남자 농구 선수권 대회에서 우리나라는 중국의 벽을 넘지 못하고 준우승에 만족해야 했다. 우리의 '아기 공룡' 서장훈이 미국 산호세(San Jose) 대학에 유학중인 관계로 대표팀에서 빠지고 김유택 또한 체력과 가정 사정을 이유로 대표팀 합류를 고사하여 현주엽, 전희철, 조동기 등으로 골 밑을 지켜야 했던 우리나라로서는 평균 신장이 훨씬 큰 중국을 이기는 건 애초부터 무리였는지도 모른다. 그러나 우리나라는 이 대회에서 28년 만에 올림픽에 자력으로 진출할 수 있는 티켓을 따냈고, 허재는 기자단의 투표에 의해 최우수 선수로 선정되는 영광을 누렸다.

허재는 이 대회 내내 거의 전 경기에 걸쳐 좋은 플레이를 보여주었는데, 특히 일본과의 준결승 경기에서는 그의 승부사적 기질을 유감없이 발휘하여 일본에게 97대 78로 대승을 거두는 데 커다란 공헌을 하였다.

지난 히로시마 아시안 게임에서 우리나라에게 대패했던 일본이지만, 이번 아시아 선수권 대회에서는 일본은 나름대로 자신이 있었다. 그들에게는 '신병기(新兵器)' 가 있었기 때문이다. 다카하시라고 하는 혼혈 선수가 바로 그 신병기였다.

미국인 아버지와 일본인 어머니 사이에서 태어난 다카하시는 흑인 특유의 탄력과 유연성으로 파워 넘치면서도 부드러운 플레이를 전개하는 일본의 새로운 기대주였다. 덩크슛을 자유자재로 구사하는 그의 득점력도 무섭지만, 미국 캘리포니아 주립대학 롱비치 분교에서 기본기를 충실히 배운 그의 수비 능력과 넓은 시야에 따른 골 밑에서의 볼 배급이 사실은 더 위협적이어서 호들갑을 떨기 잘하는 일본 매스컴에서(어느 나라 매스컴이고 마찬가지겠지만) 극찬을 하던 그런 선수이다. 다카하시 덕분에 일본은 비로소 교과서적인 딱딱한 플레이에서 벗어나 다양한 공격 전술을 시도할 수 있게 되었으니 일본 매스컴이 흥분할 만도 했다.

우리나라와 일본의 준결승전은 애틀랜타 올림픽 출전권이 걸려 있는 아주 중요한 경기였다. 이날 일본은 처음엔 야마자키와 다카하시 등 스타팅 멤버 둘 정도를 빼고 변칙적인 선수 기용으로 나섰다. 그러다가 리바운드 싸움에서 우리나라에 밀리며 점수 차가 벌어지자 야마자키와 함께 드디어 다카하시를 투입했다. 신장면에서 일본에게 달리는 우리나라는 생각 같아서는 현주엽이 다카하시를 맡아 혼을 내주었으면 했지만, 현주엽은 전희철과 함께 다카하시보다 더 큰 아베와 야마자키 등 센터를 마크해야 했으므로 문경은과 우지원이 교대로 다카하시를 맡았다. 그런데 다카하시가 수비에서 허재를 마크하는 것이 아닌가. 신장 198cm의 다카하시가 188cm의 허재를 마크하면 허재가 아무래도 여러 가지로 위축될 것이었다. 게다가 다카하시는 파워가 넘치고 탄력이 좋으니 테크닉이 뛰어난 허재를 막아내기에는 안성맞춤인 선수였다. 일본 벤치의 절묘한 작전이 얄미울 정도였다. 다카하시가 투입되자 일본 공격은 활기를 띠었고, 반면에 허재로부터 시작되는 우리의 공격이 위축되지나 않을까 걱정스러웠다. 다카하시가 들어온 이후 점수 차가 14대 11로 좁혀졌을 때 우리나라의 공격 찬스. 강동희가 서서히 볼을 끌고 디비전 라인을 넘어서서 일본 진영 중앙 부근으로 좁혀 들어가던 허재에게 볼을 연결했다. 다카하시가 기다렸다는 듯이 앞을 막아섰다. 팽팽한 긴장감이 배어나오는 찰나, 허재가 돌고래처럼 솟구쳐 오르더니 3점포를 발사, 보기 좋게 그물을 꿰뚫어버렸다. 왼손을 높이 치켜들어 승리를 확인하는 허재. 다카하시의 예상을 뒤엎는 정면 대결이었다. 찰나의 틈을 비집고 키가 10cm나 큰 다카하시의 정면에서 점프하여 3점슛을 명중시켜버렸으니 다카하시의 코가 납작해질 수밖에 없었다.

이것으로 허재와 다카하시의 대결은 승부가 판가름났다. 소위 '기(氣)싸움'에서 다카하시를 제압해버린 허재는 그 뒤로도 능란한 볼 컨트롤과 귀신 같은 풋워크로 다카하시의 마크를 따돌리며 맹활약했다. 특히 전반전이 거의 끝나갈 무렵에 보여준 현주엽과의 콤비 플레이는 눈부시게 아름다웠다.

문경은의 3점슛 세 발로 이미 안정적인 리드를 잡은 우리나라가 일본 진영 왼쪽을 공략하다가 왼쪽 코너를 파고들던 허재에게 볼을 투입했다. 허재는 빠른 손놀림으로 드리블을 하며 다카하시를 현혹시키더니 기습하듯 점프하며 3점슛을 시도했다. 놀란 다카하시는 순간적으로 허재를 향해 덮쳤다. 뛰어난 탄력이었다. 그러나 허재는 밀어닥치는 다카하시를 공중 동작으로 따돌리고 볼을 현주엽에게 연결한 뒤 비호처럼 다카하시의 뒤를 파고들었다. 현주엽은 즉시 페이크 패스(눈동자는 다른 쪽을 응시하여 수비진을 따돌리고 볼을 공급하는 패스)로 허재에게 공을 연결했고, 허재는 공을 받자마자 점프, 림 저편에서 달려드는 2m 2cm의 아베를 공중 회전으로 따돌리며 그림 같은 리버스 레이업슛을 성공시켰다. 다카하시와 아베를 비롯한 일본 선수들은 너무나 아름다운 허재와 현주엽의 콤비 플레이에 넋을 잃었고 경기를 지켜보던 우리나라 관중들은 열광적인 갈채를 보냈다.

이날 우리나라는 허재를 비롯, 현주엽, 강동희, 전희철, 문경은 등 주전들의 고른 활약으로 일본을 97대 78로 대파하며 28년 만에 처음으로 올림픽에 자력으로 진출할 수 있는 티켓을 따냈고, 허재는 28득점을 기록하며 한국이 승리하는 데 일등 공신 역할을 했다.

그 경기에서 가장 멋진 장면은 허재와 현주엽이 연출한 눈부시게 아름다운 콤비 플레이였을 것이다. 그러나 나에게 무엇보다도 인상적이었던 장면은 허재와 다카하시의 맞대결에서 다카하시의 기를 제압한 허재의 3점슛이었다. 자신보다도 키가 10cm나 큰 다카하시의 정면에서 그대로 점프슛을 시도한다는 것은 사실 매우 위험한 일이다. 다카하시는 그때 허재를 이미 완전히 잡아놓고 있었고, 허재로서는 페인팅 모션을 써서 돌파하거나 아니면 같은 편에게 패스하여 다시 시작하는 등 제한된 선택밖에 없었다. 그런데 아주 순간적인 틈을 비집고 그 자리에서 솟구쳐 올라 3점슛을 명중시켜버린 것이다. 다카하시로서는 그 정도의 틈을 비집고 들어온다는 것은 상상도 할 수 없는 일이었으므로 멍하니 당할 수밖에 없었을 것이다.

누구나 상대방에게 이기고 싶다. 그러나 그렇게 이기려는 열망만 가지고 날뛴다고 해서 모두 다 이길 수 있는 것은 아니다. 허재는 다카하시와의 대결을 통하여 이기기 위해서는 상대방의 기를 먼저 꺾어놓는 것이 무엇보다도 중요하다는 것, 그리고 그러기 위해서는 어느 정도의 위험을 무릅쓴 과감한 정면 승부가 필요하다는 것을 극적으로 보여준 것이다.

오기와 투지의 화신 최동원

프로야구 원년인 1982년 박철순, 김우열, 윤동균 등의 활약을 바탕으로 OB 베어스를 우승시켰던 김영덕 감독은 84년 삼성 라이온즈로 자리를 옮겨 다시 한번 정상에 도전했다. 그런데 친정팀이라서 그런지 OB 베어스만 만나면 이상하게 거북한 것이 영 힘을 쓰지 못했다. 정규 리그가 끝날 즈음 삼성은 1위가 확정되어서 한국 시리즈에 진출했고 다른 한 자리를 놓고 OB와 롯데가 치열한 각축을 벌이고 있었다. 이런 상황에서 정규 리그 단 두 경기만을 남겨놓고 삼성과 롯데가 부산에서 맞붙게 되었다.

84년 9월 22일, 부산 사직구장에서 벌어진 삼성과 롯데의 경기. 이 경기는 우리나라 프로 야구사에 가장 치욕적인 것으로 기록될 것이다.

김영덕 감독은 그해에 프로 무대에 갓 데뷔하여 1승도 거두지 못하고 있던 진동한을 선발로 내세운 것을 포함해서 처음부터 2진급 선수들을 출전시켰다. 한국 시리즈에서 OB와 겨루는 것이 싫어서 롯데에게 일부러 져주기로 한 것이다. 롯데의 강병철 감독 또한 김영덕 감독의 그러한 의도를 재빨리 간파하고 반드시 이겨야만 하는 경기임에도 불구하고 굳이 에이스인 최동원을 투입할 필요가 없다고 판단, 투수를 아끼려는 심산으로 그해에 부진했던 천창호를 등판시켰다.

그런데 이게 웬일인가. 삼성의 후보 선수들이 어리석게도 펄펄 날아 1회에만 무려 6득점을 하는 등 삼성이 7대 0으로 앞서가는 것이 아닌가. 다급해진(세상에 7대 0으로 이기고 있는데 다급해지는 경우도 있다는 것을 나는 그때 처음 알았다) 김영덕 감독은 쓸데없이(?) 호투한 진동한을 비롯, 잘하는 선수들을 교체하기 시작했다. 삼성의 투수들은 롯데 선수들이 치기 좋은 공만 던져주고, 수비에서도 적극성을 발휘(?), 뻔히 잡을 수 있는 플라이 볼도 일부러 놓치는 등 천신만고(?) 끝에 삼성은 겨우 11대 9로 질 수가 있었다. 야구 사상 전무후무할 추잡한 경기를 지켜보던 관중들은 스코어가 9 대 3일 무렵부터 그 비열한 음모를 눈치채고 야유를 퍼부어댔다. 중계 방송하던 아나운서마저 "정말 이런 경기를 중계하고 있다는 것이 부끄럽다"고 한탄할 지경이었다.

이러한 각고의(?) 노력 끝에 삼성은 드디어 원하는 대로 '만만디' 강병철 감독이 이끄는 롯데와 한국 시리즈에서 맞붙게 되었다. 롯데는 삼성이 너무나도 사랑한 나머지(?) 온갖 방법을 동원하여 져주면서까지 선택한 상대였으니, 승패의 추는 아무래도 삼성 쪽으로 많이 기울어져 있었다. 그러나 삼성의 짝사랑과는 달리 롯데는 최동원이라는 불세출의 투수를 무기로 하여 '배신의 칼날'을 갈고 있었다.

최동원은 경남고, 연세대, 국가 대표팀 투수를 거치면서 우리나라 야구사에 길이 남을 수많은 기록을 남긴 위대한 투수이다. 정통파 투수로서는 그리 크지 않은 키에 선동렬처럼 이상적인 신체 조건을 타고난 것도 아니었지만, 극성으로 유명한 아버지의 연구 덕분에 커다란 와인드 업 모션을 비롯하여 그에게 알맞은 투구 폼을 개발, 거기에서부터 뿜어나오는 강속구로 한 시대를 풍미한 훌륭한 선수였다.

금테 안경을 낀 약간 시건방진 듯한 모습과 자신만만한 태도 때문에 주는 것 없이 왠지 싫기만 하던 나도 이번에는 최동원의 열렬한 팬이 되어 열심히 롯데를 응원했다. 일부러 지는 경기를 펼치는 팀은 단호히 응징해야 할 것이 아닌가. 그해 페넌트 레이스에서 27승 13패라는 놀라운 기록을 세우며 고군분투(사실 27승 13패라는 기록은 소속팀이 그를 얼마나 혹사했는가를 말해주는 가슴 아픈 기록이다), 소속팀인 롯데를 한국 시리즈까지 끌어올린 최동원은 강속구 외에도 변화구의 컨트롤, 투수 수비 능력, 명석한 두뇌 등 투수에게 필요한 모든 자질들을 골고루 갖추고 있었다. 그러나 그 가운데서도 그의 가장 큰 강점은 뭐니 뭐니 해도 그의 두둑한 배짱과 최고의 투수로서의 자부심, 그리고 강인한 승부 근성이다. 그리고 그해 한국 시리즈에서 그의 강인한 승부 근성은 유감 없이 발휘되었다.

당시 최동원을 빼고는 삼성의 막강 타선을 상대할 만한 뚜렷한 투수가 없었던 롯데로서는 작전이 딱 한 가지였다. 즉 7차전까지 가는 단기전이니만큼 한 게임 걸러 최동원을 투입하여 4승을 건진다는 것이다. 도대체 말도 안 되는 작전이었다. 이런 작전이 성공한다면 감독하기가 얼마나 쉽겠는가. 최동원을 한 게임 걸러 등판시킨다는 것 자체가 무리한 일일뿐더러 최동원만 나오면 이긴다는 작전 또한 말도 안 되는 일이었다.

그런데 이렇게 말도 안 되는 작전이 보기 좋게 맞아 떨어지는 것 같았다. 롯데가 최동원이 투입된 1, 3차전을 이기고 삼성이 2, 4차전을 승리하여 시리즈 성적 2대 2가 된 채 5차전을 맞이하게 된 것이다. 그러나 최동원이 무슨 '용가리 통뼈' 인가. 페넌트 레이스에서의 무리한 등판으로 지칠 대로 지쳐 있던 최동원은 5차전에서는 드디어 힘이 빠져 롯데가 그만 지고 말았다.

승부는 이제 끝난 것처럼 보였다. 최동원이 등판할 수 없는 6차전에서 삼성이 이기면 시리즈 성적 4대 2가 되어 치사하게 져주는 경기까지 하면서 롯데를 제물로 선택한 삼성이 대망의 우승을 차지하는 것이다. 나는 실망해서 밥맛이 떨어질 정도였다. 도대체 일부러 져주는 팀이 우승한다는 것이 말이나 되는가. 그런데 이젠 그걸 막을 수 있는 방법이 없는 것이다.

그러나 최동원은 과연 '통뼈' 였다. 무리인 것이 뻔한 데도 본인이 기를 쓰고 등판을 자원, 6차전에 또다시 등판한 것이다. 여기에 감동한 다른 선수들이 불같은 투지로 똘똘 뭉쳐 롯데는 6차전을 승리로 이끌며 시리즈 성적을 3대 3 동률로 몰고 갔다. 그러나 그러면 또 무얼 하는가. 최동원이 벌써 두 번씩이나 연속으로 등판했으니 7차전에는 최동원이 나오지 못할 것이고, 최동원이 나오지 못하는 7차전에서 삼성이 이겨버리면 4대 3으로 삼성이 우승하고 마는 것이다. 좋다가 만 기분이 된 나는 또다시 밥맛이 떨어졌다. 이제는 정말 삼성의 그 비열한 술책을 막을 방법이 없는 것이다. 그러나 최동원은 미련하게도 7차전에서도 등판했다.

거듭된 무리한 등판으로 지칠 대로 지친 최동원은 7차전에서는 무려 10안타를 허용하며 비틀거렸다. 특히 6회엔 삼성의 오대석에게 솔로 홈런을 허용, 스코어가 4대 1로 벌어지면서 경기는 이미 끝난 듯이 보였다. 삼성이 승리를 예상하고 우승 축하 파티를 준비해놓은 삼정 호텔에서는 본격적인 연회 준비에 부산을 떨기 시작했다고 한다.

그러나 그들은 그렇게 바삐 설칠 필요가 없었다. 투지에 불타오르는 롯데 선수들이 7회에 들어서자 타선에 불을 붙여 한문연의 3루타 등으로 4대 3까지 따라잡더니, 8회 초에는 그 동안 시리즈 성적 겨우 1할의 빈타에 허덕이던 유두열이 장쾌한 역전3점 홈런을 터뜨려버린 것이다.

롯데는 이렇게 삼성의 야비한 술책을 무위로 돌리며 감격의 한국 시리즈 패권을 차지했고, 최동원은 7차전마저 승리 투수가 됨으로써 한국 시리즈 4승을 전부 혼자 따내는 불멸의 기록을 세웠다.

나는 그때 최동원을 왜 스타라고 부르는가를 확실하게 깨달았다. 4승을 혼자 따낸 결과를 두고 하는 말이 아니다. 5차전에서 졌을 때 이미 체력이 고갈되었는데, 6차전과 7차전에 또다시 스스로 자원하여 등판하는 그 오기와 승부 근성을 높이 평가하는 것이다. 물론 최동원 혼자 힘으로 롯데가 우승을 차지한 것은 아니다. 그해의 한국 시리즈 우승의 영광은 롯데 야구팀 관계자라면 선수, 감독, 구단 프론트 할 것 없이 모두에게 공평히 돌아가는 것이다. 내가 얘기하고 싶은 것은 이미 지칠 대로 지쳐 있었음에도 불구하고 이기려는 열망 하나만으로 6, 7차전에 잇달아 등판한 그의 강렬한 투혼이 자칫 패배감에 빠져들어 침몰해버릴 수도 있었던 롯데 선수들 하나하나에게 같은 정도의 투지와 오기를 불러일으켜서 그 뜨겁게 단합된 힘이 롯데를 우승으로까지 이끌었다는 것이다.

한국의 스티븐 호킹 황윤성

내 주위의 가까운 사람으로서 자기 자신에 대한 자부심과 승부 근성이 매우 강한 사람을 하나 알고 있다. 바로 '한국의 스티븐 호킹'이라는 별명으로 유명 인사가 된 고려대학교 수학과의 황윤성 교수이다.

그는 별명이 암시하는 것처럼 어렸을 때 뇌성 소아마비를 심하게 앓아 전신을 제대로 쓰지 못하는 장애인이다. 요즘은 본인의 피나는 노력과 어머님의 헌신적인 사랑으로 거의 정상인과 다름없이 말할 수 있지만 내가 그를 처음 만난 다섯 살 무렵에는 무슨 말을 하는지 잘 알아들을 수도 없을 정도로 언어 장애가 심했었다. 게다가 그는 팔 하나 드는 것, 걸음 하나 옮기는 것에도 굉장한 힘을 쏟아야 한다. 따라서 어렸을 적부터 철없는 아이들이 놀리기 일쑤였고, 심지어는 중학교 시절에도 그를 놀려대는 못된 놈들이 있었다. 그러나 그는 절대로 그런 아이들에게 지려고 하지 않았다. 그가 자기를 놀리는 놈들을 잡으려고 부자유스러운 몸으로 애를 쓰다가 결국에는 울음을 터뜨리고 말던 모습이 지금도 눈에 선하다.

아직도 그 제도가 있는지 모르지만 우리가 중고등학교를 다닐 적에는 체력장 제도라는 것이 있어서 한 학기에 한 번은 반드시 전교생이 모여 턱걸이, 윗몸 일으키기, 100m 달리기 등 여러 가지 종목의 운동 능력을 측정받아야 했다. 그때 가장 힘든 것이 역시 1000m를 달리는 오래달리기였다. 황윤성은 국가가 공인한(?) 장애인이었으므로 체력장에서 면제되는 것이 당연했다. 특히 정상 학생들도 가끔씩 쓰러지는 학생이 나오는 오래달리기는 그에게는 무리였다. 그러나 그는 언제나 기어서라도 끝까지 완주했다. 보고 있는 친구들의 가슴이 찢어질 정도로 처절한 모습이었고, 나는 정말 그가 당장이라도 쓰러져 죽을까봐 겁이 났지만, 그는 정상 학생들이 3분 내지 5분에 완주하는 거리를 20분이 걸리든 30분이 걸리든 끝까지 뛰었다.

나는 그때부터 그의 그러한 오기와 근성 때문에라도 그가 장래에 훌륭한 인물로 성장하리라는 것을 믿어 의심치 않았다.

그는 그렇게 어려운 상황에서도 공부를 잘해서 고려대학교 수학과를 우수한 성적으로 졸업하고 미국 캘리포니아 주립대학교 샌디에고 캠퍼스로 유학을 갔다. 그와 함께 유학 준비를 할 때 가슴 아팠던 경험 중 하나가 토플(TOEFL) 시험을 보는 것이었다. 우리나라 사람은 거의 다 그러하겠지만, 그 시험에서 가장 어려운 부분이 바로 듣기 평가였다. 그 당시 내 실력으로는 웬 서양 사람이 쏼라 쏼라 지껄인 다음 쏼라 쏼라 문제를 내는데 무슨 얘길 지껄이는지 도무지 알 도리가 없었다. 게다가 주어진 시간이 짧기 때문에 빨리빨리 답을 찾아서 OMR 카드에 답(이라고 미루어 짐작되는 것)을 적어넣어야 한다. 비록 말은 안 했지만 그에게 가장 어려운 부분이 바로 이 부분이었을 것이다. 왜냐하면 글씨 한 자 쓰는 데도 보통 사람의 두세 배 시간이 걸리는 그이기에 OMR 카드의 아주 작은 동그라미를 검게 칠하는 것이 매우 힘들고 시간 걸리는 일이기 때문이다.

이런 건 아주 작은 예이지만, 그는 그 밖에도 나 같은 무심한 친구는 상상할 수도 없는 수많은 어려움을 묵묵히 이겨내고 미국 캘리포니아 대학 샌디에고 캠퍼스에서 입학 허가를 받았다. 이 대학 수학과는 1982년 필즈상을 수상한 마이클 프리드만 교수를 비롯, 역시 같은 해 필즈상을 받은 신뚱 아우(몇 년 후에 하버드 대학교로 옮겨갔다), 놀란 왈락, 토머스 인라이트 등 쟁쟁한 학자들이 포진한 곳이다.

어떤 사람들은 돈만 많으면 개나 소나 다 유학을 가서 박사 학위를 받을 수 있는 것처럼 이야기하지만, 이역만리 타국에서 시도 때도 없이 밀물처럼 밀려오는 고독감과 싸우며 공부한다는 것이 그렇게 쉬운 일만은 아니다. 게다가 이제는 경쟁 상대들도 전세계 각지에서 몰려온 수학 도사들이 아닌가. 상황이 이러한데 그와 같은 장애인이 겪었을 어려움은 일일이 다 늘어놓을 수도 없다. 중간에는 몸이 쇠약해져서 잠시 귀국하여 휴식을 취한 후에야 다시 학업을 계속할 수 있을 정도였다.

그가 미국 캘리포니아 대학 샌디에고 캠퍼스에서 박사 학위를 받고 캘리포니아 대학 산타 바바라 캠퍼스에서 연구원으로 있을 때 나에게 전화가 왔다. 취직 걱정이었다. 영어도 자신이 없고 오른팔이 아파서 듣기가 힘들어 칠판을 사용하는 강의는 불가능한데 누가 자기와 같은 장애인을 뽑아주겠느냐는 하소연이었다. 이럴 때 불행하게도 친구가

해줄 수 있는 일은 별로 없다. 나는 몹시 가슴이 아팠지만 그에게 다음과 같이 잔인한 조언을 했다.

"너말고도 다른 사람 모두가 너를 그렇게 생각하며 뽑지 않으려고 하고 있다. 이러한 판국에 너까지 그렇게 생각한다면 너는 그야말로 설 자리가 없다. 네가 비록 몸이 불편하고 말을 잘하지 못하더라도 너의 의지와 열정으로 다른 사람보다 훨씬 더 잘 가르칠 수 있다고 믿어야 한다. 네가 네 스스로 가능성을 제한하면 다른 사람은 열 배 스무 배 너의 가능성을 제한하려 들 것이다. 너는 너의 가능성을 믿고 그렇게 행동해야 한다. 적어도 나는 네가 해낼 수 있다고 믿는다. 너도 네가 반드시 이루어낼 수 있다고 믿어야 한다."

그가 캘리포니아 대학 산타 바바라 캠퍼스에서 연구원 생활을 마치고 귀국했을 때, 국내에서 그를 받아준 곳은 단 한 군데 서울대학교 대역해석학 연구 센터였다. 그는 그곳에서 연구원으로 일하며 시간 강사로서 고려대학교 조치원 캠퍼스까지 출강하는 힘든 생활을 했다. 그리고 1년 후에는 또다시 캘리포니아 대학 산타 바바라 캠퍼스로 훌쩍 떠났다. 서울대학교 대역해석학 연구 센터에서는 연구원의 임기가 모두 1년이었으므로 더이상 채용할 수가 없었고, 당시 그를 채용하려는 다른 곳이 없었기 때문이다. 그렇게 그가 떠난 뒤 몇 달이 지난 95년 1월, 그의 탁월한 실력을 인정한 고려대학교에서 비로소 그를 뽑아준 것이다.

어떤 사람이 고려대학교 수학과의 조교수가 되었다는 것이 뉴스거리는 아니다. 또 어떤 사람들은 그의 이야기가 별것 아닌 것처럼 생각할지도 모른다. 그러나 그를 일정한 거리를 두고서나마 친구로서 지겪어본 나에게는 그가 모교인 고려대학교의 조교수가 된 것이 너무나도 위대한 인간 승리로 느껴졌고, 어떻게 생각하면 당연한 일을 한 고려대학교가 매우 훌륭한 선택을 했다는 생각마저 들며 깊이 감사하고 싶은 기분이었다.

지하철 안에서 우연히 그에 관한 기사가 신문의 한 면을 장식한 것을 보았을 때, 나는 친구로서가 아니라 한 인간으로서 커다란 기쁨을 느꼈다. 그리고 그가 TV 뉴스에 나와 약간 어눌하게 느릿느릿 얘기하는 것을 들었을 때, 나는 가슴속 깊은 곳에서부터 우러나오는 뜨거운 감동을 주체할 수가 없었다. 그는 이런 말을 하고 있었다.

"사람이 목표를 향해서 최선을 다하면 이룰 수 없는 일이 없다고 봐요."

패배의 고통은 자기 발전의 에너지이다

나는 지금까지 '지기 싫어하는 성격' 이 사람이 성공하는 데 가장 중요한 열쇠 중의 하나임을 강조했다. 그러나 그것이 지기 싫어서 그저 씩씩거리기만 하면 된다는 얘기는 아니다. 사실 '먹물 든' 사람들과 운동 경기를 하다보면 참으로 당황스러울 때가 많다. 그 동안 자라나면서 공부 좀 잘한다고 칭찬만 받아봤기 때문인지 운동을 하다가 지기라도 하면 떼를 쓰고 씩씩거리는 일이 다반사이다. 사람이 나이가 든다고 꼭 어른이 되는 것도 아닌 모양인지 서로 죽어라고 우기기만 하다가 승패도 가름하지 못하고 다시는 서로 얼굴도 보지 않는 경우도 일어난다. 이렇게 지는 것을 무조건 싫어하기만 한다고 성공할 수 있다면 누군들 성공하지 못하겠는가. 이러한 사람들은 자기보다 뛰어난 사람을 만나면 괜히 시기와 질투심에 사로잡혀 뒤에서 흉이나 보고 자기 발전은 등한시하게 마련이고, 결국 더욱 못난 사람으로 스스로를 타락시키고 만다.

사람은 때로는 지는 것을 겸허하게 받아들일 줄도 알아야 한다. 이것은 지는 것을 '기꺼이' 받아들이는 것과는 전혀 다른 얘기이다. 지는 것은 언제나 심장을 칼로 도려내듯 고통스러운 일이다. 만일 지는 것을 즐기는 사람이 있다면 그는 피학대증 환자이거나 자신이 지는 쪽에 내기를 건 미친 사람일 것이다. 내가 얘기하고 싶은 것은 아무리 뛰어난 사람일지라도 자신보다 더욱 뛰어난 사람이 있다는 것, 따라서 자신도 질 수 있다는 사실을 겸허하게 받아들이되, 거기에 머물지 말고 패배가 가져다주는 뼈를 깎는 듯한 고통을 자기 자신을 향상시키는 에너지로 전환시킬 줄 알아야 한다는 얘기다.

또 무조건 이기기만 하려는 태도도 결코 바람직하지 않다. 수단과 방법을 가리지 않고 그저 이기려고만 하는 태도가 바로 '사고 공화국 대한민국'을 초래한 가장 큰 원인이 아니던가. 승리란 정정당당하게 싸워서 깨끗이 쟁취했을 때에만 가슴 벅찬 기쁨을 가져다주는 것이다. 비겁한 방법으로 도둑질한 승리는 결국엔 자기 자신마저도 속이는 자기 파탄의 결과만을 가져올 뿐이다.

그런 의미에서 허재의 승부에 관한 태도는 우리가 배울 만한 것이다. 그는 항상 "경기란 무조건 이기고 봐야 한다"고 말한다. 그러나 그는 적어도 정정당당하게 이기는 것을 추구하는 사람이다. 그의 경기 장면들을 보면 그에게 가해지는 무법에 가까운 거친 반칙들에 대해 그가 원색적으로 반응하고 때로는 거세게 대들기도 하지만, 그 자신이 상대를 비열한 방법으로 응징한다거나 다른 선수를 그런 식으로 수비하는 경우는 본 적이 없다. 그 자신 지기를 죽기보다 싫어하지만 그는 상대방을 그의 빼어난 실력으로 제압하려고 하지 치사한 반칙으로 상대방의 페이스를 흐트려놓고 승리를 '주우려' 하지는 않는다. 그를 늘 가까이서 지켜보는 팀 관계자나 동료들도 그에 대한 다른 인간적인 평가에는 관계없이 그의 그러한 남자답고 깨끗한 점만은 높이 평가하고 있다.

미국 UCLA의 코치로서 27년 동안 봉직하면서 카림 압둘 자바 등 기라성 같은 선수들을 길러내며 UCLA를 10번씩이나 NCAA 챔피언으로 이끌었던 미국 대학 농구의 전설적인 코치 존 우든은 성공하는 선수들의 공통적인 특질 중 하나로 '이기려는 열망' 을 꼽는다. 허재야말로 이기려는 열망이 누구보다 강한, 그러나 정정당당하게 겨루어 깨끗하게 이기는 것을 추구하는 진정한 승부의 사나이이다. 그리고 이렇게 건전하고 정정당당한 승부관이 그의 불꽃처럼 타오르는 승리에 대한 열망을 보다 차원 높은 에너지로 승화시켜 그를 아시아 최고의 농구 선수로 발돋움할 수 있게 한 비결이라고 생각한다.

‘농구 천재’를 가동하는 엔진

허재에게는 ‘농구 천재’라는 별명 이외에도 ‘코트의 난폭자’라든가 ‘코트의 악동’ 따위의 달갑지 않은 별명이 따라다닌다. 그가 그런 말을 듣는 것은 그의 불같이 급한 성질이 빚어낸 여러 가지 불미스러운 사건들 때문이다.

허재는 경기 도중 상대방 선수가 거칠게 마크한다든지, 또는 심판이 자신에게 불리한 판정을 내리기라도 하면 핏대를 올리며 대들기 일쑤였다(내가 여기서 굳이 과거형을 쓴 것은 그가 결혼한 이후 매너가 몰라보게 달라졌다는 세간의 평가 때문이다). 이러한 그의 불같이 급한 성질은 많은 경우 그에게 매우 불리하게 작용한다. 예를 들어 심판도 사람인 만큼 실수를 할 수도 있는데(실수인지 고의인지는 잘 모르겠지만) 그렇게 모욕을 주며 대들면 그에 따른 대가를 치르게 마련이다.

성질 급한 그가 그에게 거친 파울을 한 선수에게 달려들어 주먹다짐을 벌이는 장면이 TV 화면을 통해 일반 농구팬들에게 보여질 때 허재에 대해 좋은 인상을 갖기란 어렵다. 언젠가는 술집에서 옆자리의 손님과 사소한 시비 끝에 불같은 성질을 주체하지 못하고 주먹다짐을 벌이는 불상사도 있었다(사실 시비를 건 쪽도 그 손님이었고 그냥 돌아서려는 허재를 끝까지 물고늘어진 것도 그 손님이었다니까 '단지 스타라는 이유만으로' 이런저런 비난을 받아야 하는 허재로서는 억울한 일이다).

이렇게 그의 불같이 급한 성질이 불러일으키는 여러 가지 문제들 때문에 그 뛰어난 기량에도 불구하고 그를 싫어하고 외면하는 사람들이 적지 않다. 그래서 허재를 아끼는 사람들은 그에게 불같이 급한 성질을 버리라고 충고한다.

그러나 나는 그의 '불같이 급한 성격'이 '농구 천재 허재'를 가동하는 엔진이라고 생각하며, 그가 그 불같이 급한 성질을 버리는 날이면 그는 그냥 그저 그렇고 그런 평범한 농구 선수로 전락하고 말 것이라고 믿는다.

우리가 부지런하다고 평가하는 사람들은 거의가 성질이 급하다. 성질이 급하지 않고서야 누가 새벽같이 직장에 나와서 하루 종일 부산하게 설칠 것이며, 쓸데없는 간섭이나 한다는 핀잔을 들으면서도 직장에서 일어나는 여러 가지 일들을 하나하나 챙길 것인가. 사실 성취욕이 강하고 정력적인 사람들은 대부분 불같이 급한 성질의 소유자들이다. 그러니까 어떤 사람의 성질이 불같이 급하다는 것은 어떤 일을 이루어내려는 '성취 에너지'가 넘쳐 흐른다는 뜻이며 그만큼 의미 있는 성취를 이끌어낼 수 있는 잠재력이 크다는 뜻이다.

물론 그렇다고 해서 성질 급한 마음에 그저 '방방 뜨기'만 한다고 뭐가 이루어진다는 뜻은 아니다. 내가 얘기하고 싶은 것은 그렇게 강렬하고 폭발적인 에너지를 잘 절제하고 다스려서 꼭 필요한 순간에 집중적으로 분출시킬 때 진정으로 아름답고 의미 있는 성취를 이룰 수 있다는 것이다. 이를테면 원자력 에너지를 잘 다스려 사용하면 인류에게 매우 유용한 것이지만, 자칫 잘못 다스리면 엄청난 재앙을 불러올 수 있는 것과 같다.

허재의 경우에도 그의 불같이 급한 성질이 여러 가지 사건들을 일으키는 것은 그러한 성질을 지닌 것 자체가 문제인 것이 아니라 그의 폭발적인 에너지가 제대로 여과되지 못하고 원초적인 형태로 아무 때나 분출되는 것이 문제인 것이다. 그가 자신의 성질을 이기지 못하고 욱하는 성미를 폭발시켜 다른 사람과의 충돌마저 불사할 때 폭력 사태와 같은 불미스런 사건이 벌어지는 것이고, '감정 여과 장치' 가 제대로 작동하여 폭발적인 에너지를 잘 가두고 있다가 결정적인 순간에 집중적으로 분출시킬 때 신들린 '농구 천재' 의 환상적인 플레이가 펼쳐지는 것이다.

허재의 불같이 급한 성질이 집중적으로 폭발된 한판이 바로 지난 95년 3월 1일에 벌어진 삼성전자와 기아자동차 간의 94~95 농구대잔치 결승 4차전 경기이다.

앞에서 내가 자세히 묘사한 그 숨가쁜 4분 30초! 사막의 열풍처럼 몰아친 그의 공격력은 정말 강렬한 것이었다. 그는 외곽슛 두 발로 간단히 동점을 만든 것을 비롯, 그림 같은 3점슛으로 역전골을 터뜨리고, 김승기의 패스를 가로채 단독 드리블에 이은 레이업슛을 성공시키는 등, 그 4분 남짓 동안 삼성 진영 이곳저곳을 헤집고 다니면서 3점슛 세 발을 포함 무려 17점을 폭죽처럼 터뜨리며 삼성 진영을 초토화 시켰다. 장훈 선수가 일본 프로 야구에서 3천 안타의 대기록을 세운 후 자기 자신의 머리를 쓰다듬어주고 싶을 정도라고 했다던가. 허재 스스로 자신도 믿기 어려울 정도로 "슛발이 잘 받았다"고 고백할 만큼 그의 집중력은 놀라운 것이었다.

이날 경기에서 허재가 보여준 신들린 듯한 플레이는 바로 그의 불같이 급한 성질 때문에 가능했던 것이다. 불같이 급한 성질을 가진 사람은 자신이 하는 일에 대해 불꽃처럼 타오르는 열정이 있고, 또한 결정적인 순간에 자신에게 내재해 있던 에너지를 집중적으로 폭발시킬 수 있다. 그리고 그의 그러한 폭발적인 집중력이 현주엽, 서장훈, 문경은, 이상민, 전희철 등 X세대 스타들의 맹렬한 도전을 물리치고 우리나라 최고의 농구 선수로 부활하는 원동력이 되었던 것이다.

불꽃의 복서 슈거 레이 레너드

1981년 9월 16일, 미국 라스베이거스 시저스 팰리스 호텔 특설 링에서는 슈거 레이 레너드와 토머스 헌즈 사이의 세계 웰터급 통합 타이틀전이 벌어졌다.

'천재 복서' 슈거 레이 레너드. 1976년 몬트리올 올림픽 금메달 리스트인 레너드는 5만 달러라는 파격적인 파이트 머니를 받으며 프로 무대에 데뷔한 이래 연전 연승, 만 17세의 어린 나이에 세계 챔피언에 올라 '조숙한 천재'라고 불리던 윌프레드 베니테즈와 벌인 천재끼리의 대결에서 15라운드 TKO승을 거두며 WBC 웰터급 왕좌에 올랐다. 이듬해 열린 첫 방어전에서 복싱 사상 가장 위대한 선수 중 하나로 기록될 것이 틀림없는 '돌주먹' 로베르토 듀란의 도전을 받아들인 레너드는 자신의 장기인 스피드를 살리지 못하고 강타자인 듀란과 맞대결, 치열한 난타전을 벌인 끝에 2대 1 판정으로 패해 타이틀을 내주었다. 그러나 곧이어 벌어진 재대결에서는 현란한 테크닉으로 듀란을 농락하며 8회 기권승을 거두고 타이틀을 되찾은 이후 전성기를 구가하고 있었다.

'히트 맨' 토머즈 헌즈. 188cm의 장신인 헌즈는 그때까지 32명을 상대하여 30명을 KO로 눕힌 엄청난 파괴력을 자랑하는 강타자였다. 골수 권투팬들은 헌즈가 '조 브레이커' 라고 불릴 정도로 강펀치를 자랑하던 WBA 웰터급 챔피언 호세 피피노 쿠에바스에게 도전하여 단 2라운드 만에 쿠에바스를 격침시키고 타이틀을 차지하던 순간을 아직도 생생하게 기억하고 있을 것이다. 헌즈의 핵미사일 같은 라이트 스트레이트가 쿠에바스의 턱에 작렬하자 그때까지 무적으로만 보이던 쿠에바스가 다리가 풀리면서 무참하게 침몰하던 장면을. 헌즈가 그 시합에서 보여준 가공할 파괴력은 헌즈를 이길 선수는 이 세상에 없을 것이라는 생각이 들게 할 정도로 강렬한 인상을 심어주었다.

화려한 테크닉과 스피드를 자랑하는 레너드 대 막강한 펀치의 헌즈. 절정기에 올라 있는 두 선수의 '세기의 대결' 은 막이 오르고, 대학 2학년이었던 나는 학교 앞의 허름한 다방에 앉아 두근거리는 가슴을 진정시키려 애쓰고 있었다.

권투에 관한 한 전문가를 자부하던 나의 경기 전 예상은 레너드가 이길 방법은 전혀 없다는 것이었다. 레너드가 이기려면 빠른 스피드와 테크닉을 이용하여 아웃 복싱을 펼치는 수밖에 없었다. 로베르토 듀란과의 재대결에서 레너드는 빠른 풋워크와 완벽한 게임 운영으로 듀란의 강펀치를 무력화시키고 번개 같은 연타로 착실히 득점하여 완승을 거두었다. 레너드에게 농락당하던 듀란은 복통을 호소하며 경기를 기권했지만, 그가 기권한 진짜 이유는 무참하게 농락당하는 자기 자신을 참을 수 없었기 때문이라는 것은 알 만한 사람은 다 알고 있었다.

그러나 상대인 헌즈는 신장이 무려 188cm인데다가 당연히 팔 길이도 레너드보다 훨씬 길다. 키도 작고 팔 길이도 짧은 레너드로서는 헌즈의 가슴 안쪽으로 파고들어 인파이팅을 펼치는 수밖에 없다. 그러나 헌즈는 가공할 파괴력을 지닌 강타자이다. 섣불리 사정거리 안으로 들어갔다가는 '한 방에 가는' 결과가 생기리라는 것이 불을 보듯 뻔한 일이다. 그러니 레너드로서는 아웃 복싱을 펼치건 인파이팅을 펼치건 이길 가망이 없다는 것이 나의 전문가적(?) 견해였다.

그래도 나는 레너드가 아웃 복싱을 펼칠 거라고 내다봤다. 인파이팅을 펼치는 것은 KO패의 지름길이니만큼 일단은 안전거리를 유지하다가 기회를 노리는 것이 그나마 해볼 만하다고 생각했기 때문이다.

그런데 경기는 '전문가'의 예상과는 전혀 다른 방향으로 전개되었다. 처음부터 두 선수가 링 중앙에서 맞붙은 것이다. 레너드는 용감하게 헌즈의 가슴 안쪽을 파고들며 인파이팅을 시도했고, 헌즈는 파고들어오는 레너드를 맞받아 치려고 좌우 스트레이트와 어퍼컷을 마구 쏘아댔다. 나는 헌즈의 미사일 같은 펀치가 레너드의 턱을 스치고 지나갈 때마다 정신이 혼미해질 지경이었다. 헌즈는 갑자기 정면으로 치고 나오는 레너드의 공격에 당황해하는 기색이 역력했고, 레너드 또한 헌즈의 막강한 미사일 공격 사이를 정면으로 파고들며 기회를 노렸지만 별무소득. 경기는 중반으로 접어들었다. 그러다가 6라운드 후반 무렵 레너드의 번개 같은 펀치가 헌즈의 턱에 작렬, 헌즈의 다리가 휘청했다. 절호의 기회를 포착한 레너드가 비호처럼 달려들어 맹공을 퍼부어 헌즈를 그로기 상태로 몰아넣는 순간 라운드 종료 공이 울렸다. 헌즈로서는 구원의 공이었고, 레너드로서는 아쉬운 순간이었다. 나는 예상 밖의 사태에 놀라워하며 멈추었던 숨을 길게 내쉬었다. 어쨌든 레너드의 맹공으로 헌즈가 큰 충격을 받았으니 이젠 레너드 쪽으로 승패의 추가 기운 것은 아닐까? 레너드는 이 찬스를 어떻게 살려나갈 것인가?

7라운드가 시작되고 두 선수는 다시 링 중앙으로 나왔다. 이때 '전문가' 의 눈을 의심하게 만드는 믿지 못할 일이 벌어졌다. 헌즈가 링 주위를 빙빙 돌며 아웃 복싱을 펼치기 시작한 것이다. 이런 헌즈의 작전은 아주 성공적이었다. 큰 키와 긴 리치, 그리고 파괴력 있는 잽을 이용하여 레너드의 접근을 차단하고 효과적인 공격으로 점수를 벌어나간 것이다. 헌즈의 위력적인 잽과 원투 스트레이트에 레너드의 왼쪽 눈은 사과처럼 부풀어올랐다. 이번에는 레너드 진영이 당황한 기색이었다.

12회가 끝나자 채점상으로는 헌즈의 일방적인 리드가 분명해졌다. 이제 레너드가 이길 수 있는 방법은 도박을 감행하여 KO를 노리는 것밖에 없었다. 그러나 막강한 미사일로 무장한 헌즈의 영토에 어떻게 침입한다는 말인가? 게다가 헌즈는 아웃 복싱을 펼치며 레너드와의 맞대결을 피하고 있으니 레너드의 승리는 물 건너간 상태. 오히려 퉁퉁 부어오른 눈 때문에 TKO패를 선언당할까 걱정되는 형국이었다.

어느새 13라운드. 이제 '챔피언십 라운드' 라고 불리우는 13, 14, 15라운드만 버티면 헌즈의 승리는 기정 사실이다. 그 때문에 잠시 방심했던 것일까? 아니면 그 동안의 선전으로 욕심이 생긴 것일까? 13라운드가 시작되자 헌즈가 다시 레너드와 정면으로 맞붙기 시작했다. 다시 양 선수의 강 펀치가 불을 뿜기 시작했다. 13라운드 중반 헌즈의 원투 스트레이트가 빗나가는 순간 레너드의 눈부신 콤비 블로가 터졌다. 헌즈가 충격을 받고 비틀거렸다. 레너드는 그 틈을 놓치지 않고 번개같이 달려들어 그야말로 폭풍우처럼 몰아치기 시작했다. 30초 정도 머리, 배, 가슴, 얼굴 할 것 없이 양 훅과 어퍼컷으로 수십 발의 무차별 폭격을 당하던 헌즈는 결국 자기 코너 로프 가에 침몰하고 말았다. 그러나 심판은 어찌된 영문인지 슬립 다운으로 간주하여 헌즈를 일으켜 세우고 경기 속행을 명령했다. 간신히 일어난 헌즈는 레너드가 퍼붓는 맹공에 다시 다운. 그때 라운드 종료 공이 울려 헌즈는 절체절명의 위기를 간신히 넘겼다. 그러나 사실상 승부는 그것으로 끝났다.

14라운드 시작을 알리는 공이 울리고 휘청거리는 헌즈가 링 주위를 돌며 안간힘을 썼지만 또다시 레너드의 그림 같은 롱 훅이 헌즈의 턱에 작렬했고 헌즈는 커다란 반원을 그리며 로프 가로 무너지듯 밀렸다. 레너드는 심판에게 이제 그만 시합을 중지시키라는 사인을 보내는 여유마저 보이면서 샌드백 치듯 헌즈를 무차별 공격, 드디어 레너드의 TKO승이 선언되었다. 반전에 반전을 거듭한 너무나도 극적인 역전 드라마였다. 열광하는 관중을 향하여 레너드가 두 팔을 높이 치켜들고 환호하는 동안 프로로 전향한 후 첫 패배를 당한 헌즈는 심판에게 기대선 채 초점이 흐려진 눈빛으로 승리를 만끽하고 있는 레너드 쪽을 망연자실 바라볼 뿐이었다.

나는 그 경기야말로 자신이 가지고 있는 에너지를 결정적인 순간에 집중적으로 분출할 수 있는 능력이 인간에게 얼마나 중요한 것인가를 극명하게 보여준 한 판이라고 생각한다. 13라운드 중반 레너드의 콤비 블로에 헌즈가 휘청했을 때 수십 발의 펀치를 헌즈에게 퍼부으며 태풍처럼 몰아치던 레너드의 폭발력, 그것이 바로 승자와 패자를 가르는 깊은 강이었다.

홍수환의 '킬러 본능'

우리나라 권투 선수 중에서 인간의 오기와 폭발력을 가장 극적으로 보여준 사람은 '4전 5기' 신화의 주인공 홍수환 선수일 것이다.

홍수환을 기억하는 사람들은 모두 그가 서강일과 더불어 한국 복싱 사상 최고의 테크니션이라는 데 동의한다. 전에 오일룡 해설위원은 틈만 나면 세계를 제패하려면 주무기가 적어도 세 개는 있어야 한다고 강조하곤 했는데, 홍수환이야말로 권투 선수가 갖춰야 할 모든 기술을 골고루 완벽하게 갖춘 천재 복서였다. 스트레이트를 주무기로 하는 선수들은 대부분 어퍼컷은 조금 칠 수 있는 반면 양 훅이 약하고, 양 훅을 주무기로 하는 선수들은 스트레이트를 제대로 치지 못하는 경우가 많은 데 비해 홍수환은 스트레이트, 훅, 어퍼컷 등 복싱의 기본 무기들을 마스터했을 뿐 아니라 접근전이 벌어졌을 때의 숏 펀치, 상대방의 공격을 위빙과 더킹으로 피하며 받아치는 카운터펀치, 그리고 라이트 오버 핸드 크로스 등 최고 수준의 기술들을 완벽하게 구사할 줄 아는 훌륭한 복서였다.

그러나 다른 무엇보다도 나는 그를 우리나라 권투 선수 중 가장 프로다운 선수로 기억한다. 홍수환의 빠른 머리 회전과 세련된 링 매너, 그리고 화려하게 펼쳐지는 그의 복싱 테크닉 등 모두가 관중들을 열광시키는 것들이었지만, 무엇보다도 나를 매료시켰던 것은 그의 뜨거운 폭발력이었다. 승부를 걸어야 할 때는 모든 것을 쏟아넣어 승부를 걸 줄 아는 그의 승부사적인 기질과 무서운 집중력, 이것이 바로 그를 다른 어느 선수보다도 한 차원 높은 훌륭한 프로 선수로서 기억하게 한 결정적인 요인이다.

권투 전문가들은 권투 선수에게 가장 중요한 것은 소위 '킬러 본능(killer instinct)' 이라고 얘기한다. 다시 말해서 사자가 먹이를 사냥할 때 기회를 노리며 주위를 빙빙 돌다가 먹이로 택한 상대(예를 들어 얼룩말. 〈동물의 왕국〉을 보면 자주 나온다)가 잠시 빈틈을 보이는 순간 번개처럼 달려들어 결정타를 퍼붓고 숨통을 끊는 것처럼, 권투 선수도 상대가 약간이라도 빈틈을 보일 때 '사자처럼' 달려들어 집중적인 공격을 퍼부어야 승리를 이끌어낼 수 있다는 것이다. 홍수환이야말로 '킬러 본능' 이 무엇인가를 우리에게 가장 극적인 모습으로 보여준 선수이다.

1972년 2월 9일, 홍수환은 태국으로 날아가 벙어리 복서 타놈지트 수코타이와 동양 밴텀급 타이틀을 걸고 일전을 벌였다. 타놈지트 수코타이는 18전 18승 16KO승의 전적을 가진 강타자로서 당시 플라이급 세계 챔피언이던 베니세 보코솔보다도 더 인기가 있다던 태국이 자랑하는 유망주였다. 경기 전의 승부 예상은 단연 수코타이의 우세였다.

홍수환은 동양 타이틀전을 앞두고도 제대로 훈련을 받지 못하여 몸 만들기에도 실패, 경기를 오래 끌면 불리할 것이 뻔했다. 작전은 한 가지. 초반에 승부를 거는 수밖에 없었다. 홍수환은 초반부터 수코타이를 거세게 몰아붙여 수코타이를 세 번이나 다운시키며 이변을 연출하는 것처럼 보였다. 그러나 홍수환은 섭씨 35도를 웃도는 찌는 듯한 더위에 탈진하여 경기가 초반을 넘기자 제대로 힘을 못 쓰고 일방적으로 얻어맞기 시작했다. 세계 정상급의 복서로 발돋움하려는 야심을 품고 홍수환을 불러들인 수코타이는 필승의 각오로 시합에 임했고, 홍수환은 정말 처절하게 얻어맞았다. 저렇게 맞고도 사람이 살 수 있는가 싶을 정도로 맞고 또 맞았다. 그러나 탈진한 그의 몸과 달리 그의 눈빛은 살아 있었다. 간간이 내뻗는 카운터로 수코타이의 결정타를 피하며 8회까지 버티던 홍수환은 8회 들어 때리다 지친 수코타이가 잠시 주춤하는 사이에 찬스를 잡고 맹공을 퍼부었다. 차라리 거리의 싸움판과 같은 격렬한 전투 끝에 8회에서만 세 번의 다운을 더 빼앗고 결국 8회 KO승을 거두었다.

나는 그때 그렇게 얻어맞으면서도 포기하지 않고 버티다가 기어이 승리를 이끌어낸 그의 놀라운 근성과 집중력에 깊은 감명을 받았다.

74년 7월, 홍수환은 지구의 반대편 남아프리카 공화국의 더반으로 날아가 아놀드 테일러가 가지고 있던 WBA 밴텀급 세계 타이틀에 도전했다. 챔피언인 아놀드 테일러는 로메오 아나야를 라이트 크로스 한 발로 침몰시키고 왕좌에 오른 강타자였다. 더욱이 시합 장소는 우리나라에서 너무나 멀리 떨어진 적지 남아프리카 공화국. 김기수 이후 단 한 명의 세계 챔피언도 배출하지 못하던 당시, 적지인 남아프리카 공화국까지 날아간 홍수환이 강타자인 아놀드 테일러를 꺾고 세계 타이틀을 따오리라 기대하는 사람은 많지 않았다.

홍수환은 시합 장소가 적지로 결정되었다며 걱정을 하는 매니저에게 시원스럽게 대답했다고 한다.

"가죠. 세계 타이틀을 따기 위해서라면 어디든지 가겠습니다."

홍수환은 그렇게 당당한 태도로 링에 올라 아놀드 테일러와 맞섰다. 그는 5회부터 귀가 찢어져 피를 흘리면서도 아놀드 테일러를 15라운드까지 네 번이나 다운시키며 완벽한 심판 전원 일치 판정승을 거두고 세계 밴텀급 왕좌에 올랐다. 슈거 레이 레너드가, 로베르토 듀란과 마빈 해글러에게 써먹어서 유행시킨 '볼로 펀치'(오른손 주먹을 풍차처럼 돌리다가 눈 깜짝할 사이에 명중시키는 펀치. 심리적인 효과가 더 크다)는 사실은 홍수환이 원조다. 홍수환이 오른손을 빙빙 돌리며 아놀드 테일러를 공격할 때 인종 차별의 설움에 시달리던 남아프리카 공화국의 흑인들은 홍수환에게 열광적인 응원을 보냈었다.

그러나 전 국민에게 깊은 인상을 심어준 것은 무엇보다도 경기 후 그의 어머니와 가진 전화 통화였다.

"엄마, 엄마, 나 챔피언 먹었어."

"그래, 대한국민 만세다."

그 당시만 해도(지금도 별로 달라지지 않았겠지만) 해외 원정을 가서 승리한 모든 선수들의 반응은 "대통령 각하 이하 온 국민의 성원에 감사하며"로 시작되는 천편일률적인 것이었다. 심지어는 "한국 야쿠르트의 윤쾌병 사장님!" 하고 후원회장의 이름을 부르짖던 선수도 있었다(누구라고 말은 안 하겠지만). 그러한 때에 홍수환이 우리에게 전해준 메시지가 "엄마, 나 챔피언 먹었어"였으니 사람마다 저절로 가슴이 뭉클해지고 그의 승리를 진심으로 같이 기뻐하게 되었다.

처절한 사투가 벌어지는 사각의 링 위에 올라서도 '볼로 펀치'를 날릴 줄 아는 쇼맨십, 그리고 귀에 피를 흘리면서도 끝까지 페이스를 잃지 않고 싸우는 그의 투지와 승부 근성, 그러나 경기가 끝난 후에는 따뜻한 마음을 잔잔하게 전해주는 그의 인간미. 이래서 그가 진정한 프로라는 것이다.

홍수환이 20전 20KO승을 자랑하던 멕시코의 강타자 알폰소 자모라와 LA에서 맞서서 허무하게 타이틀을 빼앗기고, 인천에서 재대결, 선전했으나 심판의 농간으로 억울하게 타이틀 탈환에 실패했을 때, 사람들은 이제 홍수환은 한물간 선수라고 생각했다. 그러나 홍수환은 포기하지 않고 아예 한 체급을 올려 WBA 주니어 페더급 세계 타이틀에 도전했다. 상대는 '지옥에서 온 악마'라는 별명을 가진(그럼, 천국에서 온 악마도 있나?) 파나마의 헥토르 카라스키야. 시합 장소는 또다시 적지인 파나마였다.

헥토르 카라스키야는 11전 전승 전 KO승의 전적이 말해주듯 어마어마한 강타자였고, 로베르토 듀란의 뒤를 잇는 위대한 복싱 영웅으로 성장할 것이 기대되던 유망주였다. 홍수환으로서는 화려한 테크닉을 이용한 아웃 복싱을 펼쳐 판정으로까지 승부를 끌고 가는 것이 유일한 작전이었다.

그러나 경기는 언제나 그렇듯이 전문가의 예상과는 다른 양상으로 전개되었다(여기에는 전문가들이 하는 예상은 선수들 자신도 하기 때문이라는 아주 그럴듯한 분석이 있다). 홍수환이 카라스키야와 정면 대결을 벌인 것이다. 막강한 펀치를 리드미컬하게 날리는 카라스키야의 포화를 뚫고 홍수환은 오히려 1라운드를 우세하게 이끌며 선전을 펼쳤다. 2라운드에 들어서서도 홍수환은 역시 한치도 물러서지 않고 카라스키야의 펀치를 맞받아 치며 정면 승부를 걸었다. 그때 중계 아나운서가 오도방정을 떨었다.

"그래도 조심해야겠죠? 카라스키야 선수는 하드 펀처가 아닙니까?"

그 말을 기다리기라도 한 듯 카라스키야의 라이트 어퍼컷이 홍수환의 턱에 터졌고, 홍수환은 그만 링 위에 나뒹굴고 말았다. 비틀거리며 일어난 홍수환에게 카라스키야가 맹공을 퍼부어 홍수환은 다시 다운. 절망이 엄습했다. 그 와중에서도 그는 카운트 8까지 기다렸다가 일어나는 노련미를 보였지만 계속되는 카라스키야의 융단 폭격에 2라운드에서만 무려 네 번의 다운을 당하며 절체절명의 위기에 빠졌다. 특히 네번째 다운은 다리가 풀려서 넘어진 것이었기에 더욱 절망적이었다. 아직도 시간이 20여 초나 남았는데 카라스키야의 무서운 공격은 계속되고 로프 가에 몰린 홍수환은 손도 제대로 내밀지 못하고, 침몰하지 않는 것이 이상할 정도로 무참하게 유린당했다. 다행히 2라운드 종료 공이 울려 2회 KO패는 면했지만 경기가 3라운드에서 끝나리라는 것은 불을 보듯 뻔한 일. 나는 그저 홍수환이 살아 돌아오기만을 바라는 심정이었다.

그런데 이게 웬일인가. 홍수환이 아직도 정신을 못 차리고 3라운드 공이 울리자마자 뛰쳐나가는 것이 아닌가. 나는 두 눈을 가리고 싶은 것을 억지로 참으며 홍수환이 장렬하게 쓰러지는 것을 기다렸다. 카라스키야는 자신만만한 태도로 홍수환을 맞았다. 그때였다. 카라스키야의 가드가 조금 내려가는가 싶더니 전광석화 같은 홍수환의 라이트 훅이 카라스키야의 턱에 적중했다. 카라스키야가 주춤했다. 그 틈을 놓치지 않고 홍수환의 융단 폭격이 시작되었다. 2라운드에서 그렇게 얻어맞고도 어디서 저런 힘이 남아 있었을까? 홍수환은 당황한 듯 정신을 차리지 못하는 카라스키야에게 스트레이트, 어퍼컷, 훅 가릴 것 없이 맹공격을 퍼부었다. 해일처럼 몰아치는 홍수환의 맹공격에 카라스키야가 비틀거리며 로프 가로 도망치자 이번에는 왼손으로 거리를 재는 여유를 보이며 강력한 라이트 크로스 공격을 가한다.

무섭게 몰아치는 홍수환의 폭발적인 공격에 철저히 파괴된 카라스키야가 마침내 서서히 가라앉는 순간 홍수환은 레프트 훅 한 방을 카라스키야의 턱에 찍어내려 그를 완전히 괴멸시켰다. 카라스키야는 카운트 10 이후에야 겨우 상체를 움직였을 뿐 경기는 그걸로 끝이었다. 두 눈으로 목격했으면서도 도저히 믿을 수 없는 기적과 같은 역전 KO승이었다. 정열적인 파나마 관중들은 총을 쏘아대며 광분하고, 나는 홍수환이 혹시 총에라도 맞으면 어떻게 하나 걱정하는데 그는 총알이 자기를 피해갈 것으로 확신하는지 링 위에서 길길이 뛰며 환호 작약, 기적과도 같은 승리의 희열을 만끽했다.

경기를 중계하던(그 방정맞은) 아나운서가 겨우 링 위에 올라가 마이크를 들이댔다.

"지금 소감이 어떻습니까?"

"짜식이 건방져서 꼭 이길라고 했습니다."

아아, 그렇게 일방적으로 두들겨 맞으면서도 '짜식이 건방져서' 결코 무너질 수 없었던 말인가. 그래서 결국 그 '건방진 짜식'을 기어코 이겼단 말인가. 그저 짜식이 건방져서……

나는 홍수환의 이러한 오기와 폭발력을 숭배한다. 결정적인 순간이

오면 그렇게 자신의 모든 것을 뜨겁게 불태워 분출시킬 수 있는 폭발적인 집중력을 부러워한다.

잠옷 바람으로 부르르 떨며 연필을 쥘 때

나는 내가 가르치는 대학원 학생들에게 "성질이 급해야 수학을 잘 할 수 있다"는 어처구니없는 얘기를 강조하곤 한다. 학창 시절 수학 시험을 치를 때 급한 성질에 조그마한 계산 실수를 하여 무참하게 점수를 깎여본 경험이 부지기수인 대한민국 국민들에게 내가 하는 이야기는 정신나간 놈의 헛소리로 들릴 것이다. 물론 나도 모든 일을 성급하게 대충대충 처리하면 수학을 잘할 수 있다는 미친 소리를 지껄이자는 것은 아니다. 어떤 일을 처리할 때는 신중하게 차근차근 처리하는 것이 중요하다는 것도 잘 안다. 그리고 어떤 일을 성급하게 '부실공사'로 처리했을 때 닥쳐올 재앙도 잘 안다. '사고 공화국 대한민국'에서 우리 이미 여러 번 경험하지 않았는가.

내가 하고 싶은 얘기는 어떤 일이든 빨리빨리 성급하게 처리하자는 것이 아니라 결단을 내려야 할 때는 결단을 내려야 하며 승부를 걸어야 할 때는 과감하게 승부를 걸어야 한다는 것이다. "돌다리도 두드려

보고 건넌다"라는 속담이 있다. 그만큼 매사를 신중하게 처리해야 한다는 뜻일 것이다. 그렇지만 돌다리를 두드려본 뒤에도 건널 것인지 말 것인지를 결정하지 못하고 우물쭈물하고 있다면 그건 신중한 것이 아니라 비겁하고 우유부단한 것이다. 돌다리를 두드려볼 만큼 충분히 정보를 수집했으면 그 정보를 바탕으로 과감하게 결단을 내리고 미련을 갖지 말아야 한다.

언뜻 들으면 매사에 신중해야 한다는 말과 과감하게 승부를 걸어야 한다는 말은 서로 모순되는 말처럼 들린다. 그러나 나는 위의 두 가지 격언은 서로 대립 관계에 있는 것이 아니라 보완 관계에 있는 것이라고 생각한다. 어떤 일을 처리하든 신중하게 심사숙고하며 검토해야 하는 단계가 있고, 한편으로는 그 동안의 숙고를 바탕으로 과감하게 밀어붙여야 하는 단계가 있는 법이다. 신중하게 심사숙고해야 할 때에 성급하게 무조건 밀어붙이기만 하는 사람은 '과감하다'는 말뜻을 잘못 이해하고 있는 사람이고, 이제는 결단을 내려서 과감하게 일을 추진해야 할 때에 우물쭈물 망설이고 있는 사람은 소위 '물 같은' 성격의 소유자이다. 중요한 것은 자신이 추진하고 있는 일이 지금 어느 단계에 있는지를 현명하게 판단하는 일이다. 즉 과연 지금의 단계가 심사숙고해야 하는 단계인지 아니면 과감하게 승부를 걸어야 하는 단계인지를 파악해야 한다는 말이다.

내가 지금 얘기한 것은 수학으로 치면 '정리'와 같은 것이지만 조건이 매우 불분명하므로 심사숙고해야 하는 단계와 과감하게 승부를 걸어야 하는 단계를 어떻게 구별할 수 있는지 잘 알 수가 없다. 나라고 해서 그걸 뚜렷하게 구별할 수 있는 것은 아니기 때문에 그리 뾰족한 대답을 여기서 얘기해줄 수도 없다. 다만 한 가지 분명한 것은 위에서든 두 가지 단계가 서로 교차하며 나타나기 때문에 판단하는 것이 쉬운 것은 아니라는 것이다. 그러면 내가 무슨 '깡'으로 내가 지도하는 대학원생들에게 "성질이 급해야 수학을 잘 할 수 있다"는 망언을 일삼는지 수학 연구의 예를 들어 설명해보겠다.

우선 어떤 수학자가 자기가 공부할 주제를 정했다고 치자. 그리고 그 다음부터 얘기를 전개하자. 이미 주제를 정한 수학자가 그 다음에 할 일은 자기가 생각하고 있는 주제에 관해 이미 알려진 결과들을 수소문하여 자료를 모으는 일이다. 그리고 그 단계에서는 쓸데없이 우물쭈물할 것도 없다. 자기가 한번 도전해보려고 마음먹었던 문제가 이미 다른 사람에 의해 풀려 있다면 괜히 시간 낭비할 것 없이 다른 주제를 찾아야 한다. 그런데 이것저것 여러 가지 문헌들을 조사해본 결과 적어도 자신의 접근하려는 방식으로는 그 주제에 대해 연구해놓은 결과가 아직은 '없는 것처럼 보이면' 그때는 달려들어 그 문제에 관해 본격적인 연구를 시작하면 된다. 이때에도 괜히 정말 있는가 없는가를 지나치게 샅샅이 뒤질 필요는 없다. 남이 해놓은 것을 모두 다 찾아 헤매기에는 인생이 너무 짧기 때문이다.

이렇게 정한 주제에 관한 '본격적인 연구'의 시작은 일단은 그 문제에 관한 기본 지식을 익히고 그 문제를 공략하기 위한 테크닉을 익히는 일이다. 이때에는 침착하게 차근차근히 공부해야 하지만 뭐 신중하게 심사숙고해야 할 일은 없다. 특별히 결단을 내릴 일은 없기 때문이다. 그저 죽어라고 열심히 공부만 하면 된다.

이렇게 하여 자신이 정해놓은 주제에 관해 기본적인 지식과 테크닉을 어느 정도 익혔다는 생각이 들면 자신이 알고 싶은 주제를 수학적인 문제의 형태로 구성하고 그 문제를 어떻게 공략해야 할 것인가를 심사숙고해야 한다. 이때에는 사실 아직은 뭘 어떻게 해야 할지를 도무지 모르는 단계이므로 괜히 열심히 서둘러봐야 말짱 헛일이다. 깊은 산 속에서 길을 잃어 어디가 어딘지도 모르는 것과 같은데 쓸데없이 바삐 돌아다닌다고 길이 찾아지겠는가. 수학의 길은 마라톤과 같다. 100m 달리기가 아닌 것이다. 이럴 때 괜히 조급해하여 전력 질주를 하면 자신이 가야 할 길을 찾아내기는커녕 미쳐버리거나 자살을 하기 십상이다. 나는 내 눈으로 그런 예를 너무나 많이 목격했다.

자신이 풀고자 하는 문제에 대하여 아무런 단서가 잡히지 않을 때는 꾸준히 그리고 끈질기게 그 문제에 대해 생각을 집중하되, 너무 조급해하지 말고 느긋하게 누워서 취향에 따라 주현미의 노래나 듣거나 노이즈의 음악에 몸을 흔들며 밤하늘의 별이나 지켜볼 일이다. 그러는 것이 자기가 지금 어디에 있는지, 그리고 자신이 어느 쪽으로 가야 할지에 대해 희미하나마 어떤 아이디어를 얻기에 유익하기 때문이다.

사람은 이렇게 무언가를 심사숙고해야 할 때는 차분히 여유를 가지고 생각해야 한다. 특히 수학과 같이 창의력과 상상력을 필요로 하는 학문은 더욱 그렇다. 열심히 일하는 것은 좋은 일이지만 쓸데없이 성급하게 '방방 뜬다'고 좋은 생각이 나오는 것이 아니기 때문이다. 그리고 너무나 열심히 일하느라고 차분히 생각할 시간마저 없다면 그건 이미 인생이 아니라 축생(畜生)이거나 예생(隸生)이다. 그렇다고 주현미의 노래나 듣고 노이즈의 음악에 맞추어 춤이나 추고 있으면 저절로 좋은 생각이 떠오른다는 뜻은 아니다. 어떤 문제를 풀고자 할 때 실마리가 잡히지 않으면 그 문제와 조금 떨어져 바라볼 필요가 있다는 뜻이다.

어떤 수학 문제는 푸는 데 한 달 정도면 충분하지만 어떤 문제는 350년이나 걸린 것도 있다. 얼마 전 프린스턴 대학의 앤드류 와일즈 교수가 드디어 증명을 완결지어 '세상(수학자들만의 생각이겠지만)' 을 떠들썩하게 했던 '페르마의 마지막 정리' 가 바로 지난 350년 동안 수많은 수학자들이 달려들었지만 해결하지 못했던 유명한 문제였다. 그러나 그토록 오랜 세월에 걸쳐 많은 수학자들의 도전을 뿌리쳤던 문제도 그 문제를 해결할 수 있는 결정적인 아이디어가 떠오르는 것은 어차피 한순간의 일이다.

그 순간은 밤중에 꿈을 꾸다가 찾아올 수도 있고, 아침에 샤워하는 도중에 찾아올 수도 있다. 따라서 우리가 어떤 수학 문제를 생각할 때에는 주현미의 노래를 듣거나 노이즈와 함께 춤을 추거나 하면서 그 문제와의 거리를 신축성 있게 조절하되 항상 '깨어 있어야' 한다. 그러다가 일단 희미하게라도 어떤 아이디어가 떠오르면 주저 없이 그 아이디어를 실험해보아야 한다. 서울대학교 수학과의 강현배 교수님은 어느 날 대학원생들과 가진 술자리에서 "진정한 수학의 맛은 한밤중에 갑자기 아이디어가 떠올라 잠옷 바람으로 마루에 나와 부르르 떨며 연필을 쥘 때 맛볼 수 있다"고 강조하신 적이 있다. 이럴 때 필요한 것이 바로 '불같이 급한 성질' 이며 '킬러 본능' 이라는 얘기다.

나와 함께 예일 대학교를 같이 다녔고 지금은 조지아 대학교에 있는 다니엘 나카노 교수의 부인이 나에게 다음과 같이 자기 남편에 대한 불평을 한 적이 있다. 신혼 초에 밤 9시쯤 비디오테이프를 빌려와 둘이서 영화를 보기 시작했다. 그런데 한 15분쯤 지났을 때 갑자기 잠깐만 기다려달라고 하고 방으로 들어가더니 12시가 넘도록 나오지를 않더라는 것이다. 둘이서 낭만적으로 영화를 보려는데 갑자기 자기 방으로 쏙 들어가서 나오질 않으니까 토라진 나카노 교수 부인은 처음엔 오기와 배짱으로 제 스스로 나올 때까지 기다리겠다고 버텼다. 그런데 12시가 넘을 때까지 나오지 않으니 이제는 죽었나 살았나 걱정이 되어 방문을 살그머니 열고 들어가보았더니 글쎄 이 친구가 열심히 수학 문제와 씨름하고 있더라는 것이다.

수학 문제란 그런 것이다. 생각이 떠오르면 그 자리에서 풀어봐야 한다. 자신이 그렇게 중요하게 생각해오던 문제에 대한 어떤 아이디어가 떠올랐는데도 "오늘은 아이디어가 떠올랐으니 성공이다. 나머지는 내일 계산해보지, 뭐" 하는 사람은 미안하지만 훌륭한 수학자가 되기는 어렵다. 내일 그 문제를 생각하려면 또다시 시동을 걸어 처음부터 생각해야 하고, 결국은 어젯밤 그 아이디어가 떠올랐던 자리쯤에서 지치게 마련이다. 그때 또다시 다음날로 미룰 것인가. 그 문제를 풀 수 있는 좋은 기회가 왔다고 생각되었을 때는 과감히 덤벼들어야 한다. 이럴 때 집중적으로 파고들 수 있는 사람만이 진정한 수학자로 성장할 수 있는 것이다.

내가 예일 대학교에서 공부할 때 학위 논문 지도를 맡아주셨던 셀리그만 교수님은 어느 날 내가 공부하는 '꼴'을 물끄러미 바라보더니 한마디 하셨다.

"너는 공부할 때 커피도 마시고 아이스크림도 좀 먹어라."

대학교를 졸업할 때까지 제대로 공부하지 않아 기초 실력이 부족했던 내가 유학 가서는 열심히 공부한답시고 설치는 꼴을 보아하니 한심해 보였던 모양이다. 도대체 차분히 앉아서 생각을 정리해보려고는 하지 않고 읽고 있는 논문들마다 색색의 볼펜으로 들입다 밑줄만 치고 있는 것이 답답해 보였을 것이다. 그러니까 셀리그만 교수님 말씀은 그렇게 '이미 남이 해놓은 일' 을 무턱대고 외우고 있지만 말고, '나 자신이 할 수 있는 새로운 일' 은 과연 무엇일까를 차분히 생각하면서 공부하란 뜻이었다.

그렇게 공부하다보면 좋은 아이디어를 얻게 될 것이고, 일단 그렇게 되면 하루에 18시간씩 공부를 할 수밖에 없을 것이라는 '예언' 까지 하셨다. 이 모두가 어떤 문제를 풀기 위한 결정적인 아이디어를 얻으려면 마음을 느긋하게 먹고·차분히 생각에 몰두해야 한다는 것, 그러나 일단 그런 아이디어를 얻었다는 생각이 들 때는 '불같이 급한 성질' 을 발휘하여 집중적으로 파고들어야 한다는 것을 강조한 것이다.

사실 그렇게 사람을 흥분시키며 다가온 '아이디어' 라는 것도 밤잠을 설치고 나와 '부르르 떨며' 실험해보면 대개의 경우 별로 쓸모없는 생각으로 판명될 때가 많다. 그러나 사람은 실패를 두려워해선 안 된다. 이미 그 업적을 인정받고 이름을 날리고 있는 수학자들 가운데에도 처음부터 좋은 아이디어를 얻어서 멋있게 문제를 해결해낸 경우는 거의 없다. 만일 그런 경우가 있다면 그건 운이 좋았을 뿐이다. 대부분의 경우는 나중에 돌이켜보면 미련하고 한심한 계산을 열심히 해보고 바보 같은 오만 가지 잡생각들을 반복한 끝에 겨우 알아낸 것들이다. 따라서 헛수고가 될까봐 두려워 '불같이 급한 성질' 을 발휘하기를 주저하는 사람이 있다면, 아무리 작은 성취라도 수없이 많은 시행착오 위에서 이루어지는 것이라고 말해주고 싶다. 중요한 것은 자신이 저지른 실수로부터 교훈을 얻어 똑같은 실수를 반복하지 않고 자신을 더욱 발전시킬 수 있는가이다. 그저 시행착오가 두려워서 아무것도 하지 않고 '신중하게' 생각만 하고 있으면 결국엔 아무것도 이룰 수 없다.

이제 마지막 단계에 들어섰다. 이렇게 '집중력을 발휘하여' 우리가 도전하는 문제의 결정적인 단계를 해결해냈다는 생각이 들면, 그때부터는 다시 침착하게 모든 단계를 점검해봐야 한다. 어떤 일이든지 끝마무리를 잘해야 한다. 볼을 페널티 박스 근처까지 끌고 가면 무얼하는가. 문전 처리 미숙으로 하늘로 날려버리면 말짱 도로아미타불이다. 끝마무리 단계에서 '급한 성질에' 서둘러 일을 마무리한다면 결국 그 동안의 모든 일이 '부실 공사' 가 되고 만다.

끝마무리를 할 때에는 조금 시간이 걸리더라도 돌다리도 두드려보는 심정으로 차분히 모든 것을 다시 살펴보아야 한다. 이때 중대한 결함이 발견되면 모든 일을 처음부터 다시 시작해야 하니까 정말 실망스러운 일이다. 겨우겨우 집을 거의 다 지었다고 생각했는데 결정적인 논리적 결함을 발견하여 모두 무너뜨려야 하는 그 낭패감. 그때 느끼는 허탈감과 상실감은 당해본 사람만이 알 것이다. 그렇지만 '부실 논문' 을 연구 결과랍시고 내세울 수는 없는 것이니까 포기할 땐 과감하게 포기할 줄도 알아야 한다. 다시 시작하면 되는 것이다.

지금까지 예를 든 여러 가지 단계에서 '불같이 급한 성질' 이 필요한 단계는 엄밀히 말하면 딱 한 번 나온다고 할 수 있다. 그리고 어느 한 단계도 소홀하게 여기고 넘어갈 수 있는 단계는 없다. 즉 모든 단계가 평등하다는 말이다. 그러나 어떤 단계들은 '더욱 평등' 하다. 그리고 나는 그 모든 단계 중에서 '가장 평등한' 단계가 바로 문제 해결을 위한 아이디어가 떠올라 '불같이 급한 성질' 을 집중적으로 폭발시켜야 하는 단계라고 생각한다. 그래서 나는 지금도 대학원생들과 술잔을 기울일 때면 거침없이 떠들어댄다.

"야, 느이들 말이야. 성질이 급해야 수학을 잘할 수 있어. 알간?"

걸어서 하늘까지

지난 95년 3월 수학과 대학원 신입생 환영회에서 각자 자기 소개를 하는 차례가 되었다. 선생, 학생 모두 한 사람씩 일어나서 자기 이름과 특기를 얘기하고 자기 전공을 밝히는 의례적인 자리였다. 그런데 내가 지도를 맡고 있는 대학원생 하나가 일어나더니 자기 전공은 '걸어서 하늘까지'라고 말하는 것이 아닌가. 영문을 모르는 신입생들이야 무슨 소린가 하고 얼떨떨한 표정으로 앉아 있었지만 사태를 파악하고 있는 나머지 대학원생들은 폭소를 터뜨렸다. 내 18번이 바로 〈걸어서 하늘까지〉이고, 내가 조금 전에 자기 소개 대신 그 노래를 불렀기 때문이다.

내가 〈걸어서 하늘까지〉라는 미니 시리즈가 인기 절정이라는 소문을 뒤늦게 들은 것은 미국 버클리 수리과학연구소의 연구원으로 있을 때였다. 제목이야 그럴듯하지만 비디오 볼 시간이 있으면 조금이라도 잠을 더 자는 게 낫다고 생각하는 사람이니까 그리 흥미를 느끼지 못했었는데 주연 배우들이 최민수와 김혜선이라는 데 귀가 솔깃해졌다. 최민수는 그전에 미니 시리즈 〈고개숙인 짜샤(남자)〉에서 하유미의 보디 가드 역을 멋지게 해낸 진짜 사나이가 아닌가('싸나이' 최민수가 대발이로 나와 푼수를 떨던 모습은 정말 다신 생각하기도 싫다). 게다가 김혜선은 〈무동이네 집〉에서 최민수의 애인으로 나왔던 그 참하고 아름다운 아가씨이니 일단 그 정도라면 내 귀중한 수면 시간을 조금은 할애해도 되겠다고 생각하고 한국 식품점에 가서 일단 1편과 2편만 빌려와서 맛을 좀 보기로 했다.

그런데 사태는 예상외의 방향으로 발전했다. 내가 그만 '물새' 최민수가 검은 가죽 잠바 주머니에 양손을 집어넣고 불량기를 줄줄 흘리며 걷는 그 고독하고 우아한(?) 뒷모습에 매료된 것이다. 사태는 내가 그 길로 다시 식품점으로 달려가 비디오를 끝까지 빌려와서 밤새도록(딱 12시간 걸렸다) 보는 불상사로 이어졌고, 장현철이 부른 그 주제가는 내 18번이 되었다. 내가 그 노래를 좋아하게 된 이유는 12시간 동안이나 그 멜로디를 반복해서 듣다보니 나도 모르게 그 멜로디가 귀에 익어버린 탓도 있지만, 그것보다는 '나는 내 식대로 산다'는 '물새'의 고집이 단적으로 드러나 있는 2절 시작 부분의 가사가 내 마음에 들었기 때문이다.

> 말이 없이 살아가라고 아주 쉽게 충고하지만
> 세상 사는 어떤 사람도 강요하진 못해, 나에게

〈걸어서 하늘까지〉는 사실 여러 가지 흥미있는 주제들을 던져준다. 소매치기인 '물새'가 김혜선을 사랑하는, '사랑만은 단 하나에 목숨을 긴' 기리의 사나이의 순정, 최민수와 손지창이 동시에 김혜선을 사랑하며 맞부딪히는 이 세상 모든 남자들이 가지고 있는 두 가지의 콤플렉스, 즉 사나이다운 야성미와 섬세하고 세련된 신사다움의 대결, 어리석게도 김혜선을 사랑하는 손지창을 사랑하는 더욱 어리석은 이상아의 안타까운 사랑, 그리고 김혜선이 부인하려고 애쓰면서도 어쩔 수 없이 드러내는 신데렐라 콤플렉스 같은 것들은 누구나 한 번쯤은 진지하게 생각해봤음직한 날카로운 주제들이다. 그러나 내가 무엇보다도 강렬한 느낌을 받은 것은 '나는 내 식대로 산다' 는 '물새' 의 고집이었다. 폭력배들마저도 거대한 조직에 소속되지 않으면 살아남지 못하는 '현대화된' 암흑 세계에서도 과거의 '낭만적인' 방식을 고집하면서 철저히 혼자인 채로 활동하는 '물새' 의 오기를 보며 나는 사나이라면 저 정도의 패기와 의지가 있어야겠다는 유치한 결심마저 했었다.

나는 사람은 고집이 있어야만 어느 분야에서건 성공할 수 있다고 믿는다. 고집이 세다는 것은 주관이 뚜렷하고 신념이 강하다는 것을 말하며 자기 나름의 철학대로 살아가려는 의지가 강하다는 것을 의미한다. 사람들이 어떤 사람을 평가하여 말할 때 "저 사람은 지나치게 고집이 센 게 흠이야"라고 하면 나는 일단 "저 사람이 다른 건 몰라도 신념과 끈기는 있는 사람인 모양이다"라고 생각한다. 누가 나에게 "너는 왜 그렇게 고집이 세냐?"라고 비난하면 나는 "아하, 내가 주관이 뚜렷하고 의지가 강하다는 칭찬이구나" 하고 새겨듣는다(그러니까 고집 센 내 성격이 고쳐질 리 만무하다).

나라고 해서 자기 자신만이 옳다는 유아독존적인 사고에 빠져서 세상 일을 좁은 시각으로만 바라보는 편협한 인간이 되면 성공한다고 믿는 바보는 아니다. 내가 강조하고 싶은 것은 사람은 다른 사람들이 생각하는 대로 그저 따라가는 것이 아니라 자기 스스로 분별하여 판단한 자기 나름의 생각, 자기 나름의 느낌이 있어야 하며, 어떤 일에 대하여 심사숙고한 후에 어떤 형태로든 일단 판단을 내렸으면 자신이 옳다고 믿는 신념을 끝까지 지켜나가려는 의지가 있어야 한다는 것이다.

내가 여기서 '자기 나름의 생각' 이라고 표현했다고 해서 반드시 다른 사람들의 생각과 달라야 한다는 뜻은 아니다. 남들과 똑같은 결론을 내리더라도 그저 단순히 그런가보다 하고 따라갈 것이 아니라 뚜렷한 판단 기준으로 검증한 뒤에 완전히 자기 내면의 것으로 소화해야 한다. 이렇게 자기 나름의 생각으로 소화된 것만이 시류에 영합하거나 각종 유혹과 압력에 쉽게 흔들리지 않는 신념으로 발전할 수 있다.

고등학생 시절 국어 시험이 끝난 후의 기억은 '주입된 주관' 이란 자기 모순적인 개념에 대해서 깊이 생각하게 했고, 흔히 사람들이 일컫는 '모범생', 더 나아가 우리 사회의 소위 '지식인' 또는 '엘리트' 라고 불리는 사람들 중 일부에 대한 지독한 회의와 경멸을 갖게 만들었다.

시험 치르는 것은 누구에게나 초조하고 두려운 일일 것이다. 나는 시험이 끝나면 다른 모범생들과는 달리(나야 뭐 어차피 그렇게 모범생도 아니었으니까) 시험에 대한 기억은 되도록 빨리 잊어버리려고 한다. 시험이 끝나는 날은 다른 날보다도 학교가 일찍 파하는 날이니까 친구들과 탁구장에 갈 수도 있고 오랜만에 영화 한 편 감상할 시간도 있으니 좀 좋은가. 그런데 요 답답한 모범생들은 꼭 답을 맞추어봐야 직성이 풀리는 모양이다. 정답이야 수업 시간에 선생님이 알아서 가르쳐줄 것이고 성적 또한 때가 되면 저절로 알게 되어 선생님께 손바닥을 맛든지 청소를 하든지 운명이 결정될 것이다. 따라서 시험이 끝나 모처럼 해방감에 젖을 수 있는 그 시간에 답을 맞추어보자는 것처럼 갑갑한 일도 또 없다. 그럼에도 불구하고 요 모범생들은 진드기처럼 달라붙어서 X번 문제의 답을 뭐라고 썼냐고 묻는다.

그건 어떤 시의 주제를 묻는 문제였다. 사실 시의 주제란 읽는 사람마다 조금씩은 다르게 느끼는 것이 오히려 자연스러운 일이고 4지선다형 문제에서 마음에 딱 맞는 번호를 찾기는 어렵지만 그래도 내가 느끼는 주제와 가장 가까운 2번을 골랐다. 그런데 그렇게 끈질기게 답을 무얼 썼느냐고 물어보던 아이들이 나에게서 기대했던 것이 바로 그것이었는지 정답은 3번이라며 "너, 틀렸다, 틀렸다" 하며 신이 나서 떠드는 게 아닌가. 졸지에 무안을 당한 나는 그럼 너희들은 3번이 맞은 걸로 알고 있고 나도 선생님이 정답을 불러줄 때까진 2번이 맞은 걸로 착각하고 있을 테니 그냥 좀 내버려둬달라고 했다. 그런데도 이 모범생들은 나에게 그런 관용도 허용할 수 없었던지 죽어도 내가 틀렸다고 우기는 것이었다. 드디어 짜증이 난 나는 내가 2번을 고른 이유는 이 시에서 이러저러한 것을 느끼고 이러저러한 점이 강조되었다고 생각해서 그런 것이라고 설명하고 너희들이 3번을 고른 이유는 도대체 뭐냐고 반문했다.

그들에게서는 아무리 고쳐 생각해보아도 그저 한심하다고 표현할 수밖에 없는 한심한 대답이 되돌아왔다. 『하일라이트 국어』라는 참고서에 똑같은 문제가 있는데 거기에 정답이 3번으로 되어 있다는 것이었다. 내가 묻고 있는 건 그런 게 아니라 참고서에 정답이 3번으로 나온 이유가 도대체 무엇이라고 생각하느냐는 것이라고 다시 강조해서 물었지만, 돌아온 대답은 아까와 똑같이 『하일라이트 국어』에 똑같은 문제가 있다는 얘기뿐이었다.

이쯤 되면 나는 그들과 같이 인생을 논하기가 부끄러워진다. 그러니까 그 아이들은 자기 나름대로의 기준을 가지고 판단한 것이 아니라 참고서에 나온 문제의 답을 무턱대고 외웠다는 이야기다(아마 그것이 바로 그들 나름의 기준이었을지도 모른다). 참고서에 나온 답은 다 맞는가. 정답을 인쇄할 때 실수를 할 수도 있는 것이 아닌가. 설사 참고서에 나온 답이 맞다고 할지라도(아무래도 그런 경우가 대부분이겠지만) 어쨌든 자기 나름대로 그게 왜 정답인지는 납득해야 할 것이 아닌가.

이런 경험은 그때가 처음도 아니었고 그 뒤로도 끊임없이 겪게 되는 일이다. 그리고 특히 '지식인' 이라고 스스로 '자처하는' 사람들에게서 이런 경향을 많이 발견할 수 있다. 그들이 어떤 제도에 대해서 얘기를 하든지 또는 어떤 가치관에 대해서 얘기를 하든지 '지식인 특유의 논리' 는 사실상 논리가 아니라 "『하일라이트 국어』에 그렇게 나와 있는데……" 수준을 크게 벗어나지 못할 때가 많다. 그리고 소위 엘리트라고 자처하는 사람들이 제시하는 모범적인 가치 기준이 과연 그들 내면에까지 젖어든 진짜 그들의 것인지 아니면 다른 권위(예를 들면 『하일라이트 국어』)에 의해 단순히 주입된 것인지를 의심하게 될 때가 많다.

지식인이든 아니든, 엘리트이든 보통 사람이든 사람은 자기 나름의 느낌, 자기 나름의 생각을 가지고 살아야 진정으로 의미 있는 삶을 살 수 있다고 생각한다. 그렇게 자기 나름대로의 뚜렷한 가치 기준으로 검증하고 판단한 생각들은 하루아침에 다른 사람의 유혹이나 압력에 바뀌지 않을 것이고, 또 그렇게 자기 것으로 완전히 소화한 뚜렷한 신념을 가져야만 일관성 있고 정정당당한 삶을 살 수 있다고 믿기 때문이다.

나는 자기 전공이 '걸어서 하늘까지' 라고 말했던 그 학생뿐 아니라 내가 지도하는 모든 학생들이 수학을 공부하면서 자기 나름의 생각, 자기 나름의 느낌을 가지길 기대한다. 그리고 그들이 〈걸어서 하늘까지〉의 '물새' 처럼 '나는 내 식대로 산다' 는 뚜렷한 개성을 바탕으로 투철한 직업 의식을 갖추고 무언가 의미 있는 성취를 가꾸어낼 수 있는 훌륭한 수학자로 성장하길 기대한다.

자기 색깔을 갖자

언젠가 "평범한 건 싫다. 난 튀는 게 좋아"라는 광고 문안이 눈길을 끈 적이 있다. 신세대의 심리를 잘 묘사한 것이라서 상당한 인기를 끌었던 모양이다. 나 역시 그 광고 문안이 내포하는 위험성은 잘 알면서도 그 광고 문안을 매우 마음에 들어했었다. 사람이 무언가 뛰어난 업적을 이루려면 아무래도 좀 '튀어야' 한다고 생각하기 때문이다.

허재의 농구하는 모습을 보면 그의 플레이에 '그의 색깔'이 진하게 배어 있음을 느끼게 된다. 패스 하나, 슛 하나에도 그의 개성이 강하게 드러난다. 한마디로 '튀는' 것이다. 따라서 수많은 후배 농구 선수들이 우리나라뿐 아니라 아시아 최고의 농구 선수로 누구나 인정하는 허재의 플레이를 본받으려 심혈을 기울여 노력하는 현실은 오히려 당연한 일이다.

그런데 이렇게 화려하고 개성이 강한 허재의 플레이는 해석하는 사람에 따라서는 정반대의 평가가 나오기도 한다. 그의 플레이가 지나치게 자기 중심적이고 독단적이어서 팀워크를 망치는 경우가 많다는 비판이 그 대표적인 예다. 이때 자주 지적되는 것이 한 게임에 한두 개씩 나오는 그의 실책(주로 패스 미스)이다.

물론 어느 선수라도 눈에 띄든 띄지 않든 한 게임에 몇 개의 실책은 하게 마련이다. 그러한 실책이 특히 허재의 경우 문제가 되는 것은 사람들이 그에게서 우리나라 최고의 테크니션다운 완벽한 수준의 플레이를 요구하기 때문일 것이다. 더욱이 대부분의 경우 그의 실책 또한 지나치게 화려한(?) 것이어서 사람들의 기억에 깊게 새겨진다. 그러나 그의 '독단적인' 실책 중의 어떤 부분은 그 자신의 잘못이라기보다는 동료들이 그의 플레이를 미처 따라가지 못하기 때문에 생기는 경우이다.

지난 95년 2월 27일에 있었던 삼성전자와 기아자동차의 94~95 농구대잔치 3차전으로 돌아가보자.

김유택, 한기범, 조동기 등 기아자동차의 막강한 센터진에 밀려 리바운드 열세로 1, 2차전에서 어려운 경기를 펼친 삼성은 이날 센터 이창수와 박상관을 동시에 투입하여 총력전으로 나왔다. 일진일퇴를 거듭하는 불꽃 튀는 접전이 전개되는 가운데 기아자동차는 김유택의 5반칙 퇴장으로 벼랑 끝에 밀렸다. 스코어는 70대 70동점. 이때 탱크처럼 골 밑으로 돌진하던 허재가 앞을 가로막는 박상관의 양다리 사이로 절묘한 바운드 패스를 찔러넣었다. 그러나 이 공을 받아야 할 한기범이 그 공을 그만 놓쳐버리고 말았다. 공이 상대방의 다리 사이를 지나 자신에게 연결되리라고는 도저히 생각하지 못했던 것이다. 기아자동차로서는 승패의 분수령에서 일어난 실로 아쉬운 실책이었다.

이러한 현상이 바로 허재의 '화려한 실수'의 전형이다(이것은 허재뿐만 아니라 지금은 은퇴한 '어시스트의 귀재' 유재학이나 SBS의 가드 오성식에게서도 자주 볼 수 있는 일이다). 허재가 현란한 개인기로 상대방의 수비를 따돌리고 예측 불허의 패스를 찔러넣었을 때, 자기편 선수마저 속아버려 공을 놓치는 경우가 생기는 것이다. 중앙대 시절부터 허재와 한솥밥을 먹은 한기범이 가끔씩 속을 정도이니 그와 처음으로 호흡을 맞추는 선수들은 예상치 못한 패스에 얼굴을 얻어맞은 일이 생기는 것도 무리가 아니다. 이럴 때 사람들은 허재의 플레이가 지나치게 '튄다' 고 한다. 그러나 바로 이렇게 '튀는' 플레이가 우리나라 농구의 수준을 올려놓았고, 그렇기 때문에 많은 사람들이 그를 '농구 천재' 라고 하는 것이다.

우리나라나 일본처럼 경직되고 획일화된(적어도 그런 것처럼 보이는) 사회에서는 "모난 돌이 정 맞는다" 라든가 "가만히 있으면 중간은 간다" 따위 지나치게 튀는 것을 견제하고 되도록 다수가 하는 대로 그저 조용히 따라가는 것을 권장하는 듯한 속담이 자주 눈에 띈다. 나는 그러한 문화가 우리 사회가 한 단계 더 높은 수준으로 발돋움하는 데 상당한 장애요인으로 작용한다고 생각한다. 사회 구성원 개개인의 다양하고도 풍부한 개성이 존중되고 또 그것들이 건강한 형태로 발휘될 수 있는 사회가 우리가 추구하는 이상적인 사회에 보다 더 가까운 모습이라고 생각하기 때문이다.

그러나 조금 미안한 표현이지만 '걸레 스님 중광' 정도가 개성의 대명사가 되어서는 우리 사회가 너무 비참하다. 그리고 X세대의 개성이라는 것도 가만히 들여다보면 지나치게 유행에 민감할 뿐 아니라 내가 보기에는 매우 정형화되어 있어서 개성이라고 말하기 곤란한 경우가 많다.

'튄다'는 것은 아무래도 눈에 거슬린다는 뜻을 내포하게 마련이다. 내가 '튄다'는 표현을 통해 얘기하고 싶은 것은 아무 때나 쓸데없이 나서서 판을 깨고 다른 사람들의 기분을 잡치는 것이 좋다는 것이 아니다. 그런 '푼수 떠는 일'을 개성이라고 표현하는 것은 문제가 많다. 내가 말하고 싶은 것은 누구나 다 똑같을 수가 없는 만큼 자기 자신에게 가장 알맞은 '자기 색깔'을 찾아내어 '내 식대로' 당당하게 살아가는 것이 중요하다는 것이다. 이렇게 '자기 색깔'을 찾으려고 노력하는 과정이 바로 '자기 인생'을 만들어가는 것이며, 자기 인생을 주체적으로 살아가는 참다운 주인이 되는 길이라고 생각하기 때문이다.

나의 우상 요한 크루이프

1974년 뮌헨 월드컵 대회가 시작되기 전 가장 강력한 우승 후보는 개최국인 서독이었다. 미드필드의 핵인 귄터 네처가 스페인의 레알 마드리드팀으로 이적하면서 대표팀을 떠난 것이 약간 불안했지만 '카이저' 프란츠 베켄바우어가 주장을 맡고, '폭격기' 게르트 뮐러가 공격의 선봉에 선 서독팀을 우승 후보 0순위로 꼽는 데 이의를 다는 전문가들은 많지 않았다.

그 다음으로 가능성이 많은 팀은 줄리메컵을 영원히 가져간 브라질이었다. 브라질은 16년 만에 처음으로 펠레가 없는 가운데에 월드컵을 치러야 했다. 게다가 펠레의 후계자로 지목되던 토스탕은 치명적인 눈 부상으로 빠졌고, 자일징요 또한 전성기를 지나 있었다. 이렇게 전력상 공백이 생겼음에도 불구하고 선수 개개인이 세계 최고 수준의 화려한 개인기를 지닌 브라질팀은 언제라도 세계를 제패할 수 있는 실력을 지니고 있었다.

그러나 74년 뮌헨 월드컵 대회에서 세계 축구 팬들에게 가장 뚜렷한 인상을 남긴 팀은 네덜란드였다. 그리고 그때 세계 축구팬들이 가장 사랑한 팀도 역시 네덜란드였다

네덜란드팀의 등장은 하나의 신선한 충격이었다. 네덜란드의 축구 스타일은 자유롭고 개방적인 그 나라의 문화를 반영하듯 일정한 틀에 얽매이지 않는 과감하고 파격적인 것이었다. 그들은 그 동안 세계 축구 무대를 풍미하던 4-2-4시스템이라든가 4-3-3시스템을 과감히 버리고 일정한 포지션이 없이 선수 전원이 공격에 가담하고 수비를 책임지는 혁명적인 스타일을 개발해냈다. 전방과 후방, 왼쪽과 오른쪽을 책임진다는 지역 개념이 사라지고 공격과 수비, 측면 돌파와 중앙 돌파가 수시로 활기차게 뒤바뀌는 현란한 '토털 사커' 가 탄생한 것이다.

상대방이 공을 잡았을 때 서너 명이 재빠르게 에워싸는 압박 축구, 어느 곳에서 자기편이 공을 잡든지 빠른 속도로 운동장 전역으로 퍼져나가는 위치 이동 등 그들이 보여준 축구는 그 이전의 이론으로는 설명이 불가능한 완전히 새로운 것이었다. 그들은 훈련 모습마저도 기존의 고정 관념을 깨는 것이어서 대표팀의 트레이닝 캠프에 부인을 동반하고 훈련에 참가하는 것이 허용될 정도로 개방적이었다. 태릉선수촌 감옥에 갇혀 사생활을 전부 반납한 채 수도승 같은 생활을 하도록 강요받는 우리나라 대표 선수들에게는 그저 꿈같은 얘기일 것이다.

그들의 플레이는 부드럽고 매끄러우면서도 빠르고 폭발적이었다. 선수 개개인의 플레이가 매우 자유롭고 즉흥적이면서도 모든 것이 유기적인 관계 속에서 밀도 있게 움직였다. 풀백이라도 찬스를 잡으면 지체없이 치고 들어가서 센터링을 하고 그 빈자리는 미드 필더나 때

로는 윙이 메우고, 상대방이 공격할 때는 센터 포워드마저도 수비에 가담하는 등 오렌지빛 유니폼을 입은 네덜란드 선수들이 쉴새없이 움직이며 빠르고 효과적인 플레이를 전개해가는 모습은 마치 풍차가 돌아가는, 평화로우면서도 활기 넘치는 네덜란드의 전원 풍경 같았다. 그리고 그렇게 풍차처럼 유연하게 돌아가는 네덜란드의 토털 사커의 중심에는 언제나 백넘버 14번을 단 요한 크루이프가 있었다.

당시 스페인의 바르셀로나팀이 220만 달러라는 사상 최고의 몸값을 주고 스카우트했던 크루이프는 날씬하고 유연한 몸매에 빠른 스피드와 화려한 볼 드리블, 그리고 날카롭고 과감한 슈팅 등 축구 선수로서 필요한 모든 테크닉을 완벽하게 갖추고 있던 펠레 이후 최고의 선수였다. 특히 그가 폭넓은 시야를 바탕으로 적재적소에 정확하게 찔러주던 패스(그중에서도 아웃프론트 패스)는 플레이 메이커라는 것이 얼마나 아름답고 멋진 역할인지를 감동적으로 보여주었다.

크루이프가 이끄는 네덜란드팀은 74년 뮌헨 월드컵 첫 경기에서 월드컵을 두 번이나 차지했던 전통의 강호 우루과이를 현기증이 날 정도로 빠르고 현란한 플레이로 2대 0으로 완파하며 월드컵 무대에 화려하게 등장했다. 두번째 경기에서는 스웨덴과 0대 0 무승부를 기록하며 잠시 주춤하는가 싶더니 예선 마지막 경기에서는 다시 불가리아를 4대 1로 대파, 강력한 우승 후보로 떠올랐다.

74년 월드컵은 그 이전의 월드컵과는 약간 다른 방식으로 치러졌다. 그 이전 멕시코 월드컵 대회까지는 예선을 통과한 여덟 개 팀이 토너먼트를 벌여 우승팀을 가려냈지만, 뮌헨 월드컵에서는 예선을 통과한 여덟 개 팀을 네 팀씩 두 개의 그룹으로 나누어 준결승 리그를 벌인 후 각 조 1위 팀이 결승전을 벌이도록 했다.

브라질, 네덜란드, 아르헨티나, 동독이 한 조에, 그리고 서독, 폴란드, 스웨덴, 유고슬라비아가 다른 한 조에 각각 편성되어 준결승 리그를 벌였다. 네덜란드는 화려한 개인기를 자랑하는 아르헨티나를 무려 4대 0으로 대파하더니, 예선에서 서독을 1대 0으로 꺾어 기세를 올리던 동독마저 2대 0으로 격파하고 브라질과 결승 진출권을 놓고 겨루게 되었다.

펠레가 빠진 브라질은 예선에서는 첫 게임부터 무승부를 기록하는 등 부진한 스타트를 보였지만, 준결승 리그에서는 아르헨티나와 동독을 연파하고 세계 최강의 면모를 보이기 시작했다. 그러나 브라질은 눈부시게 움직이는 네덜란드의 '토털 사커'에게 철저히 유린당하며 침몰해야 했다. 크루이프는 왼쪽 돌파에 의한 왼발 센터링으로 선취골을 어시스트하고 다음에는 스스로 추가골을 터뜨리며 네덜란드의 완벽한 승리를 지휘했다. 페널티 에어리어 왼쪽으로 쇄도하던 크루이프가 표범처럼 몸을 날리며 멋진 발리슛을 브라질 골 네트에 터뜨리던 그 장면은 적어도 나에게는 월드컵 사상 가장 아름답고 눈부신 기억으로 남아 있다.

그러나 네덜란드는 결승전에서 '카이저' 프란츠 베켄바우어가 이끄는 서독에게 2대 1로 통한의 역전패를 당하여 정상의 문턱에서 울분의 눈물을 삼켜야 했다. 경기를 시작하자마자 크루이프가 서독의 페널티 에어리어를 침투해 들어가는 순간 다급해진 포크츠가 크루이프의 다리를 걸어 쓰러뜨려 페널티킥이 선언됐고, 요한 네스켄스가 침착하게 이것을 차넣어 경기 시작 1분 만에 네덜란드가 1대 0으로 앞서가기 시작했다. 그리고 그것은 네덜란드에겐 오히려 마법의 주문과 같았다. 갑자기 그들의 플레이가 둔해지기 시작한 것이다. 서독은 강인한 체력과 조직력을 바탕으로 이상하게 얼어붙은 네덜란드 진영을 압박하기 시작했다. 전반 30분이 지날 무렵 이번엔 서독이 페널티킥을 얻었다. 이번 것은 앞의 것보다는 분명치 않은 것이었지만 어쨌든 폴 브라이트너가 페널티킥을 성공시켜 경기는 원점으로 돌아갔다.

포크츠의 강력한 슈팅이 네덜란드 골키퍼 용블뢰드의 선방으로 무위로 돌아간 직후 네덜란드에게 황금 같은 찬스가 찾아왔다. 서독 진영을 돌파하던 크루이프가 리베로로 활약하던 베켄바우어를 끌어내어 조니 렙에게 드루 패스, 천금 같은 노마크 찬스를 얻은 것이다. 그러나 렙이 서둘러 찬 공은 필사적으로 뛰어나온 서독 골키퍼 제프 마이어에게 걸리고 말았다. 아쉬운 순간이었다.

전반이 끝나기 3분 전, '폭격기' 게르트 뮐러가 폭발했다. 본 호프가 오른쪽에서 깔아준 공을 뮐러가 잡아서 절묘한 터닝슛으로 네덜란드의 골문을 가른 것이다. 사실 그 공은 뮐러가 조금 길게 트래핑한 것처럼 보였었는데, 뮐러는 어느 틈엔지 도저히 가능할 것 같지 않은 각도에서 몸을 틀어서 터닝슛을 터뜨려 월드컵 사상 최고의 골게터로서의 명성을 다시 한번 확인시켜주었다.

후반전은 완전히 네덜란드의 독무대였다. 45분 내내 무수히 많은 기회를 만들어 서독 골문을 향해 맹공격을 펼쳤지만 골키퍼 제프 마이어의 신들린 듯한 선방과 골운이 따라주지 않아 월드컵은 네덜란드를 외면하고 서독의 품에 안겼다. 경기 후 크루이프는 눈물을 흘리며 쓰디쓴 심정을 가라앉혀야 했다.

"서독이 월드컵을 쟁취한 것이 아니다. 우리가 놓쳐버린 것이다."

네덜란드는 비록 월드컵을 차지하지는 못했지만 그들은 세계 축구계에 한 단계 높은 차원의 축구에 대한 가능성을 던져주었다. 나는 지금도 생생하게 기억한다. 74년 뮌헨 월드컵 대회에서 오렌지빛 유니폼을 입은 네덜란드 선수들이 보여주던 파격적으로 자유스러운 '토털 사커'를. 그리고 그 현란하고 활기 있는 오케스트라의 한복판에 서서 무지개처럼 눈부셨던 요한 크루이프의 활약을.

나는 그렇게 자유스럽고 부드러우면서도 모든 것이 서로 유기적인 관계를 맺으며 활기 있게 돌아가던 네덜란드의 토털 사커에서 우리의 삶, 우리의 사회 체제가 나아가야 할 방향의 한 실마리를 본다. 사람 하나하나의 개성과 창의성이 존중되는 자유롭고 부드러운 사회, 그러나 그러한 모든 것이 혼란스러운 것이 아니라 서로 유기적인 관계를 맺으며 활기 있고 건강하게 발전해가는 사회, 그러한 사회의 모델을 네덜란드의 '토털 사커'가 제시해주는 것이다.

마음을 채워야 한다

우리는 흔히 "마음을 비워야 한다"든가 "욕심을 버려야 한다"는 이야기를 많이 한다. 그러나 이때 말하는 욕심이란 다른 사람들에게 해를 끼칠 뿐만 아니라 자기 자신마저도 비속하게 만드는 저열한 수준의 탐욕 따위를 일컫는 것이지 건전하고 발전적인 의미의 성취욕 마저 버리라는 뜻은 아닐 것이다. 역설적으로 말하자면 '무욕(無慾)'의 경지에 도달하려고 수행하는 높은 스님들에게도 그러한 경지에 도달하려는 욕망만은 매우 강렬할 것이기 때문이다. 조금 실례되는 표현이지만 "마음을 비웠다"고 말씀하신 분도 마음을 완전히 비운 후에는 그 텅 빈 마음을 '대통령이 되고 싶은 욕심'으로 가득 채워넣었을 것이다. 그리고 그러한 강렬한 욕망이 그를 30여 년 만의 '문민 대통령'으로 만든 커다란 요인일 것이다.

미국 대학 농구의 전설적인 명감독 존 우든은 어떤 선수가 자신은 득점하기보다는 수비나 팀플레이를 하는 것을 더 좋아한다고 말한다면 그는 거짓말을 하고 있거나 아니면 제정신이 아닐 것이라고 말한 적이 있다. 그릇된 겸양은 미덕이 아니라는 것이다. 인간으로서 자연스럽고 건전한 욕망은 억지로 감추는 것이 오히려 위선일 뿐이다. 농구 선수가 골을 넣으려고 하는 것은 당연하면서도 꼭 필요한 욕심이다. 골을 넣고 싶은 욕심이 없는 선수는 쓸모가 없다. 특히 승부를 판가름하는 결정적인 순간에 자신에게 득점 찬스가 왔을 때 과감하게 슛을 시도하지 못하고 다른 선수에게 패스하는 '욕심이 없는' 선수는 선수로서는 빵점이다.

"가만히 있으면 중간은 간다"는 속담이 있다. 자신이 나서서는 안 될 일에 쓸데없이 끼어들어서 일을 망쳐놓으면 안 된다는 뜻일 것이다. 그러나 한번 뒤집어서 생각해보면 이 말은 마치 비겁함을 부추기는 것처럼 들리기도 한다. 자신이 마땅히 책임지고 처리할 일도 되도록이면 다른 사람에게 미루어놓고 1등이든 꼴등이든 관심이 없이 자신은 중간만 하여 그만큼의 이득을 챙기겠다는 아주 무책임하고 이기적인 태도를 조장할 수도 있기 때문이다. '복지부동(伏地不動)'이 다른 것이 아니다. 이렇게 '중간만 가려는' 태도가 바로 '복지부동(伏地不動)' '복지안동(伏地眼同)'인 것이다.

나는 우리의 마음을 비워놓지 말고 건전하고 차원 높은 성취 욕구로 채워넣을 것을 주장한다. 사람이란 긍정적인 의미에서의 욕심이 있어야 작은 일이라도 성취할 수 있기 때문이다. 바이런 같은 시인은 어느 날 아침 일어났더니 유명해져 있더라고 했다지만, 사람은 대부분의 경우 자기가 목표한 것 이상은 이루기 힘들다. 그래서 나는 같이 수학을 하는 후배들이나 학생들에게 꿈은 크게 갖는 것이 좋다는 이야기를 많이 한다. 길지 않은 기간이지만 내가 미국의 몇몇 대학에서 학생들을 가르칠 때 나는 다음 세 가지를 학생들에게 강조하곤 했다.

목표를 높게 갖자(Aim high).
항상 자기 자신을 절제하도록 하자(Self-discipline).
우리가 하고 있는 것을 즐기자(Enjoy the subject).

예를 들어 어떤 학생이 미적분학을 수강하면서 이 과목에서 C학점만 받아서 낙제나 면하자고 마음먹는다면 그는 아마도 낙제를 면치 못하거나 기껏해야 D학점을 받는 것이 고작일 것이다. 거의 대부분의 학생들이(적어도 학기 초에는) A학점을 받겠다고 덤벼드는데 겨우 C학점을 목표로 설정해서야 어디 경쟁이 되겠는가?

지난겨울, 막 석사 학위 과정을 마치고 박사 학위 과정 입학 시험을 치른 학생과 술을 한 잔 같이 한 적이 있다(한 잔만 마신 건 물론 아니다). 그는 그때 박사 과정 입학 시험 결과를 초조하게 기다리고 있을 때였다. 운전 면허 시험 결과를 기다리는 것도 얼마나 초조한데 박사 과정 입학 시험이야 더 말할 나위가 없을 것이다. 그가 나에게 투정을 부렸다.

"선생님은 이제 안정이 되셨으니 좋겠습니다. 저는 이제 시작이고 또 박사 과정 입학 시험에 떨어지기라도 하면 아예 시작도 못 할지 모릅니다."

나는 그가 무슨 말을 하는지 잘 이해할 수 있었고 그가 가진 장래에 대한 불안감도 가슴에 와 닿았지만 아무리 요즈음 박사 실업자들이 넘쳐 흐르고 대학 교수 자리를 얻는 것이 힘들다고 해도 겨우 교수라는 직업을 얻는 것이 마치 학문하는 사람의 목표인 양 말하는 것은 도무지 마음에 들지 않았다. 나는 결코 지금의 내가 '안정적인' 상태(무슨 뜻인지도 잘 모르겠지만)에 있다고 생각하지도 않거니와 설사 그렇다고 하더라도 현재의 위치에 안주하고 싶은 생각은 추호도 없다.

사람이 도저히 이룰 수 없는 목표를 세워놓고 허세와 과욕을 부리는 것은 어리석은 일이지만 요즘의 젊은 사람들을 보면 너무 지나치게 현실적이어서 쉽게 이룰 수 있는 꿈(사실 이런 건 꿈도 아니다)만 추구하는 경향이 있다. 그러나 아무리 쉬워 보이고 작아 보이는 일도 막상 스스로의 힘으로 이루려고 하면 예상 못 했던 어려움과 문제점이 복병처럼 도사리고 있는 법이다. 따라서 우리는 어떤 일이 어려워 보인다고 해서 그 일을 피하려고만 해서는 안 된다.

흔히 "소꼬리가 되느니 닭대가리가 되라"는 말을 많이 한다. 그러나 나는 겨우 '닭대가리'나 되는 것을 꿈이랍시고 내세우는 사람은 잘해야 '닭꼬리'가 되고 말 것이라고 생각한다. 적어도 '소머리'(마가린 상표가 아니다)는 될 목표를 세워야 '소꼬리'가 되든지 '소거시기'(실례!)가 되든지 나름대로 보람을 찾을 수 있을 것이다.

나는 우리 젊은 사람들은 마음을 비우지 말고 커다란 꿈과 야망으로 가득 채워넣을 것을 주장한다. 원대한 목표를 세우고 최선을 다한 이후에야 자신이 이루어놓은 것에 대한 애정을 가질 수 있기 때문이다.

'해결사'는 실패를 두려워하지 않는다

소위 성공했다고 일컬어지는 사람들을 살펴보면 예외 없이 일 욕심이 많다는 사실을 발견하게 된다. 게다가 상당히 많은 경우 중요한 문제는 자신이 맡아서 처리해야 하며 자신이 아니면 이렇게 어려운 문제는 해결할 사람이 없다는, 아무도 시키지 않은 사명감(?)마저 가지고 있는 경우가 많다. 물론 이러한 성격상의 특질들이 인간관계라는 측면에서는 여러 가지 무리수를 일으키는 경우도 많지만, 그렇게 '일 욕심'이 많은 사람들이 대체로 추진력이 강하고 일에 대한 성취도가 높다는 것 또한 부인하지 못할 사실이다.

허재가 바로 이렇게 일 욕심이 많은 사람 중 대표적인 경우이다. 미안한 표현이지만 그의 욕심은 아직 제대로 걸러진 것이 아니어서 긍정적인 면과 부정적인 면을 모두 강하게 드러내기 때문에 우리에게 시사하는 바가 크다.

그는 팽팽한 접전이 벌어지는 경기에서 결정적인 승부의 순간이 오면 반드시 자신의 손으로 승부를 결정지으려고 한다. 예를 들어 자기 팀이 한두 점을 지고 있는데 시간은 거의 다 되어 단 한 번만의 공격 기회가 남았다고 하자. 이럴 때 감독은 결정적인 슛을 던질 선수로서 허재와 같은 선수를 선택하기 마련이다. 그가 득점력이 높고 3점슛의 성공률이 높기 때문만이 아니다. 그의 '욕심 많은 성격' 이 그러한 승부처를 두려워하지 않고 위험하기까지 한 임무를 기꺼이 수행하려 하기 때문이다.

사실 그렇게 결정적인 고비에서 슛을 던진다는 것은 굉장한 담력이 필요한 일이다. 물론 그 슛을 성공시키면 그는 영웅이 된다. 그러나 자칫 실패하기라도 하면 졸지에 역적이 되고 마는 것이다. 이렇게 위험부담이 큰 경우 욕심이 없는 사람은 영웅이 되기보다는 역적이 되지 않는 것을 택하기 쉽다. 이런 선수에게는 억지로 그런 결정적인 임무를 맡겨봐야 십중팔구 실패하기 마련이다. 그러나 허재와 같이 성취욕구가 큰 사람은 역적이 될 위험을 무릅쓰고 영웅이 될 가능성을 선택한다. 역적이 될지도 모른다는 불안감보다는 영웅이 되고 싶다는 욕망이 너무나 크기 때문이다.

물론 영웅이 되고 싶다고 해서 그런 욕심만 있으면 저절로 '해결사' 가 될 수 있는 것은 아니다. 결정적인 순간에 결정적인 활약을 할 수 있는 '영양가 있는' 선수가 되려면 실패를 두려워하지 않는 용기와 함께 '나는 이 일을 해낼 수 있다' 는 자신감을 가져야 한다. 승부가 걸린 결정적인 순간에 자신에게 '해결사' 의 임무가 주어지면 누구나 떨리게 마련이다. 프로 복싱 헤비급 세계 챔피언이었던 잭 뎀프시는 그의 강력한 펀치와 함께 불굴의 투지와 용감함으로 유명한 선수였다. 그러나 그렇게 용감한 뎀프시도 시합이 시작되기 전에는 탈의실 문을 걸어 잠그고 고래고래 고함을 지름으로써 공포감을 없애려고 했다고 한다.

진정한 용기는 '두려움을 모르는 것' 이 아니라 무시무시한 '두려움을 이겨낼 줄 아는 것' 이다. 그리고 그렇게 커다란 두려움을 이겨낼 수 있는 방법은 평소에 결정적인 상황에 대비하여 자신을 철저하게 단련함으로써 자신의 능력에 대한 믿음을 쌓는 길밖에 없다. "꾸준한 연습만이 완벽한 플레이를 만든다(Practice makes perfect)"는 격언이 있다. 꾸준하고 철저한 훈련을 바탕으로 한 자기 자신의 능력에 대한 믿음을 가진 사람은 어떠한 위기 상황에서도 흔들리지 않고 평상심을 유지할 수 있으며, 결정적인 찬스가 오면 두려워하기보다는 오히려 투지가 불타오르고 '한 방 터뜨리겠다' 는 강한 욕구가 넘쳐 흐르게 되는 것이다.

나는 학기 초에 첫 강의를 하거나 다른 대학에서 특별 강연이라도 하게 되면 화장실을 수시로 들락거릴 정도로 긴장한다. 특히 국제 학술 회의라든가 외국 대학에서 발표를 하게 될 때는 남이 알아챌까 두려울 만큼 극도로 긴장한다. 사정 모르는 사람들은 내가 발표 도중에 농담도 잘하고 잘 웃고 떠드니까 어쩌면 그렇게 여유 있게 발표하느냐고 하는 경우가 많은데, 그 사람들이 내 마음속을 들여다볼 수만 있다면 간이 콩알만하게 오그라든 채 겁에 잔뜩 질려 있는 내 꼬락서니를 보고 한바탕 웃음을 터뜨릴 게 틀림없다(사람 마음속을 함부로 들여다볼 수 없게 만든 하느님께 감사한다. 물론 자기야 다 알겠지만 하느님이야 알건 말건 그게 무슨 상관인가).

나는 그러한 두려움을 이겨내기 위해 어느 곳에서 하는 발표든지 발표하기 전에 미리 철저히 준비한다. 그리고 발표가 임박해서는 "나는 잘 해낼 수 있다"고 끊임없이 다짐하는 한편, 내가 멋있게 발표하는 장면을 상상하여 그 이미지를 내 마음속에 그려넣는다. 그리고 이건 정말 비밀인데 발표 시작 5분이 지나기 전에 사람들을 웃길 만한 농담을 하나 준비한다. 그 농담이 적중하여 청중이 웃어주면 나도 긴장이 풀리고 그 다음부터는 대체로 마음먹은 대로 잘 된다. 물론 내가 아무리 이렇게 준비한다고 해도 항상 발표를 잘하는 것도 아니고 언제나 아쉬움은 남게 마련이다. 그러나 어쨌든 나는 최선을 다한 것이고 그만큼 나 자신에게는 떳떳할 수 있는 것이다.

나 같은 '뻰데기' 수학자와 허재와 같은 '농구 천재'를 가히 비교할 바는 아니지만, 허재라고 해서 승패의 분수령에서 그에게 '해결사'의 임무가 맡겨졌을 때 불안하고 두려운 마음이 없을 리 없다. 그러나 그는 언제나 기꺼이 '해결사'의 임무를 수행한다. 그가 결정적인 고비에서 승부수를 날려 팀을 승리로 이끈 경우는 셀 수 없이 많다. 나는 그가 그렇게 역적이 될 수도 있는 두려움을 이겨내고 영웅이 될 수 있는 가능성을 선택할 수 있는 이면에는 우리나라 최고의 농구 선수로서 "나만이 이 일을 훌륭히 해낼 수 있다"는 강한 성취욕과 자신감이 그를 뒷받침하고 있다고 생각한다.

판돈이 커야 신이 난다

야구에는 '클러치 히터(clutch hitter)' 라는 말이 있다. 찬스에 유난히 강한 타자를 일컫는 말이다. 미국 프로 야구 중계를 TV로 지켜보다 보면 어느 선수가 타석에 들어서면 그해의 타율과 함께 스코어링 포지션에 주자가 있을 때의 타율을 함께 보여주는 경우를 많이 보게 된다. 그리고 대부분의 경우 스코어링 포지션에 주자가 있을 때의 타율이 통산 타율보다 훨씬 높은 것을 관찰할 수가 있다. 그러니까 프로 선수라면 기본적으로 클러치 히터여야 한다는 것이다. 똑같이 3할 대에 육박하는 타율을 기록하고 있는 강타자라도 찬스에 한 방 터뜨리지 못하는 타자는 '영양가 없는' 선수이다. 그리고 찬스에 강한 타자들은 대부분 남에게 지기 싫어하는 승부 근성과 함께 자신이 무언가 큰 일을 해내야겠다는 욕심이 많은 선수들이다.

우리나라 프로 야구의 대표적인 클러치 히터는 한대화이다. 그가 우리나라 야구팬들 앞에 화려하게 데뷔한 것은 1982년 9월 14일 잠실 야구장에서 열린 한국과 일본 간의 제27회 세계 야구 선수권 대회 마지막 날 경기에서였다.

첫 판에서 어이없이 이탈리아에게 덜미를 잡혀 비틀거린 한국은 그 뒤에 7연승을 거두어 7승 1패를 기록하고 있던 일본과 우승을 놓고 마지막 대결을 벌이게 되었다. 우리나라로서는 세계 선수권 대회 첫 우승의 꿈을 이룰 수 있는 절호의 찬스였다. 미국에게 단 2안타만 허용하여 우리나라가 2대 1로 이기는 데 수훈을 세웠던 선동렬은 일본과의 마지막 경기에서는 우승에의 부담감이 지나치게 컸던 탓인지 초반에 일본에게 2점을 허용한 반면 우리나라는 일본 선발 스즈키에게 단 1안타만 뽑아내는 빈공으로 7회까지 2대 0으로 뒤지고 있었다. 특히 6회말 1사 1, 2루의 찬스에서 대타로 나온 박노준의 날카로운 타구가 사력을 다해 점프한 일본 2루수의 글러브에 빨려들어갈 때는 승리의 여신이 우리를 외면하는 것이 아닌가 하는 불길한 예감마저 들었다.

그러나 우리나라는 끈질긴 투혼을 발휘, 8회말이 되자 심재원이 중전 안타를 치고 나가고, 대타로 나선 김정수가 심재원을 중월 2루타로 불러들여 다시 한번 승리의 희망에 불을 지폈다. 다음 타자는 범타로 물러났지만 1사 3루의 동점 찬스가 계속되고 타석에는 '그라운드의 여우'라는 별명을 지닌 불세출의 명유격수 김재박이 등장했다. 당연히 스퀴즈 번트를 시도할 만한 찬스였고, 어우홍 감독은 과연 스퀴즈 사인을 냈다. 일본의 배터리는 야릇한 웃음기를 보이며 고개를 끄덕였다. 우리나라의 사인이 이미 간파당한 것이다. 그러나 사실은 그게 아니었다. 이미 한국측 더그아웃에서도 우리의 사인이 간파된 것을 간파하고 경기 직전에 사인을 바꾸었다. 모든 선수들에게 사인이 바뀐 것을 주지시켰음은 물론이다. 그러니까 그때 어우홍 감독의 스퀴즈 번트 사인은 그전 경기까지 쓰던 것으로서 일본 진영을 혼란에 빠뜨리기 위한 속임수 사인이었다. 아니나 다를까 일본의 배터리는 스퀴즈에 대비하여 공을 아웃 코너로 길게 뺐고, 한국 벤치는 회심의 미소를 지었다.

그런데 이게 웬일인가. 사인을 잘못 읽은 김재박이 몸을 날리며 번트를 시도하고 있지 않은가. 공든 탑이 무너지는 절체절명의 위기였다. 그러나 전화위복(轉禍爲福)이라고 했던가. 김재박이 몸을 하늘로 날리며 절묘하게 댄 번트는 공을 충분히 뺐다고 생각하여 방심하고 있던 일본 수비 진영의 허점에 정확히 떨어져 내야 안타가 됐고, 3루에 있던 김정수는 순식간에 홈인 2대 2 동점을 만들어버렸다.

이로써 분위기는 완전히 돌변, 한국이 승리를 잡는 듯했으나 일본은 타자가 한 명씩 바뀔 때마다 원 포인트 릴리프를 동원하며 불붙은 한국 타선의 불꽃을 잡으려 했고, 우리나라는 일본의 절묘한 작전 때문인지 후속타가 불발, 2사 1, 2루인 상태가 되면서 역전의 기회가 무위로 돌아가는 듯했다.

이때 한대화가 등장했다. 안타 하나면 역전이 가능한 찬스. 당시 동국대학교 4학년생이던 한대화는 일본 투수의 몸 쪽 높은 공을 혼신의 힘을 다해 받아쳐 밤하늘로 높이 솟아올라 왼쪽 폴대를 때리는 장쾌한 결승 3점 홈런을 터뜨렸다. 기적적인 역전 드라마였다.

우리나라는 처음으로 세계 선수권 대회에서 우승하는 감격을 누렸고, 한대화는 그 홈런 한 방으로 한국 야구사에 빛나는 대스타의 반열에 올라서게 되었다. 그 이듬해 OB 베어스에 입단하여 프로야구 선수 생활을 시작한 한대화는 86년 해태 타이거즈에 트레이드되면서 눈부신 활약을 보이기 시작, 해태가 여섯 차례나 한국 시리즈 우승을 차지하는 데 결정적인 공헌을 하면서 그 자신은 '해결사' 라는 별명을 얻었다. 그는 94년 LG로 트레이드된 뒤에도 그의 별명에 걸맞게 결정적인 고비마다 맹활약, 유지현, 김재현, 서용빈의 신인 트리오와 함께 94년 LG가 우승을 차지하는 데 수훈을 세웠다. 그리고 야구팬들은 이제 '한대화' 하면 결정적인 고비에 한 방을 터뜨려주는 우리나라 최고의 클러치 히터로 기억하게 되었다.

그러나 '클러치 히터' 하면 누구보다도 롯데 자이언츠의 박정태를 빼놓을 수가 없다. 그는 아마도 지금의 롯데 선수들 중에서 부산 팬들에게 가장 뜨거운 사랑을 받는 선수일 것이다. 일단 그가 누구인지 간단히 살펴보자. 부산 출신. 91년 경성대를 졸업하고 롯데의 유니폼을 입었다. 경성대 4학년 때는 전국 야구 선수권 대회에서 우승하여 MVP로 뽑힌 적이 있다. 프로 데뷔 해인 91년엔 신인으로는 처음으로 2루수 부문 골든 글러브 상을 수상했다. 염종석이 가세한 92년에는 전준호 등과 함께 '젊은 거인들' 이 똘똘 뭉쳐 한국 시리즈 우승을 차지하는 데 수훈을 세웠다. 그리고 그의 독특한 타격 폼과 찬스에 특히 강한 모습은 야구 팬들에게 깊은 인상을 주어 다양한 계층의 팬들의 사랑을 받게 되었다.

그의 타격 폼은 그것만으로도 매우 재미있다. 왼발을 들었다 놨다 흔들흔들 하고 오른손은 배트 위에 그저 얹어놓고만 있는지 쉴새없이 배트를 만지작거린다. 그런데 그렇게 '기형적인' 타격 폼으로도 박정태는 92년 한국 시리즈에서 롯데가 우승할 때 통산 타점 5위, 페넌트레이스 타율 3할 3푼 5리라는 뛰어난 성적을 올렸다. 특히 포스트 시즌 타율은 3할 8푼 6리로서 페넌트 레이스 타율보다도 훨씬 높았다. 그만큼 큰 경기를 치를 때 더욱 신이 나는 선수라는 말이다.

그리고 93년부터 지금까진 야구 선수로서는 별로 설명할 말이 없다. 병상에 누워 있었기 때문이다. 그러나 그가 한 인간으로서 우리에게 전해주는 메시지는 너무나도 강렬하고 감동적인 것이어서 무어라고 표현할 수가 없다.

1993년 5월 23일 부산 사직 구장, 롯데와 태평양의 경기 7회말. 박정태는 2루에 슬라이딩을 하다가 태평양의 유격수 염경엽과 충돌, 왼쪽 발목뼈가 부러지고 인대가 끊어지는 중상을 입었다. 선수 생명이 끝난 것이나 다름없었다. 박정태의 표현대로 "아무것도 모를 때 끌려오듯 시집 온" 부인은 시집 온 첫해에 남편이 다치자 마치 자기 때문인 것만 같아서 가슴이 더욱 아팠지만 남편의 재기를 믿어 의심치 않으며 정성을 다해 간호했다. '극성' 으로 소문난 박정태의 어머니 또한 박정태를 재기시키기 위해 온갖 정성을 다했다. 그래도 냉정히 생각해볼 때 그의 재기는 의심스러웠다. 박정태가 뛰지 못한 시간은 무려 2년. 부상이 아니라 그냥 다른 일로 그라운드를 떠나 있었다고 해도 재기하기가 힘든 기간이다. 그런데 박정태의 경우는 운동 선수에게는 치명적이라고 할 수 있는 발목 부상이었다. 부러진 뼈야 시간이 지나면 붙어주겠지만 찢어진 인대가 제대로 붙어줄 것인지, 붙어준다 해도 뛰는 데 지장을 줄 만큼 통증을 남기지는 않을지 모든 것이 불분명한 상태였다.

이제 와서 '2년' 이라는 말을 하는 것이지 부상당한 당시에는 제대로 '걸을 수 있을 때까지' 1년이 걸릴지 2년이 걸릴지 아니면 영원히 제대로 걷는 것마저 불가능할지 기약이 없는 상태였다. 발목을 다쳐 본 운동 선수라면 누구나 그 기분을 알 것이다. 그라운드에서 나는 듯이 질주하던 선수가 걷기는커녕 제대로 서지도 못할 때, 그리고 그것이 하루 이틀이 아니라 두어 달을 넘어서 장기화할 때 느끼는 그 비참함과 외로움을. 동물원 우리에 갇힌 초원의 왕자 사자처럼 박정태 역시 병상에 누워 하염없는 세월을 보내며 얼마나 마음고생이 심했을 것인가.

그러나 그는 "야구 못 하면 걸어다녀봐야 무슨 소용이 있겠느냐"면서 재기의 의지를 불태웠다. 그의 입단 동기이자 절친한 친구인 전준호는 '깁스한 발을 달아매고도 배트를 만지작거리는' 박정태를 보고 그가 반드시 다시 돌아온다고 확신했다고 한다.

95년 5월 16일 박정태는 드디어 꿈에도 그리던 그라운드에 다시 설 수 있었다. 그날 LG와의 경기에서 박정태는 첫 타석부터 안타를 치며 4타수 3안타를 기록, 훌륭하게 재기했다. 여섯 번의 크고 작은 수술을 이겨낸 기적적인 인간 승리였다. 7월 27일에는 OB 베어스를 상대로 834일 만에 홈런을 터뜨리기도 했다. 그러나 아직도 왼쪽 허벅지와 장딴지는 눈에 띌 정도로 오른쪽보다 가늘다. 2년 동안이나 왼쪽 다리가 쉬고 있었기 때문이다. 아직 완전하지 않은 몸이지만 박정태는 놀라운 정신력으로 좋은 플레이를 보여주었다. 나는 박정태가 앞으로도 계속해서 화끈하고 멋진 플레이를 보여줄 것으로 믿는다. 그의 강렬한 투혼과 승부 근성, 그리고 욕심 많은 성격이 몸 사리는 어정쩡한 플레이는 용납하지 않을 것이기 때문이다. 어느 시사 월간지에 실린 그의 인터뷰 기사에 그가 어떤 선수인지를 잘 설명해주는 말이 나온다.

“주자가 많을 때 타석에 들어서면 부담스럽고 피해가고 싶을 때는 없습니까?”

“돈 되는 찬슨데 와 부담스럽십니꺼. 어차피 도박인데 판돈이 클수록 재미있는 거 아입니꺼.”

---

* 박정태는 그 동안 ‘미스터 롯데’로 불리며 롯데 자이언츠의 간판 스타로 활약해왔다. 안타깝게도 올해(2002년)에는 극심한 슬럼프에 빠져 있다. 사람들은 그의 ‘흔들흔들 타법’이 기본을 벗어나 있기 때문에 한계에 다다른 것이라고 쉽게 말하지만(만일 그게 사실이라면 그런 엉터리 타법이 어떻게 10년을 넘게 장수할 수 있었겠는가?) 나는 그의 ‘흔들흔들 타법’이 곧 예전의 위력을 되찾을 것이라고 생각한다. 투수들이 그의 타격 자세의 약점을 파고드는 것만큼 박정태 역시 ‘흔들흔들 타법’의 약점을 보완할 것이기 때문이다. 박정태처럼 강렬한 투혼과 승부 근성으로 무장한 선수는 지금 정도의 슬럼프는 충분히 극복할 수 있다.

2등은 아무도 기억하지 않는다?

한때 지하철, 버스, TV 등 도처에서 공보처의 세계화 광고가 선량한 국민들을 못살게 굴었다. 나는 그 광고를 볼 때마다 구절구절 반발심이 일었다. 도대체 어쩌란 말인가? 정부가 국민에게 봉사하려는 태도로 일하는 것이 아니라 오히려 국민을 훈계하려는 태도로 이것저것을 강요할 때마다 그놈의 '관료주의적 권위 의식'을 하루빨리 척결하지 않으면 우리 사회의 발전 속도는 추석 귀성길의 자동차 속도를 넘지 못할 것이라는 생각을 한다.

퇴근 시간 지하철은 '지옥철'이다(나는 지난 학기 이화여대에서 대학원 강의를 한 관계로 지하철 신세를 자주 져야 했었다). 특히 여름엔 더하다. '콩나물 시루처럼 빽빽하다'는 표현은 이미 진부한 표현이다. 멀지 않은 장래에 '출퇴근 길 지하철 안처럼 빽빽하다'는 말로써 콩나물 시루를 표현하는 말이 곧 올 것이다. 그렇게 빽빽한 지하철 안에서는 흐르는 땀을 닦을 수도 없으므로(손도 꼼짝 못 하니까) 그저 집까지 '살아서 돌아갈 수 있기만을' 바라고 있어야 한다. 그런데 그 아수라장 속에서 눈앞에 무섭게 들이대는 질문 하나가 있다.

"당신의 경쟁 상대는 누구입니까?"

(공보처의 경쟁 상대는 누구냐? 이따위 유치한 짓이나 하게.)

신림역에는 왜 그리 내리는 사람이 많은 걸까(나도 그 사람 많은 데에 공헌하고 있으면서 불평이다). 그야말로 생사를 건 듯한 경쟁을 뚫고 파김치처럼 풀어져 집에 도착, 한숨 돌리며 바보 상자를 켜면 이번엔 웬 젊은이가 나와 설친다.

"저는 이탈리아의 디자이너로 정했습니다. 1등이 아니면 살아남지 못하는 것 아닙니까?"

(야 임마. 니가 1등이냐? 1등도 아닌 자식이 설쳐, 설치긴.)

짜증이 나서 채널을 다른 데로 돌리면 이젠 나이드신 할아버지까지 동원되어 "하우 두 유 두?"를 설파한다. 나는 "내비둬, 그냥 이렇게 살다 죽을래" 하는 심정이 되어 신문을 펼쳐들고 피신한다. 그러나 도망갈 구석도 없다. 삼성그룹의 광고가 또 잘난 척을 하기 때문이다.

"2등은 아무도 기억하지 않습니다."

이쯤되면 문제가 심각하다. 인생의 본질을 다시 한번 생각해보지 않을 수 없다. "내비둬, 이렇게 살다 죽을래" 하고 도망갈 수만은 없는, 고등학교 2학년 때 완성했노라고 자부해온 내 인생관을 전면 재정비해야 하는 명제이기 때문이다. 공보처는 웬 순진해 보이는 젊은이를 동원하여 "1등이 아니면 살아남지 못한다"고 공포 분위기를 조성하고, 섬성그룹은 "2등은 아무도 기억하지 않는다"고 감히 증명까지 시도해가며 설치고 있으니 나는 자연히 과연 그런가를 생각해보지 않을 수 없다.

어떻게 해야 정부와 재벌 기업이 듀엣으로 떠들어대며 국민의 정신건강을 오염시키는 구호를 배출하는 작태를 중지시킬 수 있을 것인가. 당연히 나는 "1등이 아니어도 살아남을 수 있다"라는 명제와 "2등뿐만 아니라 그 밖의 무수히 많은 사람들도 기억하는 사람은 있다"라는 명제로 대항하는 것이 마땅하다. 그리고 내가 주장하는 명제들은 공보처나 삼성그룹이 떠들어대는 명제의 '부정(negation)'이니까 나는 그들이 주장하는 명제의 반례만 하나씩 들면 된다. 즉 1등이 아닌데도 살아남아 있는 사람의 예와 2등인데도 누가 기억하고 있는 사람의 예를 보여주면 되는 것이다. 그런데 공보처와 삼성이 주장하는 명제는 너무나도 엉터리라서 반례를 찾기가 너무 쉽기 때문에 나는 차라리 백 보 양보하여 내가 주장하는 명제가 그들이 내세우는 명제들보다 훨씬 더 합리적이라는 것을 자세히 설명해 보이겠다. 이제 정부와 재벌 기업은 국민을 훈계하려는 태도를 깊이 반성하고 더이상 국민의 정신건강을 오염시키지 않도록 조용히 입을 다물기를 바란다.

우선 둘째 명제부터 생각해보자. 과연 2등은 아무도 기억하지 않는 걸까? 삼성그룹 홍보팀은 친절하게도 베를린 올림픽 마라톤에서 대한 남아의 기개와 설움을 전세계에 알린 손기정 선수의 예를 들었다. "손기정 선수는 누구나 기억하지만 그때 2등을 한 영국의 하퍼는 아무도 기억하지 않는다"는 것이다. 이건 이미 자가당착적인 명제이다. 우선 삼성그룹 홍보팀이 기억하고 있지 않는가? 차라리 "손기정 선수는 누구나 기억하지만 그때 2등을 한 선수는 누구인지 아무도 모른다"고 하는 것이 조금 더 나을 뻔했다. 사실은 아무도 기억을 못 했었는데 광고를 만드느라고 자료를 찾다보니 겨우 알아낼 수 있었던 사실이라고 치자. 그렇다고 해도 하퍼 자신은 기억하고 있을 것이다. 하퍼는 사람도 아니란 말인가?

하긴 뭐, 어떤 자연수의 약수를 구할 때에도 1과 자기 자신은 그 수의 약수임엔 틀림이 없지만 왠지 찝찝한 느낌을 주는 것 또한 사실이니까 하퍼 자신은 빼기로 하자. 그래도 하퍼의 아내와 하퍼의 아들과 딸 등 가족들은 기억할 것이다. 설마 그럴 리야 없겠지만 하퍼는 아내도 아들도 딸도 없는 사람이었다고 해도 그의 아버지, 어머니는 기억할 것이다. 아버지, 어머니 없는 사람은 없을 것 아닌가? 그의 부모는 불행히도 그가 올림픽에 출전하기 전에 세상을 떴으므로 그가 은메달을 딴 것을 기억하지 못한다고 주장할 수도 있을 것이다. 그렇다면 명제가 수정되어야 한다. 여기서 2등은 하퍼니까 하퍼의 부모가 하퍼가 은메달 딴 것은 모를 수 있지만 어쨌든 하퍼라는 사람은 자기 자식으로서 기억할 것이므로 "2등은 기억하지 않는다"는 명제는 틀린 말이다. 따라서 "2등은 아무도 기억하지 않는다"가 아니라 "(하퍼가) 2등한 것은 아무도 기억하지 않는다"로 수정해야만 할 것이다.

이미 죽은 사람들 가지고 치사하게 나올 거냐고 반문한다면, 나는 자신있게 또다른 반례를 제시할 수 있다. 바로 1995년 11월 30일 현재 생존해 있는 것이 확실한 손기정 옹과 그때 하퍼의 뒤를 이어 3등을 차지한 남승룡 옹이다. 이렇게 수많은 반례가 있는데 저런 말 같지도 않은 말로 사람을 못살게 구는 재벌 기업의 저의가 대체 무엇이란 말인가?

나는 삼성그룹 홍보실이 위와 같은 수학과 논리학의 '쌩기초'도 모르고 있으리라고는 생각지 않으므로 삼성그룹이 그 광고문안 그대로를 주장했다고는 생각하지 않는다. 삼성그룹이 그 광고를 통해 우리에게 전해주고자 하는 메시지는 '2등의 삶'은 거의 의미가 없으니까 우리 다 같이 1등이 될 수 있도록 노력하자는 것쯤으로 이해해야 할 것이다. 즉 패배자는 아무도 기억하지 않을 정도로 그 삶이 의미가 없는 것이다. 그러니까 우리는 무조건 이기려고 기를 쓰자. 뭐, 이런 정도의 얘기일 것이다. 그래도 의문이 생긴다. '무조건' 이기려고 기를 쓰는 것도 마음에 안 들지만, '2등의 삶' 은 정말로 아무 의미가 없는 것인가 하는 의문이 생기는 것이다.

다시 베를린 올림픽 마라톤 얘기로 돌아가보자. 손기정 선수가 일장기를 가슴에 달고 쓰라린 가슴으로 베를린 시내를 달리던 베를린 올림픽 마라톤 경기에서 가장 강력한 우승 후보로 지목되던 선수는 아르헨티나의 자바라였다. 당시 공인이든 비공인이든 2시간 30분대 이내의 기록을 가지고 있던 선수는 손기정, 자바라 등을 포함, 손가락으로 꼽을 정도였다. 레이스 중반 자바라가 스퍼트를 하며 치고 나갔다. 손기정 또한 스퍼트를 하여 자바라를 따라 잡으려고 했다. 이때 하퍼가 옆에서 말렸다. 더운 날씨에 무리를 하면 완주도 못 할 테니 페이스를 조절하라고. 손기정은 그의 충고를 따라 자바라의 페이스에 말려들지 않고 자기 자신의 속도를 유지했다. 아니나 다를까. 자바라는 35km 지점을 넘기지 못하고 기권을 했고, 손기정은 레이스 종반에 스퍼트하여 하퍼를 따돌리고 단독 질주, 감격의 우승을 차지했다. 손기정 옹은 그 뒤로도 두고두고 하퍼의 충고를 고마워했고 스포츠 정신의 귀감으로 이 이야기를 전해준다고 한다. 이래도 하퍼의 2등은 아무 의미도 없다고 주장할 수 있는가?

우리는 역사상 수많은 '2등' 을 안다. 카르타고의 영웅 한니발, 오나라의 지장 주유, 백제의 마지막 충신 계백 장군, 그리고 모차르트와 같은 천재적 재능은 없지만 그의 천재성을 알아볼 만큼만의 재능을 지넜기에 괴로워했던 살리에리까지. 한니발은 아버지의 원수를 갚으려고 로마와 정면 대결, 코끼리 부대를 끌고서 알프스를 넘는 귀신 같은 작전으로 로마를 압박해갔지만 결국 보급의 열세로 스콜피오와의 대결에서 패배하고 한 많은 인생을 스스로 마감하고 만다. "하늘이시여, 어찌하여 주유를 내시고 또 공명을 내셨나이까"라고 한 주유의 절규처럼 '2등'의 아픔을 진하게 전해주는 것이 또 있을까? 백제를 침공한 나당 연합군과 최후의 결전을 벌이러 나가면서 노예의 운명을 피하기 위해 자신의 가족을 베고 나간 계백 장군도 결국 황산벌 싸움에서 패배하고 전사하고 말았다. 그리고 국왕을 비롯한 거의 모든 빈의 시민들이 자신을 당대 최고의 음악가로 인정하고 있는 마당에 그 자신만이 모차르트의 천재성을 알아보고 끝까지 괴로워해야 했던 '2등' 살리에리.

이렇게 2등의 삶이란 가슴 아픈 것이기도 하다. 그들은 아쉽지만 '2등'이었고, 살리에리의 경우를 제외하고는 실제로 '살아남을 수' 없었다. 치열한 전장에서 2등이란 결국 패배를 의미하고, 패배한 장수는 살 길이 없었기 때문이다. 그러나 그렇게 치열했던 그들의 삶까지도 아무 의미가 없었다고 얘기할 수 있는가? 그들은 역사상의 패자였을 뿐이다. 비록 1등은 아닐지언정 자신에게 주어진 삶의 마지막까지를 치열하게 불태운 그들의 삶은 승자의 삶만큼이나 우리에게 소중한 의미인 것이다.

대만 출신 백만장자의 성공 비결

이제 공보처가 주장하는 "1등이 아니면 살아남지 못한다"는 명제를 생각해보자. 당장 그 광고에 등장하는 자동차 디자이너 자신의 목표가 이탈리아의 디자이너인 것을 보면 그가 1등이 아닌 것이 분명하고, 또한 그가 팔팔하게 살아 있는 것이 분명하니까 공보처의 주장이 억지임을 금방 알 수 있다. 그렇게 숨만 쉬고 살아가는 것말고 진정한 의미에서의 삶을 얘기하는 것이라고 나의 착각을 지적해준다면 고맙게 받아들인다. 그래도 그 광고 모델의 자동차 디자이너로서의 인생이 결코 죽어 있는 걸로 보이진 않으니까 1등이 아니라고 해도 살아남을 수 있다는 반례를 그 스스로 증명하고 있다.

공보처가 주장하는 명제가 사실임을 증명하기 위해 그 디자이너가 기어이 1등이 된다거나 아니면 1등이 못 되었다는 이유로 디자이너 일을 아예 그만둔다 해도 그걸로는 증명이 되지 않는다. 그 디자이너가 기어이 1등이 된 뒤에도 자기 아닌 다른 모든 디자이너가 '죽는다'는 것을 증명해야 하고, 그가 디자이너 일을 때려치운다 해도 그말고도 1등을 꿈꾸는 다른 디자이너가 계속 쏟아져나올 테니 나는 언제든지 공보처의 주장을 뒤집을 수 있는 반례를 수도 없이 들 수 있다.

그러나 그러한 얘기는 이미 아까 충분히 했고 심심한 사람은 삼성그룹의 광고가 옳은 명제가 아님을 증명한 방법을 참고하면 공보처의 광고 또한 옳은 명제가 아님을 쉽게 증명할 수 있을 것이다. 이러한 것들은 수도 없이 많은 방법으로 증명할 수가 있으니까 우리는 괜히 그걸 다시 증명하느라고 애쓰지 말고 이왕 얘기가 나온 김에 1등이 아닌 사람은 어떻게 살아야 그 인생이 의미가 있을 것인지를 한번 생각해보기로 하자. 공보처가 그런 광고로 국민들을 못살게 구는 저의가 도대체 무엇인지는 모르겠지만, 사실 그런 질문은 1등은 결코 될 수 없는 우리들 자신이 스스로에게 가끔씩 던져보는 진부한(?) 주제이기 때문이다.

어느 날 내가 가르치는 대학 2학년 학생이 내 방에 찾아왔다.

"무슨 일이지?"

"선생님, 대학에서의 사제지간과 중고등학교에서의 사제지간이 어떻게 달라야 한다고 생각하세요?"

아니, 웬 선문답?

"무슨 말이 하고 싶은 건데?"

"중고등학교 때는요, 담임 선생님도 있구요, 또 선생님들이 항상 교무실에 계시니까 저희들이 찾아가서 이것저것 여쭤볼 수도 있고요……"

"대학교에도 지도교수가 있고, 또 우리들도 연구실에 앉아 있잖아.

일일이 찾아다녀야 하는 번거로움이 있긴 하겠지만."

"그래도 아무래도 교수님 하면 거리감이 느껴지고요, 또 연구실에 찾아와도 안 계실 때가 많은걸요."

아니, 웬 함정? 이 녀석이 누굴 놀리는 건가? 너, 지금 내 얘기를 하는 거냐? 나는 강의가 있거나, 교수 회의가 있거나, 세미나가 있거나, 학생들과 같이 칠판 앞에서 토론할 일이 있거나, 특별 강연이 있거나, 수학 연구소에서 처리해야 할 잡무가 있거나, 애들이 아파서 병원에 데리고 가야 하거나, 자연대 축구부 연습 시간이거나, 마침 토요일인데 수학과 박사 과정 학생이 결혼을 한다거나, 친구의 아버님이 갑자기 돌아가셨거나 하는 '극소수의 경우'를 제외하고는 언제나 연구실에서 '학문 연구'에 매진하고 있는데.

"야, 빙빙 돌리지 말고 빨리 하고 싶은 얘기나 해라. 바빠 죽겠는데."

아이구, 또 실수. 학생이 머뭇거리다가 어렵게 찾아왔는데 바쁘다고 투덜대면 더욱 어렵고 미안해서 다음엔 아예 찾아오기를 그만둘 게 아닌가.

"그러게요. 교수님들은 항상 바쁘신 것 같고, 방해하기도 미안하고……"

녀석이 지체없이 실수한 틈새를 파고든다. 이럴 땐 국면을 전환하는 것이 상책이다.

"어, 내가 가르쳐준 부등식 잊어버렸어? '선생님 ≫ 교수님 > 형님'이라고 했지? 아예 형님이라고 불러라."

"교수님, 아니, 선생님. 학교 다니실 때 공부 잘하셨어요?"

이건 사생활 침해다. 그리고 이런 질문은 정답이 없다. 바로 요런 걸

진퇴양난이라고 한다. 공부를 잘했었다고 대답하면, 학생은 "역시 공부는 어렸을 때부터 잘하는 학생들이 잘하는구나. 나는 현재 공부를 잘하지 못하니까 장래에 희망이 없다"라고 쉽게 단정하고 더이상의 노력을 포기하기 쉽다. 그 반대로 공부를 못했었다고 대답하면 "야, 저 선생님은 학교 다닐 때 공부를 더럽게 못했었는데도 서울대 교수가 된 것을 보면 나도 계속 놀아도 되겠다"고 신이 나서 단정짓고 그동안 이미 충분히 놀았음에도 더욱 노는 길로 일로매진할 것이 아닌가. 게다가 이 녀석은 어제 강의중에 보니 헤어스타일을 바꾸었던데, 갑자기 불가에 귀의할 생각이 들 만큼 인생에 깊은 회의를 느꼈거나 아니면 여자친구랑 헤어졌거나 무언가 결정적인 사건을 겪고 나서 삶의 전기를 찾아 헤매는 모양이다. 요럴 때 자칫 잘못 얘기하면 인간 하나 타락시킬지도 모른다. 조심하자. 이럴 땐 "케사르의 것은 케사르에게, 하느님의 것은 하느님에게"라고 하셨던 예수님의 두루뭉실 수법이 최고다.

"난 성적은 좋았지만 공부는 잘하지 못했어."

"그게 그 얘기 아니에요?"

"아니지. 시험은 벼락치기로도 잘 볼 수 있지만, 학문의 진수는 진지한 태도로 충분한 시간을 투자해야만 맛볼 수 있는 것이니까 천양지차이지."

사실이 그렇다. 중고등학교 때도 마찬가지이겠지만 특히 대학에서는 시험 성적보다는 학문의 진수를 느끼고 배우는 것이 매우 중요하다. 나는 이러한 진리를 대학 3학년이 되어서야 배웠다.

내가 대학 3학년 때 복소변수 함수론 시험을 하루 앞두고 문제 찍기에 여념이 없는데, 지금은 선문대학의 조교수로 있는 이정근이라는 친구가 시험에 나오지도 않을 긴 정리를 붙잡고 씨름하고 있는 것이 아닌가. 물론 그 정리는 복소변수 함수론에서는 가장 중요한 정리 중의 하나라고 할 수 있지만, 그렇게 증명이 몇 페이지씩 되는 긴 것은 시간 제약 때문에 시험 문제로 출제될 수 없는 것이다. 그런 건 결론만 외고 넘어가는 것이 벼락치기의 요령이다. 나는 그 촌놈을 구원하기 위해 점잖게 충고했다.

"얌마, 그런 건 시험에 안 나와."

"그런데 아직 진수를 파악하지 못했어."

나는 그 순간 골 포스트에 머리를 부딪히는 듯한 충격을 받았다. 내가 그때까지 이것저것 바쁘다는 이유로 간과하고 있던 것, 즉 대학 생활에서 가장 중요한 일은 학문의 진수를 느끼고 배우는 일이라는 평범한 진리의 무게가 내 머리를 강타한 것이다.

"선생님, 주위를 둘러보면 머리 좋은 애들이 너무 많아요."

"그렇지."

서울대학교에는 정말로 우수한 학생들이 많다. 소위 '천재들의 무덤'을 만들지 않으려면 정말 정신 차리고 가르쳐야 한다. 그래서 우리가 강의 부담이 많다고 우는 소리를 하는 것이 아니냐? 그런데 너는 지금 무슨 말을 하고 싶은 거냐? 고향이 충청도인가, 왜 그렇게 말을 빙빙 돌리는 거냐? 마음이 급해진 나는 속으로 투덜댄다.

"선생님, 저희들이 공부하는 데 재능이 얼만큼 중요하다고 생각하세요?"

"재능? 물론 중요하지. 그러나 제일 중요한 것은 아니야."

"그래두요. 똑같이 노력했을 경우 재능 있는 사람이 훨씬 더 잘하는 것은 당연하잖아요?"

"응, 당연하지."

나는 뭔가 말려들고 있다고 생각했지만 사실을 부인할 수는 없으므로 그냥 말려들기로 했다.

"그러니까 공부는 그런 재능 있는 사람들에게 맡기고 저는 다른 길을 찾아야 할까요?"

이 자식이? 이젠 알았다. 이 학생이 고민하는 것은 수학자라면 거의 다 거의 매일같이 던지는 질문이다. 수학이란, 다른 학문도 다 마찬가지이겠지만(정말 그럴까?), 본질적으로 어려운 학문이어서 수학자라면 누구나 그 어려움의 무게에 짓눌리게 마련이다. 게다가 세상엔 웬 천재들이 그렇게 많은지 수학은 저런 사람들이나 해야 하는 것이고 나는 다른 평범한 일(그런 게 과연 있긴 있을까?)을 해야 하나보다고 자조하게 될 때가 많다.

어렸을 적부터 귀에 못이 박히도록 들어온 머리 좋고 노력하지 않는 사람보다는 머리는 좀 뒤떨어지더라도 노력하는 사람이 성공한다는 선생님의 말씀은 사실 아무 쓸모 없는 얘기다. 대부분의 경우 머리 좋은 놈이 노력도 더 한다. 동화책 속에서는 세상일이 공평해서 토끼가 낮잠도 자고 교만하기도 하지만, 냉정한 현실에서는 불공평하게도 토끼가 낮잠도 자지 않고 방심하지도 않고 결사적으로 뛰어가니 상대적으로 게으르고 재능 없는 거북이는 도대체 어쩌란 말인가? 치사하게 달리는 토끼의 다리를 걸 수도 없고 강제로 수면제를 먹일 수도 없고 그저 멍하니 바라볼 수밖에 없을 때가 많다. 그리고 그렇게 불공평한 것이 세상인 것이다.

그렇지만 재능이 없으면 아무리 좋아하는 것이라도 그만두는 게 나은 걸까? 도대체 재능이란 또 무엇일까? 재능보다는 좋아하는 마음이 더 중요한 게 아닐까? 그런데 재능도 나보다 더 뛰어난 놈이 노력도 더 하는 것처럼 좋아하는 마음도 나보다 더 강렬할 경우는 또 어떻게 할 것인가?

나는 어쨌든 선생이므로 자기도 사실은 잘 모르면서도 무언가 아는 척하고 결론을 내려줘야 한다. 나는 내가 미국 노트르담 대학교에서 조교수 생활을 할 때 인상깊게 들었던 어떤 강연을 인용해주었다. 그 사람은 대만 출신의 사업가인데 마침 자기 딸이 노트르담 대학교의 학생이었으므로 그 학교의 아시아 학생모임에 와서 '성공의 비결'이란 제목으로 강연을 하게 된 것이다. 그 사람은 일찍이 스물한 살 때 장사에 성공하여 백만장자가 되었다고 한다. 그렇게 돈 버는 일만 강조하는 사람은 왠지 적성에 맞지 않아서 별로 좋아하지 않지만, 어쨌든 들어보기로 했다.

그는 우선 자기가 가장 존경하는 사람은 선생님과 사업가라는 말로 이야기를 시작했다. 선생님들은 자기들의 머릿속에 있는 지식을 다른 사람들 머릿속으로 옮겨주는 것이 직업이니 그 얼마나 거룩하고 훌륭한 사람들이냐는 것이다. 그리고 사업가는 선생님과는 달리 다른 사람들의 주머니에 있는 돈을 '다른 사람들 스스로' 자기 주머니 속으로 옮겨놓도록 만드는 신기한 재주를 지니고 있으니 그 얼마나 위대하고 숭고하냐는 것이다. 그런데 자기는 왠지 모르게 '내 것을 남에게 주는 것보다는 남의 것을 내 것으로 만드는 데 더 흥미를 느껴서(지가 무슨 놀부인가?)' 사업가가 됐다고 했다. 나는 괜히 놀림을 당한 것 같아서 약간 기분이 상했지만 계속 듣기로 했다.

원래 사업가란 인종이 세계적으로 다 한 가지인 것인지 그가 얘기하는 성공의 비결이란 우리들도 사실 익히 들어서 잘 알고 있는 것이 많았다. 예를 들면 물이 컵에 정확히 반이 들어 있을 때 물이 반밖에 없다고 하느냐 아니면 반이나 있다고 하느냐 하는 것으로 사람이 낙관적이니 비관적이니, 또는 긍정적인 태도를 가졌느니 부정적인 태도를 가졌느니 하는 식의 결론을 내리려 드는 우리 '왕회장님 스타일'의 비결들 말이다. 나야 물론 사람이 긍정적이어야 할 때는 긍정적이어야 하고 부정적이어야 할 때는 부정적이어야 한다고 생각하는 대단히 합리적인 사람이니만큼 그런 식의 언술에 호락호락 넘어가진 않는다. 그런 식의 비결이란 대체로 귀에 걸면 귀걸이 코에 걸면 코걸이 식이어서 실제 생활에 응용하는 데엔 어려움이 많기 때문이다. 그러나 그가 했던 다음의 두 가지 얘기를 나는 나름대로 상당히 감명 깊게 들었고, 그리고 나 자신이 그대로 실천하려고 애쓰고 있다.

대만에서 사업가로 성공한 그는 누이의 조언에 따라 미국으로 진출한다. 그가 처음에 벌인 사업은 대만에서 타이어를 수입하여 싼값에 파는 일이었다. 그런데 사람들이 자기 타이어 값이 다른 것보다도 싼 것이 분명한데도 불구하고 자신이 파는 타이어는 사지 않고 미셸린, 굿이어 등 유명 상표의 타이어만 사는 것이었다. 대기업과의 경쟁이 아예 처음부터 상대가 되지 않는 일이라는 것을 절감할 수밖에 없었다. 평생 처음으로 사업이 망해버릴 위기에 처한 그는 실의에 빠진 채 샌프란시스코에서 로스앤젤레스로 가는 비행기에 올라탔다. 물론 자신의 사업과 인생에 대한 무거운 걱정도 함께 가지고 탈 수밖에 없었다.

그때 갑자기 어떤 영감이 섬광처럼 떠올랐다. 지금 자신이 타고 있는 비행기는 샌프란시스코와 로스앤젤레스 사이만을 왕복하는 작은 항공사의 비행기이다. 그 항공사는 유나이티드나 아메리칸 에어나 하는 대형 항공사와의 경쟁에서 어떻게 살아남을 수 있었을까? 그 비결은 대형 항공사가 미처 신경을 쓰지 못하는 국지 노선에 전념하여 자기 자신의 전문성을 확보한 데 있는 것이었다. 그는 무릎을 치며 새로운 희망에 넘쳤다.

그는 생각했다.

'나는 대기업을 거느리고 있는 것이 아니다. 따라서 대기업과의 정면 승부는 승산이 없다. 내가 대기업과의 경쟁에서 전문성을 확보할 수 있는 분야는 무엇일까? 여기는 대만과는 전혀 다른 미국이다. 즉 미국에는 보트를 가지고 있는 사람들이 많다. 그들이 그 보트를 타고 즐기기 위해서는 어쨌거나 강이나 호수 또는 바닷가까지 그 보트를 끌고 가야 한다. 제 아무리 그 보트가 크고 훌륭한 모터보트일지라도, 아니 모터보트 할아버지라도 물이 있는 곳까지는 자동차가 끌고 가야 한다. 자동차가 그 보트를 끌고 가려면 보트에 바퀴가 있어야 하고, 그 바퀴에는 필연적으로 타이어가 필요하다. 고로 나는 보트용 타이어에 집중해야 겠다.'

그 다음부터야 뻔한 이야기이다. 이렇게 보트용 타이어로 전공 과목을 정한 그는 그 즉시 사업을 변경, 그전의 손해를 모두 만회하고 다른 사람의 주머니에 있는 돈을 자기 주머니에 옮겨놓는 일에 대성공을 거두었다는 이야기이다.

그 사업가에게서 내가 감명 깊게 들은 또다른 얘기는 젊음에 관한 것이었다. 어느 날 그가 자신의 회사 창고 근처를 지나는데 자기 회사 직원 한 명이 친구에게 푸념을 하고 있더라는 것이다.

"나는 벌써 스물다섯 살인데 돈도 없고 집도 없고 아무것도 가진 것이 없다."

그는 그들을 지나쳐 100미터쯤 가다가 되돌아가서 그에게 이렇게 말했다고 한다.

"너는 스물다섯 살인데 돈도 없고 집도 없고 아무것도 가진 것이 없느냐? 나는 마흔아홉 살인데 돈도 많고 집도 있고 예쁜 아내도 있고, 가진 것이 매우 많다. 우리 그럼 내가 가진 것을 다 너에게 줄 테니 네 스물다섯 살의 나이와 내 마흔아홉 살의 나이를 맞바꾸자."

(나 같으면 그래도 예쁜 아내까지 바꾸자고는 안 하겠다. 나중에 집에 가서 어떤 꼴을 당하려고 '간 큰 남자' 흉내를 내겠는가?)

그 다음 얘기야 또 뻔한 얘기이다. 젊음이, 그 가능성이 다른 무엇보다도 소중하다는 것, 자신들이 가지고 있는 젊음의 소중한 가치를 잘 인식하고 열심히 노력하라는 것, 뭐 대충 이런 얘기들이었다. 그러나 나는 그때 비록 뻔한 얘기였지만 겸허한 마음으로 내 스스로에게 다짐했다. 나는 이미 스물다섯 살은 넘어 있지만 아직 마흔아홉 살은 아니니까 아직은 야망을 불태울 수 있는 젊은 나이이다. 따라서 마흔아홉 살의 성공과 나 자신의 가능성을 맞바꾸는 따위의 어리석음을 범하지는 않겠다고. 하물며 아직 스물다섯 살도 되지 않은 대학 2학년생이야 그 무한한 가능성을 '널러 무삼하리오'.

나는 지금도 내가 아직 대학원생이던 88년 12월 노스캐롤라이나 주립대학교에서 열린 학회에 참석했던 일을 생생하게 기억한다. 그 학회는 주제가 '캐츠-무디 대수와 물리학'이라는 것이었는데 캐츠-무디 대수의 주인공인 미국 MIT의 빅토르 캐츠 교수와 캐나다 알버타 대학교의 로버트 무디 교수가 모두 참석하여 5일 동안 집중 강연을 하고, 다른 '뺀데기들'이 한 시간씩 발표를 하는 형식으로 진행되었다.

내 학위 논문의 주제가 바로 캐츠-무디 대수의 구조였으니 내가 그들을 직접 만났을 때 얼마나 촌티를 냈을지는 상상하기 어렵지 않을 것이다. 아마 우리나라 국회의원들이 미국에 가서 미국 상하원 의원들을 만나서 사진을 찍고 법석을 떨고 오는 것 정도를 생각하면 될 것이다.

도대체 학회라고는 그것이 첫 경험이었던 나는 교과서나 논문을 통하여 알던 사람들을 직접 보고 얘기를 나누는 것이 너무나 신기해서 하룻강아지 범 무서운 줄 모르고 '방방 뜨고' 다녔다. 그러나 아무리 하룻강아지라도 하루만 더 지나면 이틀강아지가 되는 것이니 바로 어제 방방 뜨고 다니던 자신이 사실은 얼마나 어리석은 하룻강아지였던가 하는 것은 금방 알게 되는 것이다. 내가 첫날의 하룻강아지에서 벗어나 사흘강아지쯤 됐을 무렵, 무디 교수와 식사를 하고 내가 풀지 못하고 고민하던 문제를 상의할 기회가 있었다. 이런저런 수학 얘기가 끝나고 서로 가벼운 얘기를 나누게 되었는데(나에게는 매우 무겁게 느껴졌지만) 무디 교수가 대뜸 학회에 처음 참석해보니 소감이 어떠냐고 묻는 것이었다. 나는 세상엔 재능 있는 수학자들이 너무 많은 것 같아서 기가 죽는다는 대답을 했다. 그랬더니 무디 교수가 한숨을 쉬며 "정말 그렇다"고 동의하는 것이 아닌가. 당시만 해도 내게는 하늘처럼만 보이던(지금이라고 그 격차가 많이 좁혀진 것 같지도 않지만) 무디 교수가 한숨을 쉬면서까지 그렇게 말하는 것을 보며 나는 잠시 혼란에 빠졌다. 그때 무디 교수가 한마디 덧붙였다. "그러나 그들이라고 해서 모든 일을 혼자서 다 할 수는 없는 것"이라고.

정말 '고수의 세계'는 끝이 없는 것이어서 아무리 뛰어난 사람도 자신보다 뛰어난 사람을 반드시 만나게 된다. 그러나 아무리 뛰어난 사람이라도 혼자서 모든 것을 다 할 수는 없는 것이다. 반면에 아무리 재능이 없는 사람이라도 자기가 좋아하는 일에 대해 뜨거운 열정을 가지고 충분한 노력을 쏟는다면 누구나 자신이 보람을 느끼고 애정을 가질 만한 일 몇 가지쯤은 이룰 수 있을 것이라고 생각한다. 그리고 그것이 바로 '1등이 아닌 사람들' 이 살아남을 수 있는 길이 아니겠는가.

〈도둑놈 심뽀〉라는 영화

여러 해 전, 동생에게 요즘 어떤 영화가 재미있느냐고 물었더니 〈옛날 옛적 미국에선〉과 〈도둑놈 심뽀〉라는 영화가 재미있단다. 도대체 무슨 영화 제목이 그 모양인가 했더니 〈Once upon a Time in America〉와 〈Thief of Hearts〉를 그런 식으로 말한 것이었다. 불행히도 그 당시에는 두 영화 모두 볼 기회가 없었는데, 그후 유학생 시절 텔레비전에서 〈도둑놈 심뽀〉를 감상할 기회를 갖게 되었다. 스티븐 베일러와 바바라 윌리엄스가 주연한 이 영화의 스토리는 대강 다음과 같다.

어느 부잣집에 도둑이 들었다. 그 집 주인은 아주 성공한 저널리스트이고 그 부인은 인테리어 디자이너로 일하는 매우 아름다운 여인이었다. 그런데 그 여인은 남편에게도 비밀로 쓰는 일기책이 있었다. 나는 사실은 이런 무드를 좋아하는데 남편은 도대체 몰라준다는 등 한 여인의 섬세하면서도 복잡한 심정이 모두 적혀 있는, 즉 그 여인의 마음의 모든 비밀이 나타나 있는 그런 일기책이었다. 게다가 이 여인은 화냥기가 좀 있는지(영화니까) 자기가 좋아하는 이상적인 남자의 스타일을 시시콜콜히 적어놓기까지 했다. 그런데 불행하게도 이 도둑놈이 집 안에 걸려 있는 여인의 초상화에 그만 넋이 나가고 말았다. 그래서 훔치라는 돈과 보물은 안 훔치고(사실은 그런 건 그런 것대로 다 훔친 후에) 그 여인의 초상화와 함께 쓸데없는(그러나 나중엔 쓸데가 많아진) 일기책마저 훔쳐갔다. 그 일기장이 자신에게 가져다줄 재앙은 전혀 모른 채.

자신의 방 벽에 그 여인의 초상화를 걸어놓고, 여인의 일기장을 읽으면서 때때로 여인의 초상화를 바라보며 점점 넋이 빠져가는 '프로페셔널' 도둑놈의 타락해가는(?) 과정을 지켜보는 것은 실로 안타까운 일이었다. 이 불쌍하고 순진한 도둑놈은 초상화에 그려진 그 여인의 매혹적인 아름다움과 일기장에 자세히 적혀 있는 여인의 휘황한 매력에 사로잡혀 끙끙 앓다가 급기야는 자기가 그 일기장에 묘사되어 있는 대로 그 여인이 원하는 '백마 타고 나타나는 왕자님'이 될 마음을 먹는다.

마법의 열쇠는 자신의 손아귀에 있겠다, 훔쳐놓은 돈도 많겠다, 아버지로부터 수많은 유산을 물려받은 사업가로 자신을 가장한 이 도둑놈은 일기장에 나와 있는 대로 하나하나 실천하여 여인의 마음을 사로잡는 데 성공, 드디어 불륜의 사랑을 시작한다.

그러는 한편 여인은 처음엔 자기 자신의 모든 것을 알아주는 듯한 도둑놈에게 마음이 홀려서 헬렐레 지낸 것까진 좋았는데 자신은 그에 대해 아무것도 모른다는 사실을 깨닫고 불안해지기 시작한다. 도둑놈은 도둑놈대로 친구 도둑놈과 한탕을 하다가 친구 도둑놈이 경찰을 죽이는 바람에 위기에 빠진다. 다급해진 그는 이 기회에 손을 씻고 '진실로 사랑하는' 그 여인과 함께 도망하여 '저 푸른 초원 위에 그림 같은 집을 짓고', 즉 자신의 허름한 보트 위에서 그 여인과 함께 한평생 살겠다는 그야말로 야무진 꿈을 갖고 그 여인의 집으로 쳐들어간다.

그때쯤이면 그 여인의 남편도 정신을 차려서 자기 마누라의 상대가 암흑가의 나쁜 놈이란 것을 알아내고 물불을 가리지 않고 아내를 지키기 위해 집으로 돌아온다. 그때는 이미 도둑놈과 그 여인 사이에 심각한 대화가 오고갈 때였다. 도둑놈은 같이 도망가자고 하고, 여인은 나는 널 모른다고 하고, 도둑놈은 다시 너만큼 날 아는 사람은 없다는 둥, 무엇보다도 중요한 것은 내가 널 안다는 것이라는 둥 떠들어대다가 여인이 도둑놈의 비밀, 즉 도둑놈이 여인의 비밀의 일기장을 훔쳐간 놈이라는 것을 알게 된다. 그 사실을 알고 '환장한' 여인이 고래고래 소리를 지르려는 순간 남편이 돌아와서 도둑놈에게 달려든다. 그러나 저널리스트가 무슨 싸움을 할 줄 알겠는가. 기세 좋게 달려들었던 남편은 프로페셔널 도둑놈에게 신나게 얻어터지고, 도둑놈은 의기양양하여 "네가 이 여인에 대해서 무얼 아느냐"고 큰소리치며 그 여인의 일기의 한 구절을 봉독한다. 그러나 안타깝게도 여인은 자기 남편의 팔짱을 끼며 "저건 모두 거짓말"이라고 말한다.

믿는 도끼에 발등을 찍힌 도둑놈은 여인의 놀라운 배신에 "믿을 수 없다"는 소리를 중얼거리며(이런 게 '적반하장'의 어원인가보다) 집을 물러나오고 여인은 남편과 깊은 포옹을 한다(이럴 때 남자들은 싸움을 잘하는 게 좋은지 못하는 게 좋은지 헷갈린다. 아아, 불쌍한 남자의 운명이여).

아직 미련이 남은 도둑놈은 다음날 밤 한 번 더 찾아와 마지막으로 그 여인의 일기장을 읽으며 눈물을 흘리다가 친구 도둑놈과 조우, 한바탕 싸움 끝에 칼에 찔리고 만다. 그 순간 하필이면(영화니까) 여인과 남편이 화해의 저녁을 즐기고 돌아온다. 도둑놈은 생명이 위험한 여인을 살리기 위해 친구 도둑놈을 쏘아 죽인 후, 여인을 뒤돌아보고 또 돌아보며 떠나는 그렇고 그런 스토리의 영화이다.

이 영화의 제목을 올바르게 번역하자면 〈마음을 훔친 도둑〉쯤이 좋을 것이다. 물론 여러 해 전 〈씨프 하트〉라고 선전되어진 것보다는 〈도둑놈 심뽀〉가 훨씬 낫지만,

사람들이 똑같은 책을 읽어도 밑줄 치는 곳이 다른 것처럼, 내가 그 영화를 보고 밑줄 친 곳은 원작자의 의도와는 전혀 상관없는 곳이었다. 이 도둑놈이 드디어 이 여인의 왕자가 되기로 하고 슈퍼마켓에서 일부러 부딪혀서 일기책에 나온 대로 멋있게 보이는 등 여러 가지 술수를 부려 여인의 마음을 사로잡은 후 첫 데이트 약속을 한 곳은 화려하고 멋진 어느 으리으리한 요트 앞이었다. 나는 그때 그가 커닝이나 하는 무척 치사한 놈이라고 생각했으므로 몹시 배알이 꼴렸다. 아니나 다를까, 이 정신 나간 여자는 그 으리으리한 요트 앞에서 온갖 감탄사를 연발하더니 이렇게 멋진 요트가 네 것이냐고 묻는 것이었다. 치사한 자식, 바보 같은 년 하며 투덜대던 나는 그 도둑놈의 예상을 뒤엎는 대답에 매료되어 그놈의 대답을(즉 '도둑놈 심뽀' 를) 내 인생의 좌우명의 하나로 삼고 말았다.

"와, 이건 정말 아주 멋있고 아름다운 요트인데요!"

"그런데 이건 제 것이 아니에요. 제 것은 저기 있는 저겁니다."

그가 가리킨 것은 정신 나간 여자가 온갖 감탄사를 연발하던 크고 으리으리한 것이 아니라 아담한 사이즈의 그저 그렇고 그런 보트였다. 당황한 여인은 좁은 보드를 따라 걸으며 변명한다.

"난 정말 바보 같았어요. 왜 그 요트가 당신 것이라고 생각했을까요?"

(왜긴 왜 그랬겠냐? 네가 정신이 나가서 미리부터 그 도둑놈이 아주 커다란 부자일 것이라는 허황된 기대를 가지고 있었기 때문이지.)

도둑놈은 산뜻하게 덧붙인다.

"물론 이건 그 요트처럼 크고 화려하진 않습니다. 그러나 이건 (남의 것이 아닌) 내 것입니다."

내가 밑줄 친 부분이 바로 이 부분이다. 나는 초가집을 짓더라도 자기 집이 있는 것이 중요하다고 생각하는 사람이다. 학생들, 특히 대학원 학생들에게는 학문이란 자기 나름의 집을 짓는 것이지 다른 사람들이 지은 집들이나 감상하며 이 집은 어디가 어떻고 저 집은 어디가 어떻고 하는 식으로 평가나 하는 것이 아니라고 말하곤 한다.

사람은 누구나 다르게 태어났다. 타고난 능력도 자라난 환경도 그리고 정신적 물질적 자산도 모두 다르게 태어났다. 어차피 인생은 불공평한 것이다. 이러한 것을 인정하고 나면 아무리 훌륭하고 뛰어난 것이라고 해도 그저 남의 것의 뒤만을 졸졸 좇아가는 것이 얼마나 어리석은 일인지는 금방 알 수 있을 것이다. 중요한 것은 아무리 작고 보잘것없는 것이라도 자기 자신만의 느낌, 자기 자신만의 색깔이 나타나는 집을 짓는 것이다.

누구나 화려하고 으리으리한 요트를 가질 수는 없다. 그러나 자신이 하는 일에 애정을 가지고 충분한 열정으로 노력을 기울인다면, 비록 옆에 있는 요트처럼 으리으리하고 화려한 요트는 아닐지라도 자신에게 알맞은 아담하고 깔끔한 작은 요트 한 척쯤은 가질 수 있을 것이다. 그리고 그 요트에 대한 애정은 으리으리하고 화려하지만 결국은 남의 것인 옆의 요트에 비할 바가 아닐 것이다.

4부 아름다운 승부의 조건

상대방은 적이 아니다

운동에서 상대방은 '적' 이 아니다. '적' 이라면 반드시 무찔러 쓰러뜨려서 없애버리는 것이 당연한 목표일지도 모르지만, '상대방' 은, 비록 승부를 놓고 치열하게 다투기는 하지만, '같이 더불어' 하나의 멋진 경기를 만들어나가는 '동반자' 인 것이다. 경기중에는 서로 최선을 다해 이기려고 혼신의 힘을 다하고, 경기가 끝난 후에는 멋진 게임을 하나 만들어냈다는 사실만으로 만족할 줄 아는 자세, 그것이 바로 스포츠맨십이며, 그것이 바로 경기가 끝난 후 서로 얼싸안고 축하하며 격려하는 이유인 것이다. 그리고 이렇게 멋진 승부를 보여주는 것이 농구를 비롯한 모든 스포츠가 우리 사회에 존재하는 가장 큰 의미이다.

체육인들은 물론 이렇게 승부에만 집착하는 빗나간 현상을 승리만을 강조하는 구단주와 구단 관계자들의 탓으로 돌릴 것이다. 실제로 운동이 무엇인지 스포츠맨십이 도대체 어떻게 생겨먹은 것인지 전혀 모르는 채 그저 자기 회사 선전에 도움이 되어 돈이나 버는 것이 운동부를 자기 회사에서 육성하는 이유라고 생각하는 한심한 구단주도 있을 것이다. 경기에서 지고 난 후 선수들끼리 서로 악수하고 상대방을 칭찬하며 웃는 얼굴로 헤어지면 몇몇 무식한(?) 단장들은 선수들에게 "너희들은 밸도 없느냐? 어떻게 경기에 지고서도 상대방 선수들과 시시덕거릴 수 있느냐?"는 식으로 선수들을 윽박지르기도 한다고 한다. 참으로 '무식한' 소치이다. '승부근성'이란 그렇게 해석하라고 있는 게 아니다. 자기가 최선을 다해서 졌으면 그만이지 경기 후에 상대방과 악수도 하지 않고 서로 째려보고 헤어진다고 해서 진 경기가 이겨지는가? 비록 가슴 깊은 곳까지 아픔을 느끼는 쓰라린 패배라지만 다음 기회를 기약하며 상대방에게 의연하게 축하를 해줄 수 있는 자세, 그것이 바로 진정한 승부 근성인 것이다.

이렇게 무식한 구단주나 단장들이 구단의 전권을 장악하고 구단의 운명을 좌지우지하는 현실은 우리나라 체육계를 위해서, 더 나아가 우리 사회 전체를 위해서 참으로 안타까운 일이고, 하루빨리 고쳐져야 하는 일이다. 그렇다면 이러한 병폐를 고칠 수 있는 가장 합리적인 길은 대체 무엇일까? 어떻게 하면 승부에만 집착한 나머지 일어나서는 안 될 폭력 사태가 코트에서 횡행하는 일 따위를 방지할 수 있을까?

나는 결국엔 체육인들 스스로가 자신들이 지켜나가야 하는 의미의 중요성을 뼈저리게 자각하고 똘똘 뭉쳐 다른 외압을 이겨내야 한다고 생각한다. 구단주가 제아무리 무식(?)하다고 해도 구단주가 경기하는 것은 아니다. 어디까지나 경기는 선수들이 하는 것이고, 선수들은 지도자들이 가르치는 것이다. 따라서 아무리 무식한 구단주가 수단과 방법을 가리지 않는 승리만을 강조한다 해도 체육인들 스스로가 힘을 합쳐 그러한 잘못된 압력을 뿌리치고 스포츠가 나타내는 건전한 가치를 지켜나가야 할 것이다. 그리고 여기에는 무엇보다도 지도자들의 역할이 중요하다. 지도자들이 선수들에게 어떤 가치관을 심어주느냐에 따라 선수들이 경기에 임하는 태도가 달라지게 마련이고, 구단주나 단장 등 비(非)체육인들이 스포츠 정신에 어긋난 요구를 할 때 선수들의 바람막이 역할을 할 수 있는 것도 역시 지도자들밖에 없기 때문이다.

그런데 어찌된 영문인지 우리나라 체육계에는 자신들의 영달만을 위하여 어린 선수들에게 치사한 반칙을 해서라도 기어이 이겨야 한다는 그릇된 승부관을 불어넣는 지도자들이 적지 않다. 하기사 체육계뿐만 아니라 정치계, 경제계, 문화계 등 모든 부문에서 수단이야 어떻든 이기면 그만이고 상대방을 온갖 치사하고 야비한 방법을 동원해서라도 무찔러 없애야 한다는 생각이 지배하고 있는 것이 현실이다. 선거에서는 천문학적인 액수의 돈을 뿌려서라도 일단 당선만 되고 나면 과거가 모두 잊혀진다. 부동산 투기를 하든 소에 물을 먹여 팔든 돈만 벌면 그는 이제 성공한 사람 대접을 받는다. 예술의 가치가 높은 줄 모르는 바 아니지만 그림을 사는 속물들이야 어차피 그런 안목이 없으니까 대중의 기호에 적당히 영합하는 작품으로 돈이나 벌고 보자. 그러면 대중에 의해 최고의 예술가 칭호를 받게 되니 얼마나 좋은 일이냐? 하여튼 이기고 보는 것이 최선이다.

정정당당하게 경쟁하려다가 지고 나면 그뿐, 아무도 그것을 알아주지 않는다. 쓸데없이 깨끗한 척하다가 남에게 뒤떨어지기라도 하는 날이면 그 다음에 받게 되는 수모는 도저히 상상도 못 한다. 그러니까 양심 따위를 잠깐 속이는 갈등쯤은 아무렇지도 않게 이겨내야 한다.

이렇게 어떻게든 이기기만 하면 그 다음엔 모든 것이 합리화되고 그 동안의 온갖 야비했던 술수마저 승리를 위한 기막힌 전술쯤으로 미화되는 것이 반복되다보니까 정당한 방법으로 이기는 것만이 진정한 승리라고 주장하는 사람들은 오히려 비웃음을 사는 세상이 되고 만 것 같다. 그러나 나는 돈 키호테가 되는 한이 있더라도 더이상 우리가 이런 식으로 살아서는 안 된다고 주장하고 싶다. 남을 속이고 더 나아가 스스로를 속이면서까지 얻어낸 더러운 승리에 만족하며 감격해하기엔 우리의 인생이 너무나 아까운 까닭이다.

이젠 우리 사회의 '삶의 질'을 높여야 한다. 그리고 이렇게 '삶의 질'을 높이는 데는 여가 시간을 좀더 쟁취한다든지 자신의 노력에 대한 정당한 금전적 대가를 더 받아낸다든지 하는 것 이외에도 우리 모두가 추구하는 가치를 더욱 투명하고 깨끗한 것으로 승화시킬 수 있는 '삶의 철학'을 확고히 하는 것이 중요하다.

여기서 우리는 다시 스포츠로 돌아가서 우리가 그 동안 아무 생각 없이 또는 조금은 생각했으면서도 억지로 외면하며 그냥 넘겨버리려 했던 그릇된 승리와 영광의 순간들을 돌아보면서 우리가 우리 사회를 한 차원 높게 발전시키기 위해 필요한 것은 과연 무엇일까를 생각해 보기로 하자.

신의 손 마라도나의 얼룩진 영광

아르헨티나의 축구 영웅 디에고 마라도나가 세계 무대에 혜성처럼 등장한 것은 1979년 일본에서 열린 세계 청소년 축구 선수권 대회에서였다. 그 전해에 아르헨티나에서 열린 제11회 월드컵 대회에서 마라도나는 대회 직전에 아르헨티나 대표팀의 최종 엔트리에서 제외되는 아픔을 겪었다. 다니엘 파사렐라, 마리오 켐페스, 오시 아르딜레스 등 결국 아르헨티나 대표팀을 월드컵 첫 우승의 영광으로 이끄는 기라성 같은 스타들 틈에서 당시 겨우 17살에 불과했던 마라도나가 자신의 위치를 찾는 것은 거의 불가능한 일이었을 것이다. 눈물을 뿌리며 트레이닝 캠프를 떠나는 마라도나를 두고 메노티 감독은 "그의 시대가 곧 올 것"이라고 예언했다.

메노티 감독의 예언은 곧 실현되는 것처럼 보였다. 그 다음해에 열린 세계 청소년 축구 선수권 대회에서 마라도나는 발군의 기량을 과시하며 세계 축구 팬들의 마음을 사로잡은 것이다. 작지만 생고무처럼 탄탄한 체구로 그라운드를 휘저으며 아르헨티나에게 패권을 안겨 준 그를 사람들은 펠레 이후 최고의 선수로 평가했다. 특히 소련과의 결승전에서 페널티 박스 외곽에서 얻은 프리킥을 왼발로 휘어 차서 골을 성공시키던 장면은 골수 축구 팬들의 기억에 생생하게 남아 있을 것이다.

1982년 스페인에서 열린 월드컵 대회에서는 이젠 21살인 마라도나도 당당한 대표팀의 일원이었다. 아니, 그는 이미 아르헨티나 최고의 선수였다. 그리고 적어도 스페인의 명문 축구팀인 바로셀로나 클럽의 눈으로는 마라도나는 이미 '세계 최고의 선수' 였다. 월드컵이 시작되기 직전, 바르셀로나는 마라도나와 880만 불이라는 사상 최고의 액수로 입단 계약을 맺었고, 마라도나는 이제 세계 최고 슈퍼스타들 중의 하나로서 전성시대를 막 구가하기 시작한 것처럼 보였다.

그러나 그의 시대는 쉽게 찾아오지 않았다.

벨기에와 가졌던 첫 경기부터 아르헨티나팀은 상대방의 폭력에 가까운 거친 태클에 시달려야 했다. 벨기에 선수들의 거친 태클들을 보며 주심은 그저 미소만 지을 뿐이었다. 전 대회 우승팀으로서 개막전을 치른 아르헨티나는 벨기에의 거친 플레이에 밀려 1대 0으로 첫 판을 잃는 수모를 맛보아야 했다. 마라도나로서는 쓰디쓴 월드컵 데뷔였다.

아르헨티나는 그 뒤 헝가리와 엘살바도르를 완파하고 준결승 리그 티켓을 따냈다. 그리고 아르헨티나는 불운하게도 줄리메컵을 영원히 차지한 세계 최강 브라질, 그리고 월드컵에서 두 번이나 우승한 강호 이탈리아와 같은 조에 편성되었다.

준결승 리그 첫 경기는 이탈리아와 갖게 되었다. 하늘색 줄무늬의 아르헨티나 유니폼과 파란색의 이탈리아 유니폼이 진한 초록빛 잔디 위를 누비며 만들어내는 아름다움은 이루 말로 표현할 수 없을 정도였다. 그러나 잔디 위의 게임 내용 자체는 그렇게 아름다운 것이 아니었다. 이날 이탈리아의 작전은 강압 수비. 전통적으로 '카데나치오(빗장) 수비' 로 알려진 강한 수비로 유명한 이탈리아팀은 아르헨티나 선수들의 화려한 개인기를 무력화시키기 위해 농구로 치자면 올 코트 프레싱과 같은 밀착 마크를 펼쳤다. 아르헨티나 공격의 핵심인 마라도나를 맡았던 선수는 그 이름도 상냥한 클라우디오 젠틸레였다. 그러나 그는 결코 젠틀하지 않았다. 그는 90분 내내 유니폼을 붙잡고 늘어지고, 팔꿈치로 가격하고, 발로 차고, 다리를 걸고, 하여간 가능한 모든 방법을 동원하여 마라도나를 괴롭혔다. 상식적으로 판단하면 그는 전반전이 끝나기 전에 벌써 퇴장당했어야 했다. 그러나 루마니아인 주심은 젠틸레에게 아무런 제재도 가하지 않았다. 젠틸레가 마치 육박전을 방불케 하는 거친 파울을 범하자, 주심은 드디어 더이상 못 참겠다는 듯이 옐로 카드를 꺼내 들었다. 그러나 그것은 젠틸레를 향한 것이 아니라 마라도나를 향한 것이었다. 불평이 너무 많다는 것이다.

이탈리아의 거친 플레이에 말려 아르헨티나는 이탈리아에게 그만 2대 1로 지고 말았다. 아르헨티나는 이제 브라질을 이겨야만 했다. 그러나 브라질은 당시 소크라테스, 지코, 팔카오, 에데르 등 초호화 멤버를 자랑하는 세계 최강의 팀이었다. 첫 게임부터 이탈리아 전까지 거듭되는 거친 마크에 페이스를 잃은 마라도나는 브라질과의 대전에서도 이렇다 할 활약을 보여주지 못했고, 브라질은 완벽에 가까운 화려한 플레이로 3대 1로 앞서나갔다. 시간은 흘러 경기 종료를 알리는 휘슬이 얼마 남지 않았을 무렵, 아르헨티나 공격수가 드리블을 하며 전진하는데 브라질의 바티스타가 뒤에서 교묘하게 다리를 걸어 넘어뜨렸다. 야비한 반칙이었다. 경기 내내 플레이가 말려 분통을 떠뜨리던 마라도나는 그 광경를 보고 감정이 폭팔, 바티스타의 다리에 옆차기를 명중시켰다. 심판은 당연히 마라도나에게 레드 카드를 보여주며 퇴장을 명했고, 마라도나는 타오르는 분노에 입술을 꽉 물고 고개를 꼿꼿이 세운 채 천천히 당당한 걸음으로 그라운드를 나왔다.

전설적인 '축구 황제' 펠레는 스페인 월드컵 관전기에서 마라도나에게 '고개를 숙일 것'을 충고했다. 그러나 나는 오히려 마라도나의 처지를 동정했다. 그의 좌절과 분노, 그리고 퇴장당하는 순간까지 고개를 꼿꼿이 들고 반항하는 그의 오만함까지도 내 가슴에 남았다.

94년 월드컵부터는 FIFA의 강력한 개입으로 축구장의 분위기가 많이 깨끗해졌지만, 82년 당시만 해도 앞으로 축구라는 스포츠의 생명이 걱정될 정도로 거친 플레이가 난무했다. 특히 마라도나와 같은 특급 스타 플레이어는 두세 사람이 에워싸서 무자비한 태클로 저지하는 것이 보통이었다. 당연히 그러한 스타 플레이어들은 다양한 반칙 때문에 잦은 부상에 시달리고 선수 생명마저 위협받는 상황이었다. 정교한 개인기를 자랑하는 남미 팀들이 몰락하고 강한 체력을 바탕으로 한 유럽세가 득세한 것 또한 이러한 분위기와 무관하지 않다. 펠레마저도 66년 월드컵에서 상대방의 무자비한 태클로 심한 부상을 당해 그라운드에서 들려 나가는 시련을 맛보아야 했고, '다시는 월드컵 무대에 서지 않겠다'고 선언한 일도 있지 않은가.

나는 당시 상대방 수비수들의 무자비한 반칙으로부터 전혀 보호받지 못한 마라도나의 좌절과 무력감을 이해할 수 있었고, 같은 팀의 동료가 말도 안 되는 파울을 당할 때 가만히 보고만 있는 것은 사나이도 아니라고 생각했으므로 퇴장당할 때는 퇴장당하더라도 그런 놈은 '까야' 된다고까지 생각했었다. 따라서 아무리 축구 황제의 거룩한 말씀일지라도 내 귀에는 들어오지 않고, 펠레 이후 최고의 선수인 마라도나가 오만한 모습으로 퇴장당하는 쓸쓸한 장면만이 오래도록 가슴에 남아 있었다.

그러나 마라도나가 그로부터 4년이 지난 후 1986년 멕시코 월드컵에서 보여준 행동은 용서할 수 없는 것이었다.

86년 월드컵 무렵 마라도나의 기량은 한창 절정기였다. 축구 전문가들은 서슴없이 그가 세계 최고의 선수라는 것을 인정하는 분위기였다. 아마도 프랑스를 1984년 유럽 선수권 대회 우승으로 이끈 미셸 플라티니만이 그의 권위에 도전할 수 있었을 것이다.

마라도나를 앞세운 아르헨티나는 첫 시합에서 주전 선수들이 완전히 얼어붙은 한국을 3대 1로 완파하는 등 승승장구, 준결승전에서 잉글랜드와 맞붙게 되었다. 전력상 잉글랜드가 약간 밀리는 듯했지만, 빠른 양쪽 윙을 이용하여 측면을 돌파, 가운데로 센터링한 볼을 헤딩으로 처리하는 정통적인 축구를 구사하는 잉글랜드팀은 아르헨티나를 맞아 대등한 경기를 펼쳐나갔다. 전반전이 득점 없이 끝나고 후반이 시작되자 드디어 마라도나가 활동을 개시했다. 마라도나가 특유의 현란한 드리블로 페널티 에어리어로 돌진할 때마다 잉글랜드 수비진은 당황하여 우왕좌왕했다.

후반 중반 무렵, 잉글랜드의 수비수 스티브 허지가 골키퍼 피터 실튼에게 로빙 백패스를 시도, 공을 띄워주었다. 그때 마라도나가 공을 향해 돌진했다. 그러나 키가 168cm밖에 안 되는 마라도나가 처리하기에는 공은 약간 높아 보였고, 잉글랜드팀의 골키퍼가 무난히 잡을 수 있을 것 같았다. 그런데 믿기 어려운 일이 벌어졌다. 공을 향해 솟구쳐 올랐던 마라도나가 자기 머리 위로 넘어가는 공을 어떻게 했는지 그 공을 골 안으로 집어넣은 것이다. 잉글랜드 선수들은 핸들링 반칙이라고 거세게 항의했지만, 튀니지 출신 주심은 어찌된 영문인지 단호하게 골로 인정했다. 경기가 끝난 후 비디오테이프를 검토한 결과 마라도나가 그 공을 왼손으로 쳐넣은 것이 명백해졌다. 그러나 그것은 어쨌든 경기 뒤의 일이고, 마라도나가 손으로 쳐넣은 골로 아르헨티나는 1대 0으로 앞서가기 시작했다.

곧이어 허탈해진 잉글랜드 선수들이 전열을 정비할 틈도 없이 마라도나가 하프 라인부터 질주하기 시작하여 달려드는 잉글랜드 수비수들 여섯 명을 화려한 개인기로 요리조리 제치며 골문까지 돌파, 그 대회에서 가장 멋진 골을 기록함으로써 전세는 완전히 기울고 말았다. 잉글랜드는 경기가 끝나기 직전 왼쪽 측면 돌파에 의한 리네커의 헤딩골로 한 골을 만회하는 데 그쳐 아르헨티나는 대망의 결승전에 진출, 서독과 맞붙게 되었다.

결승전에서 마라도나의 활약은 정말 눈부셨다. 마라도나는 그에게 집중된 서독의 수비수들을 교묘하게 따돌리며 상대적으로 자유롭게 비어 있는 발다노, 부르차카 등 동료 선수들에게 절묘한 패스를 공급, 아르헨티나는 서독을 3대 2로 물리치고 감격의 우승을 차지했다. 특히 2대 0으로 앞서나가던 아르헨티나가 불과 15분 정도를 남기고 정신력이 강하기로 유명한 독일의 루메니게 등에게 두 골을 연속으로 허용, 동점이 되었을 때, 독일의 오프사이드 작전을 역이용하여 부르차가가 결승골을 넣도록 찔러넣어준 마라도나의 패스는 86년 월드컵 결승전의 백미였다. 그리고 드디어 마라도나의 시대는 화려한 절정을 맞이하였다.

그러나 나는 아르헨티나의 우승도, 마라도나의 영광도 모두 다 도둑질이었다는 느낌을 도저히 지울 수가 없다. 특히 가증스러웠던 것은 마라도나가 손으로 공을 쳐넣은 후 순간적으로 심판의 눈치를 살피다가 심판이 골로 인정하자 두 손을 휘저으며 환호하던 장면이었다. 게다가 마라도나는 뻔뻔스럽게도 우승 직후 아르헨티나 언론과 가진 인터뷰에서 그것은 신의 손이었다고 법석을 떠는 등 전혀 반성의 빛을 보이지 않았다. 마라도나와 같은 불세출의 스타가 정당하지 못한 방법으로 얻은 승리 따위에 환호하고 기뻐하는 모습을 보며 자꾸만 가슴이 시려오는 것을 느낀 축구팬이 나뿐만은 아니었을 것이다.

90년 이탈리아에서 열린 월드컵 대회에서 마라도나의 신의 손은 다시 한번 빛을(?) 발했다. 소련과의 2차전 경기에서 소련의 올레그 쿠즈네토프가 헤딩슛을 한 공이 아르헨티나의 골문으로 빨려 들어가려는 순간, 어디서 나타났는지 마라도나가 볼을 향해 점프, 오른손으로 공을 쳐서 떨어뜨린 후 여유 있게 골문 밖으로 걷어내었다. 마라도나로부터 불과 5미터도 채 떨어져 있지 않았던 스웨덴 주심은 아무것도 알아차리지 못했고 경기는 계속 진행되어 결국 아르헨티나가 2대 0으로 승리했지만, 브라질의 코치 세바스티앙 라자로니는 다음과 같이 비꼬는 것을 잊지 않았다.

"정말 마라도나는 다재다능한 선수이다. 왼손으론 골을 넣을 수 있고, 오른손으론 골을 막아낼 수 있으니 그 얼마나 훌륭한가."

그가 그 이후 마약과 관련된 스캔들로 여러 가지 고초를 겪고, 그 뒤에 열린 두 번의 월드컵에서 그의 천재적인 기량에 비해 별로 이렇다 할 활약을 보여주지 못하는 것을 보면서, 나는 동정심이 일기는커녕 오히려 '고것 참 쌤통'이라는 점잖지 못한 생각만 들었다. 사기를 쳐서 자가 자신마저 속이고 도둑질한 승리는 추악한 것일 뿐 결코 영광스러운 것일 수 없기 때문이다.

부끄러운 금메달

손으로 쳐서 골을 넣어 승리한 후에 "신의 손이었다고" 하는 뻔뻔스러움은 88년 서울 올림픽에서 박시헌이 따냈던 금메달과 비교된다. 1988년 서울에서 열린 '88 올림픽'에서 우리나라는 금메달 12개를 따내는 눈부신 선전으로 소련, 동독, 미국에 이어 메달 레이스에서 4위를 차지하는 기적을 일구어냈다. 그러나 복싱 라이트 미들급에서 따낸 12번째 금메달은 차라리 따지 않는 것이 훨씬 더 좋을 뻔했다. 추잡하고 치욕적인 금메달이었기 때문이다.

서울 올림픽 당시 라이트 미들급 우리나라 대표는 박시헌이었다. 라이트 미들급이면 우리나라 선수들에게는 비교적 무거운 체급에 속하지만, 미국과 유럽의 선수들에게는 보통 체급이기 때문에 전세계적으로 강호들이 득실거리는 체급이다. 따라서 우리나라로서는 좋은 성적을 기대하기가 힘든 형편이었다. 설상가상으로 박시헌은 올림픽을 며칠 앞두고 스파링 도중에 오른손 주먹을 다쳤다. 그러나 마산의 작은 무허가 슬레이트집에서 자신의 성공만을 빌고 있을 가족들을 생각하며 불굴의 투혼을 발휘, 기적적으로 결승까지 진출했다.

결승에서 박시헌이 만난 상대는 미국의 로이 존스, 슈거 레이 레너드가 다시 나타났다고 미국 권투계가 떠들썩했던 발군의 기량의 소유자였다. 경기는 일방적인 페이스로 진행됐다. 박시헌은 최선을 다했지만, 오른손 주먹마저 성치 않은 박시헌에게 로이 존스는 벅찬 상대였다. 드디어 3라운드 종료 공이 울리고 심판의 판정을 기다리며 양 선수가 링 중앙에 섰다. 판정은 보나마나 5대 0이 분명했다. 그런데 주심의 착각인가. 주심이 손을 들어준 선수는 누가 보아도 일방적으로 우세한 경기를 펼친 로이 존스가 아니라 로이 존스에 수없이 얻어맞아 얼굴이 퉁퉁 부어 오른 박시헌이었다. 박시헌 자신도 어리둥절한 표정이었다. 로이 존스는 분개한 표정을 감추지 않으며 강력히 항의했고, 이 경기를 지켜본 수많은 우리나라 사람들도 박시헌이 받은 부끄러운 금메달을 비난했다. 심지어는 박시헌에게는 연금을 주지 말아야 한다고 주장하는 일반 팬들도 있었다. 그러나 박시헌은 과연 그렇게 비난받아야 했던가.

올림픽이건 아시안 게임이건 우리나라의 메달 박스는 유도, 레슬링, 권투 등 투기 종목이다. 88 올림픽 당시 우리나라가 복싱에서 기대했던 금메달 수는 최대 3개로 라이트 플라이급의 오광수, 플라이급의 김광선, 밴텀급의 변정일이 기대주였다. 김광선이야 이미 세계 정상의 선수임을 자타가 공인하고 있던 확실한 금메달 기대주였고, 세계 선수권을 제패한 경력이 있는 오광수 또한 금메달이 거의 확실시됐었다. 변정일은 금메달은 조금 힘들지 모르지만 동메달 정도는 확실했었고, 약간의 운만 따라주면 금메달도 가능하리라는 것이 권투 관계자들의 기대였다. 이렇게 우리나라 선수들이 전통적으로 강세를 보여온 경량급에서는 금메달을 획득하고, 그 밖의 체급에서도 선전하면 몇 개의 은메달과 동메달을 추가할 수 있으리란 희망적인 관측이었다.

그러나 이러한 기대는 처음부터 꼬이기 시작했다. 오광수가 1회전에서 미국의 마이클 카바할과 싸우게 된 것이다. 마이클 카바할은 빠른 풋워크와 안정된 원투 스트레이트, 그리고 펀치의 파괴력마저 겸비한 미국의 기대주였다. 후에 프로로 전향하여 경량급 무대에 100만 불짜리 파이트 머니를 실현시킨 뛰어난 선수였다. 이처럼 초반부터 불운한 대진표였지만, 오광수는 카바할을 맞아 기대 이상으로 선전했다. 경기는 치열한 접전이었지만, 오광수는 체력, 투지, 근성, 기술, 펀치력 등 모든 면에서 카바할을 근소한 차이나마 압도했다. 특히 힘에서 밀렸던 카바할은 경기 후 초조한 기색을 감추지 못했다. 아나운서 마브 알버트와 해설자 닥터 페르디 파체코로 구성된 NBC 복싱 중계팀도 서울이 오광수의 홈링임을 감안하면 카바할이 이기긴 힘들겠다고 판정을 예상했다. 그런데 판정은 3대 2로 카바할의 승리였다.

거의 확실한 금메달을 1회전부터 날려버린 우리나라 복싱팀은 맥이 풀려버렸다. 지난 84년 LA 올림픽에서의 악몽이 되살아났다. 당시 우리나라는 경기를 우세하게 이끌고도 미국의 편파적인 텃세 판정에 분통을 삼킨 적이 한두 번이 아니었다. 특히 김동길이 억울하게 패했을 때는 복싱 선수단 전원을 철수시키겠다고 위협하는 사태에까지 이를 정도였다. 그나마 그렇게라도 한 덕분에 신준섭이 버질힐에게 근소한 차이의 판정승을 거두어 금메달을 목에 걸 수 있었다고 우스

갯소리를 해야 했을 정도로 당시 우리가 미국의 텃세에 당한 피해는 막심했었다. 그런데 홈링에서까지 이렇게 당해야 한단 말인가. 우리나라 복싱팀으로서는 허탈해지지 않을 수 없었다. 이렇게 억울하게 당하기까지 외교력(?)을 발휘하지 않은 한국 아마 복싱 연맹 회장단이 원망스러울 정도였다.

그런데 나는 이날 TV에서 아직도 내가 잘못 본 것이라고 생각하고 싶은 장면을 봤다. 열심히 잘 싸우고도 아깝게 진 오광수가 실망한 채 코너로 돌아오자 누군가가(아마도 코칭 스태프 중 한 명이 아닐까?) 그를 쥐어박는 것이 아닌가. 정말 지금도 내가 잘못 본 것이기를 바란다. 물론 코칭 스태프의 허탈감과 좌절감은 잘 안다. 그러나 그게 어째서 오광수의 잘못인가. 세상에서 오광수보다 더 억울하고 더 실망한 사람이 있었겠는가. 나는 지금도 그 장면만 생각하면 가슴이 아프다. 그리고 선수를 마치 자신들의 공명심을 위한 도구 정도로만 생각한 그 임원에게 분노를 느낀다. 적어도 우리나라에서는 코칭 스태프와 선수의 관계가 스승과 제자의 관계이다. 지난 몇 년 동안 올림픽만 바라보며 새벽에 일어나 로드워크를 하고, 체중 조절을 위해 먹고 싶은 것도 제대로 먹지 못하고 훈련해왔는데, 잘 싸우고도 승리를 도둑 맞은 제자를 위로하고 격려하진 못할망정 어떻게 쥐어박을 수가 있단 말인가. 정말 내가 잘못 본 것이었으면 좋겠지만, 불행하게도 나는 이 두 눈으로 분명하게 보았다(고 생각한다).

오광수가 억울하게 패배한 것을 시발로 우리나라 복싱팀에게는 연속적으로 악재가 터졌다. 밴텀급의 변정일마저 불가리아의 흐리스토프에게 억울하게 진 것이다. 그 경기는 사실 억울하다는 말만 가지고는 모자랄 정도로 억울한 경기였다.

사건은 경기 이후에 일어났다. 김성은 코치를 비롯한 우리나라 복싱팀 관계자들이 링 안으로 난입, 흐리스토프의 홀딩 반칙은 묵인하고 오히려 변정일에게 반칙을 선언, 두 차례나 감점을 하는 등 편파적으로 심판을 본 뉴질랜드인 주심을 집단 구타한 것이다. 그 '화려한 추태' 의 하이라이트는 링 주위에서 경비를 서던 경비 요원이 유니폼을 벗어 던지고(유니폼을 입은 채로 그런 짓을 하는 것은 경비 요원으로서 올바른 짓이 아니라는 일말의 양심이 있었는지 아니면 그저 주먹을 휘두르기 불편한 것 같아서 그랬는지는 알 수 없지만) 링 안으로 돌진, 주심을 향해 옆차기를 날리고 박치기를 시도하는 등, 신을 대신하여(?) 벌준 것이다. 한바탕의 창피스러운 소란이 끝난 뒤에 누가 시킨 것인지는 모르지만 변정일은 링 위에 주저앉아 항의 시위를 벌였다. 이때 NBC 복싱 중계팀이 너무나도 얄미운 코멘트를 했다.

"현재 67분 경과, 세계 신기록입니다. 그전의 기록은 누구인지 아십니까? 놀라지 마시라, 변정일의 동포 정신조 되겠쇼묘……"

나는 그 뒤로 TV에서 마브 알버트와 닥터 페르디 파체코만 보면 밥맛이 떨어진다. 아무리 자기네 나라 사람이 아니기로서니 그렇게까지 놀릴 수 있단 말인가. 그들은 그것으로 모자랐는지 이제는 도로 유니폼을 의젓하게 입은 아까 그 경비 요원 아저씨를 인터뷰했다. 영어도 제대로 못 하는 사람을 영어로 인터뷰하는 그 오만 방자한 만행에 분개하고 있는데 그 아저씨는 무척 성의 있게 자기가 왜 '몸소 살피셔야 했는지' 를 설명했다.

"Korean boxer, won. Bulgarian boxer, lost. We' re pissed off."

제대로 된 영어는 아니지만 나는 그가 우리나라 복싱 팬들의 입장을 아주 잘 대변했다고 생각한다. 변정일은 정말 억울하게 졌다. 그것도 홈링에서 말이다. 사람들은 링 안에 뛰어들어가 난동부린 것만 탓하지만 나는 변정일이 두고두고 안됐다는 생각을 했다. 그가 훗날 프로로 전향, 짧은 기간이나마 세계 챔피언을 지낸 것을 기쁘게 생각한다. 비록 그가 일본에서 무참하게 질 때는 더이상 볼 수가 없어서 도중에 TV를 끄고 말았지만.

이 사건으로 우리나라는 세계적으로 망신을 당했다. 당시 미국 유학중이었던 나는 이 사건 이후로 재미있는 심리 변화를 겪었다. 솔직히 고백하겠다. 나도 처음에는 변정일의 입장에서는 매우 억울하지만, 그래도 링 안으로 쳐들어가 심판을 두들겨 팬 것은 창피한 일이라는 생각이었다. 그런데 NBC에서 하도 반복해서 링 안에서의 난동과 변정일이 불쌍하게 주저앉아 있는 것을 보여주다보니, "그래, 잘못했다. 이젠 그만 좀 해라" 하는 생각이 들더니 나중에는 "그래, 잘못했어, 이 나쁜 놈들아"로 발전, 급기야는 "야, 임마, 우리가 뭘 잘못했단 말이냐? 못된 놈은 그렇게 당해봐야 정신차리는 거 몰라?"라는 망발로까지 치닫게 되는 것을 느낀 것이다. 고양이가 쥐를 몰 때도 퇴로를 열어줘야 한다더니 내가 바로 그 꼴이었다. 어쨌든 그 사건 이후 나는 적반하장 격으로 미국 친구들만 만나면 게거품을 물고 NBC를 비난하고 대들었다. 우리나라가 88 올림픽 직후 지독한 반미 감정의 몸살을 앓게 된 데는 바로 이러한 NBC의 정신나간 보도 태도도 큰 몫을 했다.

변정일 사건이 있은 지 며칠 뒤엔 전진철이 미국의 토드 포스터에게 하루에 두 번 지는 일이 발생했다.

88 올림픽 권투 경기는 아주 요상한 방식으로 진행되었다. 한 체육관에 링을 두 개 설치하고, 한꺼번에 두 개의 경기를 진행시킨 것이

다. 혹시 다른 쪽에서 울리는 공 소리를 이쪽의 공 소리로 오인할 우려가 있으니까 주제에 잔머리를 굴려서 한쪽 링은 버저를 울리고, 다른 쪽 링은 공을 울리는 것으로 혼란을 방지하는 묘안을 짜냈다. 그러나 세상일이 언제나 그렇듯이 그렇게 탁상 공론으로 짜낸 '묘안'이 성공하는 일은 없는 법이어서 전진철과 포스터의 경기가 엉망이 되고 말았다.

처음부터 전진철은 강타자 토드 포스터에게 상대가 되지 않는 것이 명백했다. 전진철이 일방적으로 몰리는 것을 보며 아무래도 안 되겠다는 생각이 들던 2라운드 끝 무렵, 전진철이 갑자기 가드를 내리고 돌아섰다. 다른 쪽 링의 공 소리인지 버저 소리인지를 잘못 듣고 라운드가 끝난 것으로 착각한 것이다. 토드 포스터도 순간적으로 어리둥절해졌다. 죽기 살기로 싸우던 상대방이 갑자기 얌전하게 가드를 내리고 돌아서니 헷갈리는 것도 당연하지 않은가. 그러나 그는 재빨리 사태를 파악하고 무방비 상태의 전진철에게 강타를 날렸고, 라운드가 끝난 줄 알고 코너로 돌아가던 전진철은 무참히 다운되고 말았다. 안타까운 일이었다.

사건은 그때부터가 시작이었다. 불의의 공격에 쓰러진 전진철이 일어나려고 하자 우리나라 코너에서 그냥 누워 있으라는 사인을 보내는 것이 아닌가. 실격승을 노리는 것이 분명한 치사하고 야비한 술책이었다. 그러나 경기는 토드 포스터의 KO승으로 일단 마무리지어졌다. 그런데 그 동안 오광수, 변정일의 억울한 패배로 비난받아왔던 우리나라의 복싱 외교 능력이 본격적으로 가동되었다. 재시합을 하라는 결정을 끌어낸 것이다.

그러나 전진철은 이번에는 더욱 무참히 유린당하다가 2회 RSC로

지고 말았다. 이것으로 우리나라 복싱팀은 더욱 웃음거리가 되고 말았고, 미국의 NBC 방송은 더욱 신이 나서 우리나라 복싱팀의 헛손질을 떠들어댔다. 더욱이 다음날 토드 포스터가 호주 선수에게 판정으로 진 후 전진철과 두 번 연속 시합하여 진이 빠진 것이 패인이었다고 핑계를 대자, 이날의 창피한 사건은 또다시 NBC 방송에 단골로 등장하는 '한국 비웃기' 의 메뉴가 되었다.

이렇게 괴상망측한 사건은 다시 일어나지도 않을 것이고 다시 일어나서도 안 되겠지만, 몇 가지만은 분명히 밝혀두고 싶다.

첫째, 전진철이 다른 링의 공을 자신이 시합하던 링의 공으로 착각한 것은 그의 잘못만은 아니다. 격렬한 권투 경기에서 라운드 종료를 알리는 공은 마치 구세주와 같은 것이므로 그가 그렇게 반응한 것은 한편으로는 당연하다. 그러나 그는 권투 선수가 십계명처럼 귀중히 여기고 항상 기억하고 있어야 하는 철칙을 잊고 있었다. 즉 언제든지 자기 자신은 자신이 방어하고 있어야 한다는 철칙이다. 권투처럼 극한 상황에서 싸워야 하는 운동 경기에서 공이 울리는 순간 주먹을 뻗기 시작한 선수가 공이 울림과 동시에 뻗던 주먹을 멈추기는 매우 어려운 일이다. 따라서 선수들은 언제나 어떤 형태의 공격에서부터라도 자신을 방어하고 있어야 하는 것이다. 전진철이 아무리 지치고 충격을 받았다고 해도 공이 울린 순간 가드를 내리고 자기 코너로 돌아선 것은 그 자신에 대한 방어를 망각한 어리석은 일이었다. 나는 문명 세계에서 권투라는 운동 종목이 없어지기 전까지는 모든 선수들이 언제든지 자기 자신은 자신이 방어하고 보호해야 한다는 사실을 잊지 말기 바란다.

둘째, 토드 포스터는 법적으로는 아무런 잘못도 한 일이 없고 억울하게 하루에 두 번이나 같은 선수와 다시 시합을 해야 했으니까 동정 받아 마땅하다. 그러나 적어도 무방비 상태의 전진철에게 펀치를 날리던 순간에는, 그는 진정한 스포츠맨은 아니었다. 그는 분명히 전진철이 착각을 하여 무방비 상태로 돌아선 것을 알았다. 그리고 자신에게는 15초 정도의 시간이 더 남아 있다는 것도 알았다. 그렇다고 해서 무방비 상태로 뒤돌아선 상대를 강타하여 쓰러뜨리는 것은 이미 권투 선수가 아니라 싸움꾼일 뿐이다. 물론 그는 규칙상 아무 잘못한 것이 없다고 항변할지 모른다. 그러나 예를 들어 축구 경기 도중 자기편이든 상대편이든 한 선수가 부상하여 그라운드에 쓰러져 있을 때, 대부분의 경우 공을 밖으로 내차서 경기를 중단시키고 그 선수가 적절한 치료를 받게 하는 것이 불문율이다. 상대방 또한 그렇게 얻은 드로인은 일부러 다시 차내서 상대방에게 공격권을 헌납한다. 이것은 법이나 규칙 이전에 스포츠맨십과 인간애의 문제인 것이다. 당시 토드 포스터가 무방비 상태의 전진철에게 펀치를 날린 행위는 미안하지만 인간 이하의 행위였다고 비난받아 마땅하다.

셋째, 우리나라 복싱 코치들이 전진철에게 그냥 누워 있으라고 지시한 것은 참으로 가련하고 불쌍한 생각이 들 정도로 유치한 일이었다. 도대체 실력으로 안 되는 승리를 그렇게 어거지로 도둑질하려는 태도는 국가를 대표하는 코치로서는 빵점 정도가 아니라 마이너스 백점짜리쯤 되는 것이다. 차라리 억울하다고 뉴질랜드 심판을 두들겨 팬 행위가 훨씬 더 깨끗하고(?) 정정당당(?)했다.

넷째, 당시 판정은 결코 번복되어서는 안 되었다. 주심은 그 당시 토드 포스터의 비신사적인 행위를 이유로 실격패를 선언할 수도 있었지만, 그는 그 대신 토드 포스터의 KO승을 선언했다. 그렇다면 그의 판정은 사후에 비난받을 수는 있어도 뒤집혀서는 안 된다. 만일 우리나라에서 강력히 로비하여 뒤집힌 것이 사실이라면, 그것은 정말 어리석은 바보짓이었다. 결국 불쌍한 선수만을 한 번 더 희생시킨 비열한 짓이었을 뿐이다.

그리고 끝으로 NBC가 '한국 비웃기'를 할 때마다 지적한 대로 한 체육관에 두 개의 링을 설치하여 동시에 경기를 벌임으로써 혼란을 초래한 것에 대해서 한마디 해야겠다. 적어도 내가 듣기로는 우리나라에 그만한 경기를 치를 만한 체육관이 없어서 그렇게 한 것은 아닌 것으로 알고 있다. 오히려 그것은 올림픽 중계를 독점했던 NBC 방송의 요청이었다고 한다. 즉 마브 알버트와 닥터 페르디 파체코로 구성된 복싱 중계팀 하나로는 중요한 경기가 두 군데에서 동시에 벌어지거나 할 경우 제대로 중계 방송을 할 수 없기 때문에 위와 같은 편법을 고집했다는 것이다. 결국 전진철과 같은 해프닝이 일어날 원인 제공을 한 것이 바로 그 사건으로 우리나라를 비웃는 데 더욱 앞장섰던 NBC 방송이었다는 것을 생각하면, 미국의 상업주의 방송에 대한 분노와 함께, 중계료도 몇 푼 못 받았으면서(그 당시 중계료 협상이 실패였다는 것은 정부 관계자도 자인하는 바이다. 88년 여름 섬머 타임이 왜 갑자기 시행되었는지는 알 만한 사람은 다 아는 사실이다) 그런 어처구니없는 요구까지 들어준 올림픽 조직위원회의 처사에 실망을 금할 수가 없다. 그 당시 NBC 방송이 보여준 행태는 가뜩이나 지나친 상업주의로 비난받아온 미국의 방송 태도에 더하여 제국주의적 방송 행위였다고 매도되어도 아무런 변명도 할 수 없는 저질스러운 작태였다.

이렇게 우스꽝스러운 사건이 연달아 일어나 우리나라 복싱팀이 만신창이가 되어 있는데 설상가상으로 박시헌이 일방적으로 몰리고도 금메달을 따내는 사건이 일어났으니 우리나라 복싱팀은 설자리가 없을 정도였다. 국민들은 부끄러운 금메달을 따낼 수 있도록 비열한 로비 행위를 펼친 것이 분명한 우리나라 권투협회와 박시헌에게 빗발치는 비난을 퍼부어댔다. 가뜩이나 변정일의 링 점거 소동으로 곤욕을 치렀던 김승연 아마권투협회 회장은 결국 이 사건으로 더이상 견디지 못하고 자리에서 물러나야 했다. 박시헌 또한 금메달을 따내고도 비난만 받았을 뿐 올림픽 이후에는 사람들의 뇌리에서 잊혀져야 했다. 그는 그 이후로 금메달리스트들의 모임에도 소극적이 되는 등 정신적으로 우울한 나날을 보내야 했다.

그러나 박시헌의 금메달은 이영만 기자가 그의 책 『경기장 밖의 5막 5장』에서 밝혔듯이, 우리나라 권투협회의 로비로 얻은 것이 아니었다. 바로 세계복싱연맹 사무총장으로서 세계 아마 복싱계를 주름잡고 있던 동독의 카를 하인츠 베어의 장난이었다. 그때 동독은 구소련을 이길 수 없다고 보고, 미국을 따돌리고 메달 집계 2위를 차지하는 것이 목표였다. 금메달 한두 개 차이로 미국과 엎치락뒤치락하던 동독으로서는 미국의 로이 존스가 금메달을 따는 것을 그냥 내버려둘 수가 없었던 것이다. 박시헌의 손을 들어줌으로써 동독은 온갖 비난은 한국에 쏟아지게 하고 미국을 금메달 한 개 차로 따돌려 종합 2위라는 목표를 달성한 것이다. 결국 이러한 내막을 모르고 열심히 싸워 억울하게(?) 금메달을 따게 된 박시헌과 처음에 열심히 했어야 할 복싱 외교를 소홀히 하여 오광수와 변정일을 희생시킨 한국아마복싱연맹만 죄도 없이 여론의 질타를 받았던 것이다.

어떤 사람들은 어쨌거나 금메달은 따서 연금을 두 배나 더 받게 됐으니 박시헌이 이익이 아니냐고 말한다. 역시 뭐 눈에는 뭐밖에 보이지 않는다고 정신 상태가 피폐할 대로 피폐한 얼간이들은 그렇게 생각할 수도 있을 것이다. 그러나 그들은 운동 선수에게, 특히 아마추어 선수에게 명예란 것이 얼마나 소중한 것인지를 전혀 깨닫지 못하는 사람들임이 분명하다. 아니, 아마 그들은 국어 사전에 명예란 단어가 있는 줄도 모르는 사람들일지도 모른다. 누가 뭐래도 박시헌은 가장 억울한 피해자이다. 로이 존스는 비록 은메달을 받았지만 그 사건으로 너무 유명해져서 오히려 프로로 전향할 때 상품 가치가 엄청나게 뛰어올랐다. 그러나 박시헌은 올림픽 이후로도 한동안 고개를 숙이고 살아야 했다. 지나간 일에 대한 가정처럼 공허한 일은 없다는 걸 잘 알지만, 만약 그가 정당한 판정에 의해 은메달을 받았더라면 그의 은메달은 그에겐 일생의 가장 자랑스러운 성취로서 남았을 것이다. 그런데 불행하게도 자신은 기대하지도 원하지도 않았던 변색된 금메달을 받게 됨으로써 오른손 부상에도 불구하고 결승까지 진출한 그의 투혼마저 아무도 알아주지 않는 안타까운 일이 벌어진 것이다.

나는 박시헌이 경기가 끝난 뒤에 깨끗하게 자신의 패배를 인정했던 점을 높이 평가한다. 그는 마라도나처럼 '신의 판정' 이니 어쩌니 하는 뻔뻔스러운 모습은 보이지 않았었다. 그는 오히려 심판의 이상야릇한 판정으로 이기고 난 뒤에 솔직하게 자신이 실력으로 졌음을 인정했다. 판정이 내려진 후엔 로이 존스를 높이 안아 올려주며 그가 실질적으로 승리했음을 인정했고, 그 위에 언론과 가진 인터뷰에서도 홈타운 디시젼이라고 생각한다고 밝혔다. 그는 당당하게 졌음에도 주위 사람들의 장난 때문에 더러운 승리를 안게 되었으며, 아마 아직도 그 멍에를 안고 살아가고 있을지도 모른다. 하지만 판정이 내려진 후 예상치도 못했던 자신의 승리 선언에 얼떨떨해하던 그의 그 순진하고 맑은 마음을 우리는 기억해야 한다. 박시헌이 이제부터라도 떳떳하고 당당하게 살아갈 수 있기를 기대해본다.

『공포의 외인 구단』과 〈셸부르의 우산〉

사람마다 이견이 조금씩 다르겠지만 『개구쟁이 땡이』(임창), 『어사 박문수』(신동우), 『소년 007』(김삼), 『맹꽁이 서당』(윤승운) 등 수많은 명작 아동 만화들을 제외하면, 아무래도 우리나라 만화 문화의 수준을 한 단계 격상시킨 것은 고우영의 『수호지』와 『임꺽정』일 것이다. 그 뒤를 이은 『일지매』와 『삼국지』의 인기는 실로 선풍적인 것이어서 그 만화들을 연재했던 일간 스포츠는 모르긴 해도 스포츠 기사보다는 고우영 만화 때문에 판매 부수가 급증했을 것이다. 고우영 만화들에 나오는 인물들의 캐릭터는 너무 인상 깊어서 비록 주연은 아니지만 『수호지』에 나오는 '흑선풍 이규' (KAIST 수학과 모 교수님의 별명이다)라든가 '적발귀 유당', 그리고 임꺽정의 모사 서림의 수염 만지는 모습 등은 아직도 기억에 생생하다.

어렸을 적 동화로 만든 『삼국지』를 읽었을 때부터 그저 훌륭하고 완벽한 것으로만 그려진 유비의 캐릭터가 왠지 마음에 들지 않았는데,

고유영 『삼국지』에서는 가진 것은 아무것도 없으면서도 욕심만은 하늘을 찌를 듯한 허허실실형의 쪼다 유비로 해석된 것을 보고 무릎을 치며 크게 감탄한 일이 있다. 특히 '벌통에 X랄을 넣고도 몇 시간이고 꾹 참는 성격'이라고 유비의 성격을 묘사한 대목은 언제 생각해 봐도 재미있고 정곡을 찌르는 날카로운 맛이 있다.

그런데 고우영 만화 시리즈를 능가하는 선풍적인 인기를 끌면서 우리나라 만화 문화사에 커다란 획을 그은 만화가 있으니 그 이름도 찬란한 『공포의 외인 구단』이 바로 그것이다. 『캔디』라든가 『베르사이유의 장미』 『올훼우스의 창』 『굿바이 미스터 블랙』 따위 다분히 여성 취향적이며 연속극적인 작품들로 감히 대항하려 드는 사람이 있을지도 모르지만, 그 스케일이나 감동의 깊이에서 『공포의 외인 구단』에 비할 바가 아니다.

성질이 급한 나는 만화를 볼 때도 '다음호에 계속' 따위는 답답해서 참지를 못한다. 따라서 매일 연속극은 질색이고 미니 시리즈도 거의 보지 않는다. 보통은 미니 시리즈든 무엇이든 마지막 편이 나올 때까지 기다렸다가 한꺼번에 해치워야 직성이 풀리는 성격으로, 51권에 달하는 박봉성의 『신의 아들』도 마지막 권이 나오기를 기다렸다가 연세대 앞 만화 가게에서 단숨에 해치운 전력이 있는 사나이다. 그런데 딱 한 가지 예외가 있었다. 그것이 바로 이현세의 『공포의 외인 구단』이다.

정확히 기억은 나지 않지만, 1983년 어느 날, 그날도 나는 언제나처럼 지각하는 지금의 아내를 기다리다 지쳐서 아내를 만나기로 한 이대 앞 그린하우스 제과점 지하에 있는 '클래식'을 나와 10미터쯤 옆에 있는 만화 가게(지금은 '클래식'도 '그린하우스Ⅱ'가 되었고 내가 자주 가던 만화 가게도 없어졌다)에서 뭐 재미있는 것이 없나 기웃거리는데(아내는 '클래식'에 왔다가 내가 없으면 만화 가게로 오기로 이미 프로그램되어 있었다), 『국경의 갈가마귀』와 '까치 시리즈'로 깊은 인상을 주었던 이현세의 『공포의 외인구단』이 눈에 들어왔다. 어떤 만화인가 탐색전을 벌이다가 그만 두 손을 주머니에 쿡 찔러넣은 채 한쪽 눈썹을 치켜올린 반항적인 눈빛으로 엄지와 마동탁을 째려보며 "난, 네가 좋아하는 것이라면 뭐든지 할 수 있어" 하고 내뱉는 '까치' 오혜성의 야성미에 반해서(마론 브란도나 리처드 기어는 저리 가라였다) 이게 마지막 권까지 있는 건지 아닌지를 확인하지도 않고 읽기 시작했는데, 아뿔사 겨우 두 권 만에 다음호를 기다려야 하는 것이 아닌가.

『공포의 외인 구단』은 보름이나 한 달 만에 두 권씩 나왔는데 다음 권이 나올 때까지 기다리는 시간이 그렇게 지루할 수가 없었다. 나는 그때에야 비로소 이 만화 가게 저 만화 가게를 기웃거리며 오혜성을 흉내낸 퇴폐적인 목소리로 "외인 구단 나왔어요?" 하고 돌아다니는 것도 그런 대로 쏠쏠한 재미가 있다는 것을 처음 깨닫기도 했다. 지난 87년 겨울 잠시 귀국했을 때는 〈이장호의 외인 구단〉이라는 영화를 처음부터 의심을 가득 품은 채로 한 번 거들떠봤는데, 역시 별로였다. 도대체 최재성의 눈썹이 만화처럼 그렇게 치켜올라갈 수가 없지 않은가.

이렇게 30권까지 『공포의 외인 구단』을 읽으면서 느낀 감동은 이루 말할 수가 없다. 오혜성과 마동탁, 손병호 감독과 최관, 언제나 듬직한 백두산, 그리고 최경도와 하국상 등 저마다 개성이 강한 등장인물들이 치열하게 펼치는 사나이들의 승부 세계를 느낄 수 있었던 것이 바로 그 감동의 본질이었다.

이상무의 독고탁이 지금처럼 명랑 쾌활한 성격을 가지기 이전, 『아홉 개의 빨간 모자』 등 여러 작품에서 고독하고 반항적인 이미지로 깊은 인상을 주었었는데, 그러한 독고탁의 이미지에 더하여 '사랑만은 단 하나에 목숨을 걸었다'는 『맨발의 청춘』처럼 엄지가 좋아하는 것이라면 뭐든지 할 수 있는 그 무모하고 미련한, 그러나 너무나도 신선하고 강렬한 '까치'의 캐릭터는 아마 그때가 전성기였던 것 같다.

그의 라이벌로 등장하는 마동탁은 또 어떠한가? 어렸을 적부터 '타격의 천재'라는 별명으로 알려진, 언제나 우승만 하던 오만한 천재 마동탁, 독고탁의 라이벌인 김준은 왠지 부잣집 외동아들의 뺀질뺀질한 이미지에 세련되지만 계집애 같은 것이 (《걸어서 하늘까지》의 손지창처럼) 무슨 어려운 일만 닥치면 제 어머니의 치맛바람을 동원하는 등 밥맛이 없었는데, 마동탁은 세련되고 깔끔한데다가 지기를 죽기보다 싫어하는 승부 근성이 있어서 오혜성을 만날 때마다 일방적으로 지기만 하면서도 결코 물러서지 않는 멋진 면이 있었다. 사실 마동탁이 천재라고 하지만 그는 인간의 한계 내에서 피나는 노력으로 이룩한 살리에리 수준의 천재이고, 오혜성이야 "인간의 한계를 수시로 넘나드는"(『공포의 외인 구단』에 나오는 표현을 그대로 옮긴 것이니 그 개연성에 시비를 걸지 말기 바란다. 어차피 만화 아닌가) 그야말로 하늘이 낸 천재 아닌가. 나는 까치보다는 오히려 마동탁에게 인간적인 동정을 품었었다.

마동탁에게 이루 말할 수 없는 수모를 당하던 조상구가 무인도에서의 지옥 훈련을 이겨내는 등 각고의 노력 끝에(손가락을 자른 것은 좀 너무했다. 꼭 그렇게까지 해야 했는지 의문이다) 마동탁을 꺾었을 때는 정말 '보통 사람의 승리'를 뜨겁게 느꼈고, 미친 사람처럼 강한 것만 찾는 손병호 감독이 "강하다는 것은 좋은 일을 많이 할 수 있다는 뜻도 된다"며 잘난 척할 때는 정말 그 말이 맞는 것처럼 생각하기도 했었다(사실 틀린 말은 아니지만 똑같은 논리로 "강하다는 것은 나쁜 짓을 많이 할 수 있다는 뜻도 된다"고도 할 수 있으니까 좀 이상한 말이다).

그러나 끝으로 갈수록 너무 극단으로 간다는 생각이 들었다. 아무래도 일본 만화의 영향을 많이 받아서인지 지나치게 등장인물들을 학대하는 것이 병적으로 느껴질 정도였다. 만화니까 플롯을 그렇게 짤 필요가 있었겠지만, 100게임 연속 안타라는 전대미문의 기록을 세운 마동탁에게 이미 가버린 엄지를 두고 오혜성이 뒤늦은 소동을 피우게 만드는 것은 도무지 마음에 안 들었다. 엄지를 사이에 둔 오혜성과 마동탁의 대결이 하나의 승부라면 사정이야 어찌 되었든 그것으로 까치는 깨끗이 패배한 것이다. 그런데 무슨 〈늪〉이라는 노래 가사처럼 엄지는 사실은 아직도 자기를 사랑한다는 둥 정신나간 소리를 지껄이며 엄지에게 집착하는 까치를 보고 나는 뚱딴지같이 〈셸부르의 우산〉이라는 영화를 떠올렸다.

내가 〈셸부르의 우산〉을 좋아하는 이유는 피천득 선생님처럼 그 초록빛 우산이 인상에 남아서가 아니라, 코발트빛 배경에 흐르는 아름다운 음악과 하얀 눈이 내리는 속에 펼쳐지는 마지막 장면이 너무나 애잔한 감동으로 남아 있기 때문이다.

〈셸부르의 우산〉의 스토리와 『공포의 외인 구단』을 잠시 비교해보자. 까치가 재기불능의 부상을 입고 지옥 훈련을 받으러 무인도로 떠난 것처럼, 우산집 처녀(카트린 드뇌브가 가장 아름답게 나온 영화일 것이다)의 애인 '기'도 알제리의 전쟁터로 떠난다. 속된 말로 필연적으로 '고무신을 거꾸로 신게' 되어 있는 세팅이다. 물론 처음에는 엄지도 우산집 처녀도 일편단심 민들레처럼 까치를, 그리고 기를 기다린다. 게다가 우산집 처녀는 기의 아이까지 임신한 몸이었다(불란서 얘기니까 "결혼 전에 감히?"라며 흥분할 것까진 없다).

무인도로 떠난 까치는 편지 한 장 없고, 까치가 없는 틈을 마동탁이 비집고 들어와 엄지에게 치열한 구애 작전을 벌인다. 그런데 그게 사실 좀 이상하다. 많은 남자들이(나 자신을 포함해서) 그렇게 착각하는 것이 사실이므로 굳이 지적해야겠다. 마동탁이 엄지에게 벌이는 구애 작전의 내용이란 것은 '100게임 연속 안타'라는 전대미문의 기적적인 목표를 세우고 그 목표가 달성되는 날 자신이 사랑하는 한 여인에게 구혼을 할 것이라고 발표한 것이다. 그러니까 그 여인을 너무나도 사랑하므로 자신이 가장 귀중하게 생각하는 것을 그 여인에게 바치겠다는 것인데, 그 여인이 귀중하게 생각하는 것을 바쳐야지 자신이 귀중하게 생각하는 것을 바치면 도대체 뭘 하자는 것인가? 게다가 그 목표라는 것도 자기가 잘 되는 것이지 그 여인이 잘 되는 것도 아니지 않은가? 사태가 이렇게 애매함에도 불구하고 엄지는 (특히 그 엄마는) 마음이 흔들린다.

어떻게 보면 엄지가 까치를 사랑한 적은 한순간도 없는 것 같다. 엄지는 처음부터 끝까지 야성미 넘치고 사나이답지만 몹시 거친 '최민수 스타일'의 까치보다는 세련되고 매너 좋으며 게다가 능력까지 뛰어난 마동탁에게로 기울어져 있었다. 그러니까 엄지를 사랑한 까치의 순정은 사실 하루바삐 단념했어야 하는 '잘못된 만남'이었다.

한편 전쟁터로 떠난 기는 아무 소식이 없고 우산집 처녀에게도 수상한 남자가 나타난다. 아주 돈 많고 점잖은 신사인데 우산집 처녀가 임신한 것을 알면서도 그 아이를 자신의 아이로 삼고 기를 테니 결혼만 해달라는 것이다(『순심이』를 표절한 것이 틀림없다. 설마 『순심이』가 〈셸부르의 우산〉을 표절했을 리야 없지 않은가?). 기는 죽었는지 살았는지도 모르고, 우산집 처녀의 마음은 흔들리기 시작한다. 이때 자신의 흔들리는 마음을 노래하던 카트린 드뇌브와 그 뒤를 흐르던 코발트빛 배경이 너무나 아름답다.

마동탁은 드디어 100게임 연속 안타라는 기적적인 기록을 달성하고, 우산집 처녀에게는 기의 전사 통지서가 배달된다. 원래 시나리오가 그렇게 되어 있으니까 엄지는 마동탁과 결혼을 하고, 우산집 처녀도 그 신사와 결혼을 한다. 그리고 역시 시나리오대로 죽은 줄로만 알았던 까치와 기가 돌아온다.

바로 여기서부터 『공포의 외인 구단』과 〈셸부르의 우산〉이 다른 궤도를 가기 시작한다. '돌아온 애인' 기는 얼마 동안 울부짖다가 자기를 위로해주던 '또다른 내 친구'와 결혼을 한다. 그리고 마지막 장면이 다가온다. 어느 겨울날 하얀 눈이 탐스럽게 내리고, 이젠 주유소를 경영하는 기는 아내와 아이가 나들이를 가는 것을 배웅한다. 아내는 기에게 이것저것 주의 사항을 전달하고(사람 사는 것은 어느 나라고 다 마찬가지라는 것을 이때 알았다) 아이의 손을 잡고 떠난다. 하얀 눈은 더욱 펑펑 내리고 내리는 눈을 바라보는 사나이의 가슴이 왠지 모를 우수에 잠기는데 그땐 웬 으리으리한 고급 승용차가 주유소 안으로 조용히 미끌어져 들어온다. 우산집 처녀의 차다. 딸과 함께이다. 기는 잠자코 차에 기름을 넣는다. 기다리기가 약간 무료해진 꼬마가

차에서 나와 어딘가로 달려가려고 한다. 우산집 처녀가 딸의 이름을 부르며 제지한다.

"프랑수아즈!"

(우산집 처녀와 기는 나중에 딸을 낳으면 프랑수아즈라고 이름 짓기로 약속했었다.)

차에 기름을 넣던 기가 잠시 멈칫한다. 영화를 보던 사람들의 가슴에도 짧지만 강렬한 충격이 전해진다. 하지만 그것뿐이다. 기는 넣던 기름을 마저 넣고, 프랑수아즈는 차에 올라타고, 프랑수아즈 엄마는 기(=프랑수아즈의 아빠)에게 돈을 지불하고 '마치 아무 일도 없던 것처럼' (하긴 아무 일도 없었지, 뭐) 조용히 주유소를 미끄러져 나간다. 하얀 눈은 계속 내리고 영화는 그렇게 잔잔한 감동을 남기며 막을 내린다.

나는 영화는 그래야 한다고 생각한다. 아니, 인생은 그래야 한다고 생각한다. 거기서 뭐 당신을 잊지 않았네 어쩌네 하고 다시 시작하는 것은 신파도 아니고 연속극도 아니다. 불타는 사랑도 뜨거운 정열도 그만두어야 할 때가 오면 그만두어야 하는 것이다. 그런데 『공포의 외인 구단』은 그때부터가 시작이다(하긴 『순심이』도 그때부터가 시작이었다). 이건 스토리가 점점 더 병적으로 발전해서 그 동안 한 번도 안 나오던 엄지 동생 현지가 나오질 않나, 도대체 촌스러워지는 것이 한심할 지경이었다.

그러나 무엇보다도 나를 실망시킨 것은 까치와 동탁의 마지막 승부를 그려낸 장면이다(바로 이 이야기를 하려고 여태까지 장광설을 늘어놓은 것이다. '체험의 공유' 가 필요해서 그런 것이니까 이해해주기 바란다).

까치에게 줄곧 지기만 하던 동탁은 엄지에게 요상한 암시를 주어서 엄지가 요상한 마음을 먹게 한다. 그러나 아무리 엄지가 치사하고 요사스럽게 까치와 처음 만났던 그 자리에서 "까치야, 딱 한 번만 져줄 수 없겠니?" 어쩌고 여우짓을 했다 해도 제정신을 가진 사람이면 더이상 속아서는 안 된다. 제 자신이 무슨 짓을 하는지도 모르는 엄지를 위해서라도 그렇다. 그런데 엄지를 위해서라면 뭐든지 하는 멍청한 까치는 일부러 동탁에게 져준다. 그것도 아주 극단적으로 잔인한 방법으로 진다. 즉 '필살수비'를 펴다 일부러 공에 맞고 그 공을 끝까지 놓지 않아서 그만 다른 사람도 수비할 수가 없게 만들어 지고 만다. 한 번쯤 져줄려면 까짓것 에러를 여러 번 해도 되는데, 괜히 사람을 다치게 만드는 그 비뚤어진 플롯은 또 뭐란 말인가. 그래서 엄지까지 미치고, 손병호 감독은 괜히 죽고, 까치는 눈이 멀고, 이게 도대체 웬 난리인지 안타까웠다. 게다가 마동탁의 마지막 독백은 정말 한심스러웠다.

"너는 네가 원하는 것을, 나는 내가 원하는 것을 얻었을 뿐이다……"

그 동안 오혜성이야 좀 미련하게 나왔으니까 그렇다고 치고, 그렇게도 똘똘하던 동탁이 갑자기 웬 짱구 같은 소리인가. 아니, 그렇게 일부러 져준 걸 모르는 것도 아닐 텐데 겨우 그걸로 만족하려고 그 동안 그 온갖 고생을 다 했단 말인가? 심지어는 까치와 똑같은 지옥 훈련까지 받지 않았는가.

까치는 눈이 먼 후에야 비로소 이제는 정신이 돌아버린 엄지와 맺어질 수 있었다. 그리고 그는 정말로 그가 원하던 것을 얻었다고 할 수 있다. 그는 원래 처음부터 그런 '또라이' 로 그려져 있지 않은가.

그러나 마동탁은 다르다. 그는 까치를 제대로 한번 이겨보는 것이 필생의 목적인 것처럼 그를 이기기 위하여 혼신의 힘을 다했다. 그리고 그가 바라던 승리는 적어도 완벽하게 자신의 힘으로 이루어낸 진정한 의미의 승리였을 것이다. 결국 본의든 아니든 마누라까지 동원한 비열한 승리를 얻어놓고서는 그것이 바로 자신이 그토록 원하던 바라고 되뇌이는 것은 진정한 승부사의 태도가 아니다. 그는 오히려 더욱더 큰 치욕감을 느꼈어야 마땅했고 이제는 설욕의 기회가 다시는 올 수 없다는 사실에 분통을 터뜨려야 했다.

흔들리는 심판의 권위

내가 너무나 재미있게, 그리고 매우 감명 깊게 읽은 『돈 카밀로 신부님』 시리즈에 다음과 같은 얘기가 나온다.

돈 카밀로 신부와 공산당의 우두머리인 읍장 페포네는 마을 회관을 먼저 짓기 위해 피나는 경쟁을 벌였다. 그러나 하느님의 지원까지 받을 수 있는 돈 카밀로가 간발의 차이로 승리하여 페포네의 '인민의 집' 보다 돈 카밀로의 '어린이 집' 이 한 발 앞서(매우 불완전하게나마) 완공을 보게 되었다. 돈 카밀로는 이 기회에 페포네의 기를 완전히 죽여놓을 심산으로 그 동안 맹훈련시켜온 그의 축구팀과 페포네가 이끄는 축구팀과의 경기를 '어린이 집' 축성식 기념 행사로 치를 계획을 세웠다. 읽는 사람의 비위를 팍팍 긁는 돈 카밀로의 도전장을 받은 페포네는 즉시 선수들을 소집하여 단단히 정신 무장을 시켰다. 자본가와 지주의 대표인 돈 카밀로의 축구팀에게 지는 날에는 모든 선수들의 얼굴에 주먹 세례를 퍼붓겠다는 공약을 한 것이다. 돈 카밀로는 하느님의 사제로서 도저히 선수들의 얼굴에 주먹 세례를 퍼부을 수는 없었으므로 발길로 엉덩이를 차주겠다는 엄포로 만족해야 했다. 무자비한 주장의 주먹 세례를 받으며 맹훈련을 펼친 양 팀은 드디어 마을 사람들의 뜨거운 관심 아래 경기 시작의 휘슬을 맞이하게 되었다. 심판은 정치적으로 완전 중립인 시계방 주인 비네츠라가 선임되었다.

경기는 예상했던 대로 양팀을 응원하는 관중들을 흥분의 도가니로 몰아넣으며 일진일퇴의 뜨거운 공방전을 펼쳤다. 그리고 시간이 흘러 선수들의 플레이 하나하나마다 일희일비하던 관중들도 이젠 아쉬움을 남기고 집으로 돌아가야 하는 시간이 되었다. 경기가 끝난 것이다. 하느님의 지원도 소용없이 돈 카밀로의 팀은 경기 종료 직전 페널티킥을 허용, 2대 1로 역전패를 당하고 말았다. 돈 카밀로는 너무나 흥분해서 성당으로 쏜살같이 뛰어갔다. 성당 문을 박차고 들어선 돈 카밀로는 씩씩거리며 예수님께 불평을 털어놓기 시작했다.

"주여, 어찌하여 저를 버리셨습니까?"

예수님은 나는 너희 팀의 발을 감독하고 있는 것이 아니라 영혼을 책임지고 있다고 대답하며 책임을 회피하려 하였다. 돈 카밀로는 그게 아니라 왜 '부정직한 놈' 이 자기 팀 선수가 저지르지도 않은 반칙을 지적하여 페널티킥을 선언, 억울하게 역전골을 잃도록 가만히 보고만 계셨느냐는 말씀을 드리는 것이라고 항변했다. 예수님은 사람이란 실수를 할 수도 있는 법이라고 얼버무렸다. 돈 카밀로는 물러설 수가 없었다.

"하지만 비네츠라란 놈은 협잡꾼입니다."

그때 비네츠라가 죽을힘을 다해 성당 안으로 뛰어들어왔다.

"신부님, 살려주십시오. 맞아 죽습니다."

돈 카밀로는 비네츠라를 공격하러 몰려든 군중들을 삼손 같은 위용으로 쫓아버리고 비네츠라와 단둘이 남았다.

"고맙습니다. 신부님."

"이 비열한 놈아. 페포네가 도대체 너에게 얼마나 주었더냐?"

비네츠라가 힘없이 대꾸했다.

"2천 5백 리라입니다."

돈 카밀로는 비네츠라의 코앞에 커다란 주먹을 흔들어 보이며 위협한 후 그를 쫓아내고 다시 예수님과 맞섰다.

"예수님, 잘 들으셨겠죠? 이제 제가 저렇게 돈에 매수된 비열한 인간에게 분노하는 것도 무리가 아닌 것을 잘 아시겠지요?"

"아니다, 돈 카밀로. 잘못을 저지른 것은 너다. 똑같은 목적으로 너도 그에게 2천 리라를 주지 않았느냐? 비네츠라는 단지 5백 리라 더 준 사람의 말을 들었을 뿐이다."

운동 경기에서 선수와 관중, 그리고 심판의 관계를 단적으로 보여주는 일화이다.

우리는 왜 심판이 필요한 걸까?

어린 시절 시골에서 동네 축구를 해본 사람은 누구나 다음과 비슷한 기억이 있을 것이다.

내가 초등학교 5학년 때 고향에서 아랫마을과 어죽 내기 축구 시합을 한 적이 있었다. 그야말로 '동네 축구' 인데 내기가 걸려서인지 치열한 접전이 벌어졌다. 그러다가 상대방이 골대 바로 앞에서 핸들링 반칙을 범해서 페널티킥을 얻었다. 나는 골키퍼를 몸짓으로 속여 왼쪽으로 몸을 날리게 만들고 침착하게 오른쪽 구석으로 밀어넣었다. 그런데 골대 뒤에서 구경하던 아랫마을 아이가 갑자기 뛰어들어 그 공을 차내는 것이 아닌가. 자기네 편이 골을 먹는 것을 차마 그냥 보고만 있을 수가 없었던 모양이었다. 어쨌든 그 녀석은 선수도 아닌 구경꾼이었고 골키퍼는 반대편으로 몸을 날렸으니까 당연히 골인이라고 생각하며 기뻐하고 있는데 아랫마을 녀석들은 어쨌거나 막아냈으니까 골인이 아니라고 우기는 것이었다. 이런 걸 바로 '충청도 X배짱'이라고 하는 건데 하여간 말도 안 되는 얘기를 그저 배 내밀고 우기는 데야 당할 장사가 없었다. 결국 우리는 한참 입씨름을 하다가 그중 몇 명은 주먹다짐까지 벌인 끝에 어죽이고 뭐고 흐지부지된 채로 감정만 상하고 돌아오고 말았다.

나는 그때 "요럴 땐 심판이 있어야 하는 건데" 하고 한탄을 했었다. 사실 동네 축구를 하더라도 심판이 없으면 시합 시작하고 얼마 지나지 않아서 싸움으로 끝나는 경우가 허다하다. 하물며 돈 카밀로와 페포네처럼 두 앙숙이 맞붙었을 때 심판이 없다면 그 결과는 불 보듯 뻔한 일이다. 곧 기관총을 동원한 전면전이 벌어질지 누가 알겠는가. 이런 이유로 우리는 심판에게 절대적인 권한을 위임하여 예상되는 시비와 충돌을 미리 예방하고 깨끗하고 정정당당한 경기를 치르려고 하는 것이다. 따라서 심판은 엄정하고 권위 있는 판정으로 경기를 깨끗하고 매끄럽게 운영할 책임이 있는 것이며, 선수들은 심판의 판정에 절대적으로 복종할 것을 요구받고 있는 것이다.

어느 운동 경기이든지 그 경기가 깨끗하고 정정당당하게 진행될 것인가 아니면 지루하고 더러운 까기로 점철될 것인가는 경기 시작 후 심판의 첫 휘슬에 달렸다고 해도 과언이 아니다. 예를 들면 지난 82년 스페인 월드컵부터 90년 이탈리아 월드컵까지의 축구 경기가 지나치게 거칠어져서 현란한 개인기를 자랑하는 선수들이 설자리가 없어지고 축구의 장래가 우려되던 상황까지 갔던 것도 이기는 것보다는 지지 않는 전략을 채용한 대다수의 축구 지도자들이 거친 태클을 장려한 탓이 크지만, 한편으로는 그렇게 거친 반칙성 태클들을 묵인했던 심판들의 책임도 상당 부분을 차지하는 것이다.

그만큼 심판이 경기 운영에 미치는 영향은 거의 절대적이며 한 나라의 경기력 수준은 심판의 수준에 비례한다고까지 말할 수 있다. 그러므로 우리가 공정하고 매끄럽게 경기를 운영할 수 있는 우수한 심판들을 많이 확보하는 것이 바로 우리나라 스포츠의 수준을 끌어올리는 필요 조건인 것이다.

그런데 이렇게 경기 운영의 전권을 부여받고 있는 심판이라는 직업은 돈 카밀로와 페포네의 이야기에서도 알 수 있듯이 사실은 매우 고달픈 직업이다. 축구나 농구 경기의 심판은 경기 시간 내내 선수들 못지 않게 이리저리 뛰어다니면서 전 경기를 자세히 살펴봐야 한다. 야구 심판 역시 정확한 판정을 하기 위하여 캐처 뒤에 바싹 붙어서 파울볼에 얻어맞을 위험을 무릅써야 한다. 선수들은 공수 교대를 하면서 더그아웃에서 쉴 수가 있지만 심판은 교대할 수가 없으니 화장실 갈 시간도 없다. 그러다가 판정 실수라도 한 번 하면 강력한 항의가 들어오고 관중석에서는 야유가 터진다. 경기가 끝나면 승패가 가려지게 마련이고 진 팀은 심판 때문에 졌다는 불만을 표시하는 경우가 다반사이다. 그렇다고 해서 이긴 팀이 심판 때문에 이겼다고 감사하는 일도 없으니(그래서는 정말 큰일 아닌가) 심판은 이래저래 고생만 하고 욕만 얻어먹는 존재라고 한탄할 만도 하다. 한마디로 말해서 '잘해야 본전인' 것이 심판인 것이다. 게다가 최악의 경우에는 비네츠라처럼 생명의 위협까지 느껴야 하니 '심판의 권위' 란 말로만 존재하지 실체는 없는 것처럼 보인다.

깨끗하고 수준 높은 경기를 펼치려면 필수불가결한 요소인 심판이 이렇게 푸대접을 받는 이유는 무엇일까? 어째서 경기 운영에 관한 한 거의 절대적인 권한을 부여받은 심판의 권위가 가을날 거리에 나뒹구는 낙엽처럼 이리 밟히고 저리 차이는 신세가 된 것일까? 심지어는 중고등학생들의 경기에서도 판정에 대한 불만 때문에 자신들의 선생님인 심판에게 대들고 극단적인 경우 폭력 사태까지 일어나는 것은 도대체 무엇 때문일까? 공정하고 권위 있는 심판의 필요성을 누구나 인정하고 있는 한편, 현재 존재하는 심판들에 대해서는 매우 불신하는 분위기가 팽배해 있는 것은 과연 무엇 때문일까?

심판이 이렇게 불신을 받고 그 권위가 땅에 떨어진 이유는 역설적으로 표현하자면 바로 심판이 가지는 그 절대적인 권한 때문이라고 할 수 있다. 즉 경기장 내에서 절대적인 권한을 행사하는 심판이 의도적이든 아니든 일방적으로 한쪽 팀에게 유리한 판정을 계속 내린다면 그 경기의 승패가 '심판에 의해' 결정되어버리기 때문이다.

선수들은 경기 하나하나에 혼신의 힘을 기울인다. 하나의 승리를 얻기 위해 땀을 흘려본 사람은 아무리 작은 경기라도 '이긴다는 것' 이 얼마나 힘든 일인지를 잘 안다. 그런데 심판이 능력이 부족하여 당연히 지적해야 할 반칙을 보지 못한다거나 상황을 착각하여 사실과 정반대로 판정을 내린다면 그 경기 하나를 위하여 전력을 기울인 선수들은 심한 배신감을 느낄 수밖에 없다.

한편, 선수들이나 지도자들은 돈 카밀로나 페포네처럼 경기장 내에서 막강한 권한이 있는 심판을 경기장 밖에서 적당히 구워삶아 자기편을 만든다면 그의 절대적인 권한이 자기 팀에게 일방적으로 유리하게 작용할 수 있으므로 상대방에게 이기는 것은 식은 죽 먹기라는 비열한 유혹을 느낄 수 있다.

따라서 심판에 대한 불신도 크게 두 가지로 나뉜다. 하나는 심판이 공정하고 매끄러운 경기를 운영할 능력이 부족하다는 것이다. 우리나라의 경우 선수들의 경기력은 그 동안 눈부신 속도로 발전해온 반면 심판들의 경기 운영 능력은 상대적으로 발전 속도가 더딘 것이 사실이다. 따라서 선수들이 고난도 플레이를 펼치거나 지능적인 반칙을 범할 때 심판들이 미처 그 수준을 따라가지 못해서 어처구니없는 오심을 하게 되는 경우가 많다. 또하나는 심판이 어떤 말할 수 없는(?) 이유 때문에 의도적으로 편파적인 판정을 일삼는다는 것이다. 비네츠라가 5백 리라 더 준 팀에게 유리한 판정을 내린 것처럼 심판에 대한 로비력이 강한 팀에게 일방적으로 유리한 판정을 내린다는 불만이 그것이다.

재미있는 것은 대부분의 경우 전자의 오심은 그런 대로 수용할 수 있지만 후자의 경우는 절대로 받아들일 수 없다는 반응을 보이는 것이다. 사실 공정하려고 노력하지만 순전히 능력이 부족하여 오심을 일삼는 심판이 능력은 있으면서도 다른 '국물'이 탐이 나 의도적인 편파 판정이나 일삼는 심판보다는 훨씬 더 윤리적으로 떳떳할 것이다. 그러나 그 정도의 차이는 있을지언정 심판의 능력이 부족해서이든 아니면 유혹에 넘어간 의도적인 편파 판정이든 심판의 오심은 경기의 흐름을 결정적으로 뒤바꿀 수도 있고 또한 경기 자체를 망쳐버릴 수도 있는 만큼 두 경우 모두 지양되어야 하는 것들이다.

사람들 모두가 공정하고 유능한 심판의 필요성은 인정하면서도 그들의 공정성과 능력에 대해서는 뿌리 깊은 불신이 존재하는 이율 배반은 마치 우리 사회에서 엄정한 법과 질서의 필요성을 누구나 절감하면서도 법제도 자체와 그것을 집행하는 사람들이 주장하는 '법적인 논리'에 대해서는 깊은 불신과 의혹을 느끼는 것과 같다. 나는 법을 전공한 사람도 아니고 또 법에 대해서 아는 것도 거의 없으니 더 길게 얘기할 것은 없지만 심판의 판정을 둘러싸고 일어난 몇 가지 일화들을 돌아보며 우리들의 생각을 정리해보기로 하자.

심판 판정의 부등식

지난 1982년 뉴델리 아시안 게임 축구 준결승전. 오일 달러의 위력을 자랑하는 쿠웨이트와 달러에 관한 한 정반대의 처지에 있는 북한이 결승 진출권을 놓고 다투게 되었다. 쿠웨이트는 어마어마한 달러의 위력으로 브라질을 비롯한 남미 스타일의 축구를 접목시켜 사우디아라비아, 이라크, 이란 등과 함께 아시아를 호령하는 중동 축구의 대표 주자였고, 북한은 비록 오일 달러는 없지만 빠른 양 윙을 이용한 팀플레이가 돋보이는 강팀이었다.

경기가 시작되자 북한은 쿠웨이트의 개인기를 스피드와 과감한 태클로 무력화시키며 분위기를 그들의 것으로 만들고 2대 1로 앞서나갔다. 그런데 경기 종료를 얼마 앞두고 태국인 주심이 석연찮은 문전 프리킥을 선언, 동점이 되더니, 경기 종료 3분을 남기고는 결정적인 페널티킥을 쿠웨이트 팀에게 헌사하여 결국 쿠웨이트가 북한을 3대 2로 꺾고 결승전에 진출하게 되었다.

사건은 그 뒤에 일어났다. 억울한 패배에 흥분한 북한 선수들이 태국인 주심을 집단으로 두들겨 패기 시작한 것이다. 심지어는 코너 플랙을 빼어들고 난동을 부린 선수도 있었고, 태국인 주심은 그야말로 반죽음이 된 채로 겨우 구출되었다.

이 사건으로 북한은 국제 대회 2년간 출장 정지라는 중징계를 받아 그 이듬해 열리는 세계 청소년 축구 선수권 대회 출전권을 반납해야 했다. 덕분에 명승부를 벌인 끝에 경험 부족으로 북한에게 아깝게 5대 3으로 져서 출전권을 놓쳤던 박종환 사단이 세계 대회에 출전, '멕시코 4강 신화' 라는 빛나는 성과를 거두었으니, 이래저래 북한은 남 좋은 일만 시키고, 자신들은 돌아간 뒤에 미그기를 이끌고 귀순한 이웅평씨의 표현대로 '깡따' 를 맞는 신세가 되었다.

그런데 재미있는 것은 북한의 폭력 행사를 나무라기는 하지만 대부분의 우리나라 사람들이 "그놈의 심판 한번 잘 당했다. 당해도 싸다, 싸"라는 반응을 보인 것이었다. 그만큼 동남아 출신 심판들이 오일 달러에 매수당하여 편파적인 판정을 일삼는다는 의혹이 짙었고, 우리나라 역시 그 피해를 본 적이 한두 번이 아니었기 때문이다. 사실 그들 중 몇몇은 심판으로서의 능력은 차치하고라도 과연 공정한 태도로 심판을 보려는 의지라도 있는가를 의심하게 되는 경우가 많았다.

심판도 인간이니만큼 실수를 할 수가 있다. 그리고 그러한 가능성을 모두 인정하면서도 선수나 감독들이 심판의 판정에 절대로 복종할 것을 요구하고 또 대부분 그렇게 하는 것은 심판의 잘못된 판정이 고의가 아니라 공정한 판정을 위해 최선을 다한 인간이 어쩔 수 없이 저지르는 실수라고 믿기 때문이다. 그러나 만일 그러한 판정이 의도적인 편파 판정이라면 문제는 달라진다. 심판 판정이 권위를 가져야 하는 첫번째 전제 조건이 충족되지 않기 때문이다. 그리고 불행히도 심판의 판정이 편파적이라는 정황 증거는 도처에서 눈에 띈다. 그러니까 '악법도 법인가?' 라는 의문이 따르는 것이다.

모든 운동 경기가 다 그렇지만 특히 농구처럼 심판의 판정이 결정적인 영향을 미치는 경우도 드물 것이다. 슛이든 패스든 모든 동작이 눈 깜짝할 사이에 이루어지는 농구에서는 오펜스 파울인지 디펜스 파울인지 공이 아웃되었을 때 과연 누구의 손을 맞고 나갔는지 판정하기가 대단히 어렵다. 게다가 한 번의 공격권이 매우 중요시되는 농구에서 터치 아웃 하나라도 잘못 판정하게 되면 그것이 승부에 미치는 영향은 말할 수 없이 큰 것이다. 그만큼 경험 많고 유능한 심판이 절실히 요구되는 운동이 바로 농구이다. 속된 말로 심판이 선수들 머리 위에서 놀지 않으면 오히려 심판이 선수들의 노련한 속임수에 속아넘어가 사실과 정반대의 판정을 내리는 일이 생기기 때문이다.

따라서 우리나라에서 심판 판정에 대한 문제가 가장 많이 발생하는 대회 중 하나가 농구대잔치이다. 그런데 거기에다 심판이 고의적으로 특정 팀을 봐준다는 의혹이 들게 되면 문제는 더욱 심각해진다. 지난 95년 2월 27일 벌어진 기아자동차와 삼성전자의 94~95 농구대잔치 결승 3차전을 돌이켜보자. 1차전에서는 180도 회전 드리블 등 NBA급 묘기를 펼친 허재의 눈부신 활약으로 기아자동차 팀이 완승을 거두었고, 2차전에서는 후반 초반 허재가 5반칙으로 퇴장당하여 삼성의 벤치가 승리를 거의 자신했음에도 이번에는 강동희가 펄펄 날아 1차전보다 더 큰 스코어 차로 기아자동차가 대승을 거두었다. 막판에 몰린 삼성은 이창수와 박상관을 동시에 투입하여 기아의 막강한 센터 진에 대항하는 작전으로 나왔다.

이날의 경기는 정말 대단한 접전이었으며, 삼성 선수들의 정신 무장이 돋보이는 한판이었다. 몇 차례의 엎치락뒤치락하는 공방전 끝에 기아자동차가 72 대 70으로 뒤진 가운데 공격권을 얻었다. 남은 시간은 약 20초. 하프 라인을 넘어선 기아는 허재가 드라이브 인을 시도하다가 삼성의 거친 수비에 막혀 공을 강동희에게 넘겨주었고, 강동희가 3점슛을 시도하는 순간 주심의 휘슬이 울렸다. 삼성의 파울인 것이다. 나는 강동희에게 자유투 세 개가 주어지는 줄 알았다. 그런데 어이없게도 주심은 강동희에게 원 앤드 원 자유투를 주었다.

나는 그때 허재에게 가한 파울은 불지 않고 있다가 3점슛을 시도하는 강동희에게 가한 파울을 뒤늦게 지적하며 원 앤드 원을 주는 심판의 판정을 이해할 수가 없었다. 원 앤드 원이라면 허재가 자유투를 던져야 할 것이고, 강동희가 자유투를 던져야 한다면 자유투 세 개를 주어야 할 것이기 때문이다. 기아 벤치에서는 3점슛 동작에서의 파울이므로 자유투 세 개를 주어야 한다고 격렬히 항의했지만, 대답 없는 메아리일 뿐, 6.8초를 남기고 강동희의 원 앤드 원 자유투. 어쨌든 동점을 만들 수 있는 좋은 기회였다. 그런데 이게 무슨 요술인지 그런 실수를 잘 하지 않는 강동희가 그만 첫번째 자유투를 실패하고 말았다. 이때 림을 텅텅 튕기다 떨어지는 공을 향해 허재가 비호처럼 달려들어 리바운드를 낚아채고 골밑슛을 노렸고, 삼성의 수비는 물론 사력을 다해 허재의 골밑슛을 저지하려 했다. 나는 그때 적어도 두 번은 삼성의 수비가 허재에게 파울을 했다고 보았다.

아니나 다를까 심판이 휘슬을 불어 경기를 중단시켰다. 시간은 3.4초. 허재가 자유투 두 개를 다 성공시키면 경기는 아무래도 연장전까지

갈 것 같다. 그런데 내 눈을 의심하게 하는 일이 벌어졌다. 심판이 삼성의 볼을 선언하는 것이 아닌가. 허재가 3초룰을 위반했다는 것이다. 아까 6.8초가 남았었고 지금 3.4초가 남았으니 그 동안 3.4초가 흘렀다. 따라서 허재가 3초룰을 위반했다면, 공이 강동희의 손을 떠나 림을 튕기고 허재가 그 공을 다시 잡을 때까지 0.4초 이내의 시간이 흘렀다는 얘기가 된다. 이게 어떻게 납득이 가겠는가? 설사 허재가 공을 잡고 3초 이상 지체했다고 해도 무슨 까닭으로 그 이전에 삼성 선수들이 가한 파울은 잡아내지 않고 오히려 허재에게 3초룰 위반을 지적한다는 말인가?

어쨌든 경기는 그렇게 끝나고 기아자동차 벤치는 심판 판정에 대해 격렬하게 항의했다. 성질 급하기로 유명한 허재는 눈망울을 험하게 굴리며 "아니, 그게 어떻게 스리 세컨이야?" 하면서 '방방 떴지만' 주장인 김유택이 사인을 하여 정식으로 항의서를 제출하는 것으로 사태는 진정되었다.

이튿날 신문들은 일제히 이 경기에서의 심판의 판정에 대해 짙은 의혹을 표시했다. 반드시 바로 그 순간의 판정 때문에 그런 것만은 아니었다. 그날 경기 내내 기아 선수들은 심판의 판정에 신경질적인 반응을 나타냈고, 그만큼 심판의 판정이 애매했다. 삼성에게 왠지 유리한 판정을 내린다는 의혹을 지울 수 없었던 것이다.

이 경기의 판정이 편파적인 느낌을 주었던 이유를 두고 여러 가지 추측이 난무했다. 예를 들면 그 경기가 끝난 뒤 편파적이라고 느껴지는 심판 판정에 불만을 터뜨리며 흥분하는 나를 한 후배는 다음과 같은 말로 달랬다.

"형, 그런 일은 좀더 대국적으로 봐야 해. 도대체 돈이 얼만데 그래?"

농구대잔치 결승전이 2월 27일에 끝나지 않고 휴일인 3월 1일까지 이어진다면 '오빠부대'를 비롯 엄청난 입장 수입이 예상되는 터에 미쳤다고 돈 되는 일을 외면하겠느냐는 지극히 자본주의적인 추론이었다. 그러니까 그날의 심판 판정은 적어도 삼성측의 사주만이 아니라 농구협회의 무언의 압력이 작용하지 않았겠느냐는 음모적 시각이다. 나는 정말로 우리나라 농구협회가 그런 저질스러운 일은 절대로 하지 않았을 거라고 믿지만, 경기 후 한 농구협회 관계자가 했다고 신문에 보도된 말은 그러한 나의 순진한 믿음을 잠시나마 흔들리게 하기에 충분했다.

"(최종 결승전이) 오늘 끝날 거라고 생각한 사람은 아무도 없었어요."

그날 경기의 문제가 됐던 판정에 대해서는 심판이 의도적인 편파 판정을 했다기보다는 큰 경기를 맡은 경험이 부족한 데서 비롯된 순전한 실수라는 의견이 아마도 가장 속 편한 결론일 것이다. 그러나 이 경기말고도 그 동안 농구대잔치에서 문제가 되었던 다른 모든 심판 판정의 문제들도 사실은 심판의 자질 부족에서 비롯된 단순한 오심일 뿐 의도적으로 어느 특정 팀을 봐주기 위한 편파 판정은 없었다고 주장한다면 그것은 받아들이기가 힘들다. 만일 그같은 심판의 편파 판정에 대한 불신이 순전히 오해일 뿐이라면 심판의 결정적인 오심 때문에 피해를 보는 팀이 어느 정도 고르게 분포되어야 한다. 예를 들면 삼성이 한국은행과 경기를 하는데 심판의 결정적인 오펜스 파울 지적 때문에 졌다든지, 건국대학이 심판의 상식 밖의 3초룰 위반 선언에 힘입어 연세대학을 꺾는 이변이 연출되었다든지 하는 일도 벌어져야 한다는 것이다. 그러나 그러한 일이 일어나는 경우는 적어도 내가 기억하기에 단 한 번도 없었다. 오히려 한국은행이 젖 먹던 힘을 다 발휘하여 삼성을 거의 다 잡을 무렵 심판의 애매한 워킹 바이얼레이션 선언(트레블링이 맞는 용어지만 그냥 콩글리시를 쓰자)으로 상승 무드에 찬물을 끼얹는다든지, 건국대학교가 필승의 투혼으로 싸워 연세대를 꺾기 직전 심판의 결정적인 테크니컬 파울 선언으로 경기가 뒤집히고 말았다든지 하는 예가 비일비재한 것이다. 따라서 내가 지나치게 일반화하는 오류를 범하고 있다는 것을 인정하면서도 다음과 같은 가설을 세우지 않을 수 없다. 즉 각 농구팀의 경제적, 정치적인 능력에 비례하여 심판이 편파적인 판정을 한다는 것이다. 그리고 그 부등식은 현대＝삼성 〉 연세대＝고려대 〉 SBS 〉 기아자동차 〉 한양대＝중앙대 〉 기타 금융단 및 대학팀 정도로 나타낼 수 있을 것이다.

나는 정말 내가 위에서 제시한 가설이 터무니없는 망발이기를 빈다. 만일 이렇게 심판 판정의 공정성에 의심을 품게 되면 선수들이나 팀 관계자들은 자신들의 경기 능력을 향상시킬 생각을 하는 대신에 어떻게 하면 심판을 구워삶아서 심판의 힘으로 손쉽게 이겨볼까 하는 비열한 생각을 하게 마련이다. 누구 말대로 '법이 제대로 서지 않은' 상태에서는 진정한 승부고 뭐고 거룩한 말씀이 통할 수 있는 환경이 되지 않는 것이다. 따라서 이렇게 왜곡된 현상은 농구인들 내지는 모든 체육인들이 모두 힘을 합쳐 하루빨리 바로잡아서 심판이 신뢰받는 분위기를 조성해야 한다. 그것이 결국은 체육인 모두가 함께 잘살 수 있는 길이다.

결백한 실수와 진실

심판이 공정하려는 태도를 갖는 것 못지 않게 중요한 것이 경기를 깨끗하고 원활하게 이끌 수 있는 능력을 갖추는 일이다. 자신이 아무리 하늘을 우러러 한 점 부끄럼이 없이 공정한 진행을 했다고 하더라도 결정적인 반칙을 지나치고 놓쳤다든지 사실과는 정반대의 판정을 내렸다든지 하면 아무리 '결백한 실수' 라도 그 경기 하나에 '목숨을 건' 선수들에게는 돌이킬 수 없는 상처를 입힐 수 있기 때문이다. 나는 이 기회에 심판을 보는 사람들에게 부탁하고 싶다. 선수들은 정말 경기 하나하나에 모든 것을 건다. 심판들은 그들의 판정 하나하나가 선수들에게 어떤 영향을 미치는지를 깊이 생각해서 명쾌하고 엄정한 판정을 내려주기 바란다.

심판의 판정은 단순히 경기 결과에만 영향을 미치는 것이 아니다. 심판이 비열한 반칙을 준엄하게 잡아내느냐 못 본 척하고 넘어가느냐에 따라서 스포츠가 비열한 것으로 타락하느냐 아니면 그 자체의 숭고하고 아름다운 모습을 지켜나갈 수 있느냐가 결정된다. 1990년 이탈리아 월드컵 대회에서의 축구와 1994년 미국 월드컵 대회에서의 축구의 모습을 비교해보면 스포츠를 정정당당하고 깨끗하면서도 흥미진진하고 박진감 넘치는 것으로 이끌어나가는 데 심판의 역할이 얼마나 중요한 것인지를 잘 알 수 있을 것이다.

다음에 소개하려는 이야기는 내 개인으로서는 매우 부끄러운 것으로서 사실 감추고 싶은 이야기이다. 그러나 심판의 '결백한 실수'와 그것을 둘러싼 몇몇 중요한 문제점들을 시사해준다고 생각하기 때문에 부끄러움을 무릅쓰고 감히 여기에 적어본다.

지난 95년 5월, 우리 학교에서는 자연대 학장배 축구 대회가 열렸다. 예전에는 각 학과별로 팀을 구성하여 참가하는 것이 상례였으나, 재작년에 대회가 부활되면서 자연과학대학에 소속한 학생 및 교직원들이 자체적으로 팀을 구성하여 참가할 수 있도록 했다. 그러니까 팀 이름도 수학과, 물리학과 등 학과별로 구성된 팀도 있지만, '과학고등학교 동문' 등 고교 동문 팀들도 참가하고 '이도윤과 걸레들' 같은 기상천외한 팀도 나타난다. 단, 자연대 축구부 학생들은 아무래도 실력이 뛰어나기 때문에, 한 팀에 다섯 명 이상 선수로 뛸 수 없다는 제한 규정은 있다.

이 대회의 주심과 선심, 구급약 준비 등 경기 진행을 자연대 축구부 학생들이 맡고 있으니까 명색이 지도교수인 내가 가서 지켜보지 않을 수 없다(사실은 그저 축구 경기가 보고 싶어서 괜히 나갔으면서 핑계를 잘도 둘러댄다). 그런데 그만 사건이 생겼다. 지질학과 대학원생 팀에 자연대 축구부 동기인 이수재가 감독 겸 선수로 출전한 것이 아닌가. 그는 지금 박사 과정을 수료한 시간 강사인데 아직 학위를 받지 않았으니까 학생 신분이라는 명분 아래 참가한 것이다. 그렇잖아도 무슨 핑계라도 있으면 경기에 출전하고 싶어서 안달이 났었는데 같은 80학번인 이수재가 버젓이 선수로 뛰고 있으니 나는 배가 아파 죽을 지경이었다. 규정에 교직원도 출전할 수 있다고 되어 있으니 나라고 출전하지 못할 이유는 없지만, 나는 다음과 같은 허무한 이유로 소속 팀이 출전을 할 수 없게 되어 그저 발만 동동 구르고 있는 수밖에 없었다.

나는 대회 전에 내가 속한 수학과 대학원생들로 팀을 구성하여 이번 대회에 참가하려고 했었다. 수학과 대학원생들은 매주 화요일마다 축구를 하는데 가끔씩은 마침 매주 화요일과 금요일에 연습을 하는 자연대 축구부의 스파링 파트너 역할도 하며 실력을 길렀으니, 아무리 학부 학생들이 팔팔하기로서니 우리의 노련미에는 당할 수 없을 것이라는 자신감도 있었다. 그런데 참가 신청을 하러 갔더니 이미 대회가 시작되어서 참가 신청을 포기했다는 것이다. 나는 대학원 학생들에게 그렇게 게을러서 어떻게 이 험한 세상을 살겠느냐는 등 제가 축구를 하지 못하게 된 화풀이를 해대고 출전을 포기할 수밖에 없었다. 그런데 며칠이 지난 후에 자연대 축구부 주장이 대회 개최의 계획과 소요 경비 내역 등을 적은 계획서를 들고 와서 승인을 해달라는 것이 아닌가. 잠시 혼란에 빠진 나는 아니 대회가 시작되었다는데 무슨 계획서를 이제 가져오느냐고 핀잔을 주었다. 그런데 주장 학생 말은 아직 시작하지 않았다는 것이다. 나는 수학과 대학원생들이 한 말을 그대로 전했다. 그러니까 주장 학생이 폭소를 터뜨리며 그건 공대 학장배 축구대회였다는 것이 아닌가. 이런 젠장, 이젠 정말로 늦어서 참가 신청을 받지 못한다고 하니 정말로 답답하고 화가 났지만, 만사휴의, 수학과 대학원생들의 멍청함을 탓하며(그런데 사실은 그렇게 좀 멍청한 면이 있어야 수학을 잘하는 거니까 그리 탓할 일만도 아니다), 다시 한번 정말로 포기했다.

이렇게 아픈 가슴을 달래며 스탠드에 앉아 내 동기 이수재가 이끄는 지질학과 대학원생 팀의 1회전 경기를 지켜보고 있는데 이수재는 나이도 부끄럽지 않은지 혼자 세 골씩이나 집어넣으며 방방 뜨는 것이 아닌가. 그걸 보고 있던 나는 도저히 좀이 쑤셔 참을 수가 없었다. 그렇게 봐서 그런지 나 같으면 세 골이 아니라 네 골도 집어넣을 수 있을 것 같은데 어찌하랴(이게 바로 권투 선수들이 은퇴했다가 다시 컴백해서 무참히 KO당하곤 하는 이유다). 그 경기가 끝난 후에 나는 수재에게 간청했다.

"야, 나 좀 너희 편 부정 선수로 뛰게 해주라."

급기야는 자연대 축구부 진행 요원들에게 선배인 동시에 지도교수인 위치를 이용한 위협과 애원을 한 끝에 팀명을 즉석에서 '지질학과 대학원(및 수학과 교직원)'으로 바꾸고 2회전 경기부터 뛸 수 있도록 해놓았다.

드디어 대망의 2회전 경기가 시작되었다. 상대는 95학번 물리학과 학생들. 서울대에 들어온 놈들이면 아무래도 공부벌레들일 테고, 물리학과라면 이대에 있는 안창림 교수 같은 극히 예외적인 존재를 빼놓고는 너나 할 것 없이 공을 발에 맞힐 줄이나 알면 다행인 놈들일 테니 내가 한바탕 휘저어놓을 수 있을 것이다. 스탠드에서는 양 팀의 응원이 분위기를 돋운다. 나는 저절로 신이 났다. 이게 정말 얼마 만에 들어보는 응원이냐. 대학교 4학년 때 바로 지질학과를 상대로 다섯 골을 넣는 기염을 토한 이후 처음 듣는 응원이 아닌가. 나는 정말로 학생으로 되돌아간 느낌이 되어 좋아 죽을 지경이었다. 그런데 이게 웬일인가. 물리학과 공부벌레들은 펄펄 날고, 아무래도 나이가 든 지질학과 대학원생들은 쩔쩔매며 쫓아다니기에 바쁜 것이 아닌가. 게다가 수입 용병인 나는 몸값에 어울리지 않게 경기가 시작된 뒤 겨우 5분이 지난 뒤부터 헐떡거리기 시작했으니, 도대체 이런 망신이 따로 없었다. 그러나 역시 공은 둥근 것이어서 우리 팀에게 찬스가 왔다. 페널티박스 외곽에서 직접 프리킥을 얻은 것이다. 생각 같아서는 내가 활처럼 휘어지는 스핀 킥으로 절묘하게 차넣고 싶었으나, 이미 주제 파악을 한지라 감독 겸 선수인 이수재가 차게 했다. 이수재는 주책없게도 그걸 또다시 멋지게 골로 연결, 우리는 1대 0으로 앞서나갔다.

그 뒤로는 기억하고 싶지도 않다. 한 골 뒤지기 시작한 물리학과 학생들이 우세한 체력과 실력으로 일방적으로 몰아붙이기 시작했고, 우리 팀은 그저 공을 걷어내기 급급했다. 어쨌든 시간은 흐르고 흘러 4, 5분 정도 남았는데, 드디어 올 것이 오고야 말았다. 수비하느라고 정신이 없던 우리 팀 선수 하나가 그만 페널티 에어리어 안에서 핸들링 반칙을 범한 것이다. 두말할 것도 없이 즉시 페널티킥이 선언됐다. 키커는 그 경기 내내 모자를 뒤집어 쓴 채 이곳저곳을 휘저으며 발군의 기량을 보여서 자연대 축구부에 스카우트했으면 좋겠다고 생각했던 그 녀석이니 도대체 실축할 것 같지도 않고, 아이고 어떻게 한 골을 더 넣어서 이기나 하고 힘이 빠져 있는데, 이게 웬 떡이냐, '그녀석' 이 그만 실축을 한 것이다. 공은 골키퍼 근처로 날아가 골키퍼를 맞고 튕겨나왔다. 그러나 기쁨도 찰나일 뿐, 치사하게도 그 녀석이 그걸 다시 침착하게 차넣는 것이 아닌가. 실망한 나는 쥐가 날 것처럼 무거운 다리를 이끌고 돌아서는데, 심판이 무얼 잘못 먹었는지 골이 아니란다. 그의 설명에 따르면, 키커 자신이 골대 맞고 나온 것을 다시 차넣을 수는 있지만, 골키퍼 몸에 맞고 나온 것을 다시 차넣을 수는 없다고 내가 알고 있던 사실과는 정확하게 반대되는 규정을 설명하며 노골을 선언했다.

물리학과 학생들이 잠시 항의를 했지만 심판이 그렇다는 데에야 어떻게 할 것인가. 심판이 뻔히 틀린 줄을 알고 있던 나는 그저 골인이 아니라는 심판의 말이 고마울 뿐이어서 비겁하게도 그냥 입을 다물고 있었다. 그때 선심을 보던 학생도, 또 본부석에 있던 진행요원들도 골인이라고 사인을 보냈지만, 이 녀석은 어떻게 된 것인지 단호하게 노골을 선언하고 경기를 속행시켰다. 이미 골대도 두 번씩이나 맞춘 터에 페널티킥까지 못 넣었으니 물리학과 학생들은 의기소침, 그대로 경기가 끝나고 말았다.

경기가 끝나고 양 팀 선수들이 인사를 하려고 줄을 서는데, 한 학생이 항의했다.

"제가 TV에서 그렇게 넣는 거 봤는데요."

주심은 다시 한번 단호하게 부인했다. 이때 조금 늦게 줄을 선 다른 학생이 다시 항의를 하려고 하자, 나머지 학생들이 말렸다.

"야, 벌써 끝났어. 이젠 그만 해."

부끄러워진 나는 인사가 끝나고 수재에게 말했다.

"야, 골인 아니냐? 반대가 맞는 거 아냐?"

"글쎄, 나도 그렇게 알고 있었는데?"

물리학과 학생들이 아직도 투덜댄다.

"내가 분명히 TV에서 그렇게 넣는 거 봤는데."

페널티킥을 실축했던 그 녀석이 웃으며 얘기한다.

"그 동안 규칙이 바뀌었나보지."

나는 몹시 부끄러웠지만 또 한편으로는 잔잔한 감동에 빠졌다. 보통 아마추어 경기에서 이런 사건이 나면 대판 싸움이 나게 마련이다. 그런데 물리학과 학생들은 몇 번 아주 점잖게 항의한 후에 순순히 물러선 것이다. 이미 심판이 휘슬을 분 이상 경기는 끝난 것이고, 그 결과에 승복한 것이다.

그런데 문제는 엉뚱한 곳에서 비어져나왔다. 본부석에서 운영위원들이 나와서 판정을 번복하고 그 시점부터 재경기를 해야 한다는 것이다. 그리고 주심을 본 녀석도 "아차, 내가 완전히 거꾸로 얘기했구나" 하더니 자기가 잘못한 것이니까 다시 해야 한다는 것이었다. 그 동안 내내 죄책감에 시달리던 나는 "아이고 올 것이 왔구나. 사필귀정이라더니, 젠장" 하며 슬며시 자리를 피했다. 그 바람에 아직 미련이 남아서 가지 않고 기다리고 있던 물리학과 학생들은 신이 나서 몰려들었고, 이미 응원단에게 인사까지 하고 다 들어가버린 지질학과 대학생들은 두세 명이 남아서 항의했다. 이미 끝난 경기고 선수들도 다 들어갔는데 그런 법이 어디 있느냐는 것이었다.

드디어 '먹물 든 놈들' 특유의 설전이 시작되었다. 물리학과 학생들의 주장은 명료하고 논리 정연했다. 심판이 잘못된 판정을 내린 것이 확실하고, 또 주심도 운영위원들도, 그리고 지질학과 대학원생팀도 그 사실을 인정하는 만큼, 잘못된 판정을 내린 시점으로 돌아가, 1대 1인 상황에서 경기를 재개해야 한다는 것이다. 이미 지질학과 대학원생들이 들어가버렸으니, 그 점은 자신들이 양보해서 다음날 서로 편한 시간에 남은 4분 동안의 경기를 치르자고 제법 타협안까지 제시하고 나왔다.

지질학과 대학원생들의 주장은 더욱 명료하고, 더욱 논리 정연했다. 축구에서 심판의 권한은 절대적이다. 한 번 내린 판정이 번복될 수는 없다. 마라도나가 잉글랜드와의 준결승전에서 손으로 공을 쳐넣었지만, 그렇다고 해서 다시 재경기를 했느냐. 일단 심판이 휘슬을 불어 끝이 난 경기는, 아무리 그것이 명백한 오심일지라도 그 결정을 뒤집을 수는 없다. 그것은 주심의 징계에 관한 사항이지 판정을 번복할 사항은 아니다. 따라서 그 시점부터 재경기를 할 수는 없다는 것이다.

가뜩이나 아까 골인인데 진실을 외면하고 비겁한 승리를 택한 죄책감에 어쩔 줄 몰라하던 나는 이번에는 한술 더 떠서 다음과 같은 말도 안 되는 중재안을 내놓았다. 어쨌거나 물리학과가 우세한 경기를 했던 것이 사실이고, 또 이미 들어가버린 대학원생들을 불러 다시 경기를 속개하기도 어려우니까, 어린 학생들이 실망하지 않게 선배인 대학원생들이 백 보 양보해서 그냥 몰수 게임패를 당하는게 어떻겠느냐는 것이 내 제안이었다. 무슨 중재안이란 것이 물리학과 학생들의 안보다도 훨씬 더 물리학과 학생들에게 유리하도록 되어 있고, 그 중재안이란 것의 어느 구절이고 논리적으로 합당한 구석이 없으니 중재안은커녕 그저 개 짖는 소리로밖에 들리지 않는 것도 당연했다.

양쪽의 주장은 물러설 기미가 없이 팽팽하게 맞서고 있는데, 지도교수라는 놈은 첫째는 말썽이 생길 소지를 사전에 방지할 수도 있었음에도 불구하고 이기는 데 눈이 멀어서 진실을 외면하고 침묵하고 있었고, 둘째는 중재안이랍시고 멍청한 의견이나 제시하고 있으니 일이 해결될 리가 없었다. 결국, 운영위원회에서 회의를 열어 결정을 한 뒤 그 결과를 각 팀에 통보해주기로 합의를 하고 일단 헤어졌다.

그나마 다행인 것은 양쪽 팀 모두 자신들의 주장은 충분히 개진했으니까, 운영위원회의 결정에 따르겠다고 합의를 한 일이었다. 사실 논리적으로는 지질학과 대학원생들의 말이 백번 천번 맞는 얘기이다. 그러나 나는 물리학과 학생 중 하나가 "그럼, 진실이란 것이 그렇게 덮어져야 하느냐?"고 항의하던 말이 마음에 걸려서 그런 망발에 가까운 중재안을 낸 것이다. 이제 갓 대학에 입학한 신입생들인데 만의 하나라도 진실보다는 힘이 더 중요하다는 비약이라도 한다면 어찌할 것인가. 실제로 자연대 축구부원들 사이에서도 그 문제로 열띤 논쟁이 벌어졌다. 심지어는 광주 사태와 신군부에 비유하기까지 하는 엄청난 비약까지 하며 갑론을박, 커다란 홍역을 치렀다. 나는 혹시 이번 일로 우리 축구부의 가장 중요한 재산인 인화가 깨지면 어쩌나 걱정했지만, 다행히 그런 일은 일어나지 않았고, 오히려 전보다 더욱 단합된 모습을 보여주어 기뻤다. 결국은 대한축구협회의 기술분과위원회에 문의를 하는 소동을 거친 끝에, 일단 심판이 휘슬을 불어 끝이 난 경기의 판정은 다시 뒤집을 수 없다는 유권해석을 받아내어, 경기는 지질학과 대학원 팀의 승리로 끝난 것으로 하고, 그때 심판을 보았던 학생은 그 대회에서 주심을 볼 수 없도록 징계하는 선에서 사태(?)를 마무리했다. 그러나 나는 아직도 몇 가지 마음에 걸리는 일이 있다.

첫째, 나는 그때 왜 심판이 뻔한 오심을 하는 데도 그 시합을 이기면 무어 그리 좋은 일이 있다고 가만히 있었느냐는 것이다. 물론 내 잘못도 아니고, 또 여러 명이 잘못을 지적했는데도 심판이 그의 권한으로 결정을 내린 것이라고 자신을 합리화시킬 수도 있다. 그러나 나는 자연대 축구부의 지도교수이고, 따라서 그때 내가 한마디만 했으면, 심판을 보던 학생은 잘못을 깨닫고 그 자리에서 판정을 번복할 수가 있었다. 그리고 바로 그때만이 판정이 뒤집어질 수 있는 것이다. 이렇게 별것도 아닌 작은 이익 앞에서도 진실을 외면하고 침묵하고 있으니 무슨 낯으로 학생들을 가르칠 것이며 무슨 낯으로 내 아이들을 볼 것인가.

둘째, 뒤늦게 잘못을 깨달은 것은 기특하다고 치자. 그런데 무슨 인기 발언도 아니고, 어째서 그렇게 멍청한 중재안을 내놓는단 말인가. 지나간 실수를 만회하기 위해 그 반대의 잘못을 저지르는 것은 지난 잘못을 상쇄하는 것이 아니라 잘못을 두 번 저지르는 것일 뿐이라는 명백한 진리를 왜 그리 쉽게 잊었단 말인가.

셋째, 나는 아직도 모르겠다. 아무리 축구협회의 유권해석이 그렇더라도, 그 당시 판정을 뒤집어서 재경기를 해서 진실은 언젠가는 밝혀지며, 인생에서는 진실이 가장 중요하다는 인식을 이제 갓 입학한 신입생들에게 심어주었어야 했는지, 아니면 심판도 사람이고 또 실수도 하는 것이니까 어쨌든 심판에게 복종하는 태도를 가지는 것이 인생의 교훈이라고 얘기했어야 했는지.

어쨌든 이 일로 하여 자연대 축구부원들은 한결 성숙한 면모를 보이게 되었고, 자연대 학장배 축구 대회 또한 한결 매끄럽게 진행되었다. 나는 아직도 정신을 차리지 못한 채 계속해서 '용병' 으로 뛰어서 급기야는 해양학과와의 결승전에서 서울대 내 최고의 실력을 자랑하는 '자연대 축구부 골키퍼 이준택을 상대로' (이 대목이 특히 중요하다) 왼발 중거리 슛으로 결승골을 성공시키는 주책을 부려 지질학과 대학원 팀이 우승을 하는 데 '결정적인 공헌'(아무도 그렇게 말하지 않으니까 나라도 이렇게 평가하지 않을 수 없다)을 함으로써 해양학과 학생들로부터 "비쇼베츠가 직접 뛰는 거 봤느냐?"는 너무나 기분좋은 비난을 받았다.

자연대 학장배 대회가 끝난 며칠 후 지질학과 팀에게 억울하게 진 물리학과 1학년 학생들 몇 명과 마주쳤다.

"선생님, 우승했다면서요? 축하합니다."

나는 괜히 미안하고 얼굴이 화끈거렸지만, 용기를 내어 다음과 같이 부탁했다. 이번 일로 만의 하나라도 진실은 중요한 것이 아니며, 일단 상황 끝이 되면 모든 것은 되돌이킬 수가 없으니 '그저 힘 있는 놈이 장땡'이라는 위험한 생각만은 가지지 말아달라고. 오히려 (나한테 하는 소리였지만) 진실이란 것은 그만큼 밝히기 어렵고 되돌이키기 힘든 것이니까 진실을 보았을 때는 외면하지 말라고. 나는 결코 그런 생각은 하지 않는다는 그들의 대답에 겨우 그 죄책감에서 벗어날 수가 있었다. 그리고 그들의 명랑하고 씩씩한 태도에 나도 모르게 힘이 솟았다.

"저희는 뭐 다음 기회도 많은데요. 내년에는 꼭 지질학과를 꺾고 우승해야죠."

누가 요즘 애들이 어쩌고저쩌고 하는가. 그저 착하고 깨끗하고 순수한 우리 신입생들이 고마울 뿐이다.

"경기는 비기려고 하는 것이 아니다"

우리가 살아가다보면 싫든 좋든 여러 가지 형태의 크고 작은 경쟁을 해야 하며 그에 따르는 승부를 경험하게 마련이다. 그리고 그때 맛보는 승리의 달콤함과 패배의 쓰라림이 서로 교차하며 우리들의 인생을 여러 가지 빛깔로 물들이게 된다. 따라서 이기고 지는 것에 대하여 뚜렷하고 건전한 철학을 가지는 것이 우리들이 살아가는 의미를 더욱 차원 높은 것으로 끌어올릴 수 있도록 빛을 밝혀주는 등대가 될 것이다. 지금은 전북대학교 물리학과 교수로 계신 자연대 축구부의 최종범 선배는 내가 아직 학생일 때 우리들 후배들을 만나면 다음과 같이 강조하시곤 했다.

"축구란 우리편이 10대 0으로 이기고 있으면 11대 0으로 이기려고 노력하는 것이다. 그것이 바로 상대방에 대한 진정한 예의다. 반대로 우리편이 10대 0으로 지고 있더라도 승부를 포기하면 안 된다. 최소한 10대 1이라도 만들려고 노력해야 한다. 그것이 또한 상대방에 대한 예의다."

최종범 선배님의 이 말씀은 지금 자연대 축구부 라커룸의 칠판에 '부훈' 처럼 적혀 있다. 우리 자연대 축구부의 총감독님이신 김명환 선생님은 한술 더 뜨신다.

"야, 왜 10대 1로 지려고 하냐? 11대 10으로 이기려고 해야지."

이기든 지든 끝까지 포기하지 않고 최선을 다하는 것. 그리고 하나의 승부가 결정된 뒤에는 깨끗이 그 결과에 승복하고 상대방을 축하하며 다음의 승부를 준비하는 자세. 그러한 자세가 바로 우리가 우리의 인생을 대하는 태도여야 한다는 말씀이다.

이긴다는 것은 이브의 사과처럼 달콤한 유혹이다. 일단 이기고 나면 그 동안의 과정이 모두 미화되고, 우리는 나른한 만족감에 젖어 승리의 기분을 만끽한다. 승부의 고비마다 사실은 승리의 여신이 우리 편으로 입실론만큼의 미소를 던져준 것뿐이라는 것을 잘 알면서도, 그러한 것은 쉽게 잊혀지고 우리들은 그 동안 우리가 범했던 모든 잘못과 실수마저 승리의 원동력이었던 것처럼 여기게 된다. 그러나 우리는 안다. 오늘은 우리가 이겼지만 내일은 또 우리와 그들의 자리가 뒤바뀔 수도 있는 것이며, 오늘 우리는 그저 기뻐하지만 내일이면 왠지 모르게 허탈한 가슴을 안고 또다른 승부를 시작해야 한다는 것을.

새로운 승부를 준비하는 것은 언제나 어렵고 두려운 일이다. 그리고 아무리 화려한 승리를 쟁취하였다 해도 얼마간의 시간이 흐른 뒤에는 반드시 짙은 허탈감이 밀려들게 마련이다. 그러나 그렇다고 해서 우리가 운명처럼 우리 앞을 가로막는 인생의 여러 가지 승부를 피할 수는 없다. 따라서 우리가 필연적으로 맞닥뜨려야 하는 여러 종류의 승부를 피하려 하지 말고 정면으로 맞서서 그 의미를 마음 깊이 느껴보려는 적극적인 자세를 갖는 것이 우리들의 삶을 더욱 살 만한 것으로 만들어줄 것이다.

미국 대학 농구의 전설적인 명감독 존 우든은 선수들에게 '승리' 라는 말을 언급한 적도 없다고 밝힌 바 있다. 그가 다른 사람보다 이기고 싶은 마음이 덜해서가 아니다. 그 자신 누구보다도 더 이기고 싶은 마음이 강렬하지만 그저 단순히 이기는 것보다는 더 높은 차원의 진정한 승리를 갈망했기 때문이다. 그가 '승리' 라고 정의한 것은 '자신이 발휘할 수 있는 능력을 최대한 발휘하여 그 능력이 도달할 수 있는 가장 최상의 플레이를 펼치는 것' 이었다. 그는 그 경지에 도달하지 않은 플레이를 한 경기는 모두 이긴 것이 아니라는 마음가짐으로 경기에 임할 것을 선수들에게 요구했다고 한다. UCLA처럼 7년 동안 두 번밖에는 진 적이 없을 정도로 막강한 팀을 이끌려면 이렇게 차원 높은 동기 부여를 하지 않고서는 선수들이 목표의식을 상실하여 매너리즘에 빠져버리기 십상이었을 것이다.

사람은 누구나 이기고 싶어한다. 그러나 그저 이기고 싶어한다고 해서 저절로 이길 수는 없다는 것 또한 누구나 잘 알고 있다. 승리를 얻어내기 위해서는 그에 상응하는 충분한 준비를 해야 하고 또 그에 따르는 희생을 치를 각오를 해야 한다. 또한 수단과 방법을 가리지 않고 무조건 이기기만 하려고 하는 태도로는 우리들의 가슴을 가득히 채워주는 승리의 보람을 얻을 수가 없다. 우리가 추구해야 할 것은 정정당당하고 용감하게 싸워서 품위 있고 우아한 승리를 얻어내는 일이다. 존 우든이 말한 것처럼 승리는 자신이 가지고 있는 실력을 유감없이 발휘하여 자신이 펼칠 수 있는 가장 최상의 플레이를 펼쳤을 때 저절로 따라오는 것이라는 마음가짐으로 끝까지 포기하지 않고 진지하게 최선을 다하는 것이 진정으로 의미 있는 승리를 얻을 수 있는 비결일 것이다.

이기는 것은 어려운 일이다. 그러나 품위 있게 이기는 것은 더욱 어려운 일이다. 우리가 그저 이겼다는 사실에만 만족하여 기쁨에 겨워 날뛰고 있을 때 우리에게 진 다른 상대방은 우리들의 그러한 모습을 보며 뼈저린 모멸감을 느낄 수도 있다. 경쟁을 할 때는 한치의 양보도 없이 최선을 다하여 필사적으로 싸우지만, 일단 승부가 결정된 뒤에는 치열하게 싸우던 상대가 사실은 적이 아니라 같이 더불어 살아가는 '동반자' 라는 사실을 기억하고, 그들의 쓰라린 마음을 헤아릴 줄 아는 아량을 지닐 때 비로소 우아한 승자의 면모를 갖출 수 있을 것이다.

진다는 것은 언제나 가슴 찢어지는 아픔이다. 패배한 뒤에는 가슴에 커다란 구멍이 뚫리고 밀물 같은 후회가 찢어진 상처를 적시며 밀려오게 마련이다. 결정적인 기회를 놓쳐버린 자신과 동료의 실수, 왠지 우리에게 불리하게만 판정을 내린 것 같은 심판의 애매한 태도 등이 파노라마처럼 눈앞에 펼쳐지고, 오랜 시간 동안 그 뼈아픈 기억에서 헤어나오지 못하게 된다. 그 동안 흘렸던 땀과 노력, 그 수많은 시간과 공을 들였던 승리에의 집념. 이런 모든 것들이 경기가 끝나는 순간 물거품처럼 사라지고 '우린 졌다' 는 허망한 사실만 남는다. 세계 바둑계의 최고봉 조훈현 기사가 '지옥으로 끌려가는 기분' 이라고 표현했다던가. 승부를 겨뤄 진다는 것은 진정으로 고통스러운 일이고, 그래서 우리는 승리를 얻기 위하여 혼신의 노력을 기울이는 것이다.

그러나 나는 자신이 지니고 있는 실력을 유감 없이 발휘한 후에 패배한 것이라면 그 패배는 결코 부끄럽지 않은 떳떳한 것이라고 생각한다. 승부의 고비마다 우리를 외면했던 승리의 여신을 생각하면 가슴엔 진한 아쉬움과 아픔이 남게 마련이지만, 때로는 승리보다도 훨씬 아름답고 멋진 패배가 존재한다고 믿는다.

네브라스카 대학의 미식 축구 코치 톰 오즈본은 노트르담 대학의 루 홀츠와 함께 미국 대학 코치 중 최고의 코치로 평가받는 명지도자이다. 1985년 시즌에서 네브라스카 대학은 11전 전승을 기록, 10승 1패의 성적을 거둔 마이애미 대학과 미국 대학 미식 축구 정상의 자리를 놓고 오렌지 볼에서 격돌했다. 경기 종료가 얼마 남지 않은 시점에서 네브라스카 대학은 마이애미 대학에 7점을 뒤지고 있었다. 네브라스카 대학은 맹렬한 추격전을 펼쳐 경기가 끝나기 직전 극적인 터치다운을 성공시키면서 1점 차로 따라붙었다.

시간은 겨우 10여 초가 남았고 네브라스카 대학에게는 이제 두 가지 선택이 남아 있었다. 터치다운을 시도하여 공격을 성공시키면 2점을 더 얻게 되어 역전승을 거둘 수 있다. 그러면 네브라스카 대학은 전승으로 미국 대학 미식 축구 챔피언의 자리에 오르게 된다. 반면에 실패할 경우에는 1점 차이로 마이애미 대학이 승리하게 되어 챔피언의 자리도 마이애미 대학에게 넘어가게 된다. 한편 필드 골을 시도하여 성공시키면 1점을 추가하게 되어 경기는 무승부가 되고, 무패를 기록하고 있는 네브라스카 대학이 챔피언의 자리에 오르게 된다.

성공의 확률은 물론 필드 골 쪽이 훨씬 높다. 시간이 촉박한 상태에서 터치다운을 시도해봐야 사실 성공 확률은 높지 않다. 따라서 상식적으로 판단하면 안전하게 필드 골을 시도하여 게임을 무승부로 만들고 대학 미식 축구의 챔피언 자리를 노리는 것이 최선의 길이다. 그 수많은 미국 대학의 미식 축구 코치들 중 대학 챔피언의 영광을 맛본 사람의 수는 손가락으로 꼽을 정도이다. 그리고 톰 오즈본에게 드디어 그 기회가 온 것이다. 중계 방송을 하던 아나운서와 해설자도 '흥미로운 결정' 이라고 논평하며 귀추를 주목하고, 그 경기를 지켜보던 수많은 관중들과 시청자들 역시 잠시 숨을 죽였다.

그러나 오즈본은 생각할 필요도 없다는 듯이 과감하게 터치다운을 시도할 것을 지시했다. '완전한 우승' 을 노린 것이다. 그리고 오즈본의 과감한 시도는 '보기 좋게 실패' 하여 게임은 마이애미 대학의 1점 차 승리로 끝났다. 물론 네브라스카 대학의 우승의 꿈도 날아가버렸고 오즈본은 순간의 판단 잘못으로 우승을 놓친 패전지장이 되고 말았다.

경기가 끝난 뒤 기자들이 그가 왜 그렇게 성공 가능성이 희박한 결정을 내렸었는지를 집중적으로 질문했다. 그가 짧게 그러나 당당하게 대답했다.

"경기는 이기려고 하는 것이지 비기려고 하는 것이 아니다."

최선의 결과를 얻는 것이 가능한 상황에서 왜 차선으로 만족하려고 하느냐는 얘기다. 네 번의 공격에 10야드를 전진하지 못하여 공격권을 넘겨주는 일이 비일비재한 미식 축구에서 시간이 촉박하고 공격 기회가 한 번밖에 없을 때 터치다운을 하는 것은 사실 매우 어렵다. 그러나 불가능한 것은 아니다. 거리가 비교적 짧기 때문이다. 반면에 필드 골은 거의 8, 90퍼센트의 성공 확률을 기대할 수 있다. 따라서 일생에 한 번 찾아올까 말까 한 우승의 기회를 살리려면 필드 골을 시도하는 것이 합리적인 결정이었을 것이다. 그럼에도 불구하고 네브라스카 대학은 무승부를 통한 불완전한 우승보다는 깨끗한 승리를 통한 '완전한 우승'을 추구했던 것이다.

"경기는 이기려고 하는 것이지 비기려고 하는 것이 아니다."

이 한마디로 톰 오즈본은 미식 축구의 숭고한 가치를 지키는 수호신으로 부각되었고, 네브라스카 대학 선수들은 비록 경기에서는 아깝게 졌지만 우승팀 못지 않은 찬사를 들었다. 단순한 우승보다는 더욱 차원 높은 목표에 과감하게 도전한 그들의 진정한 스포츠맨십이 미식 축구 팬들의 심금을 울리고 그들을 떳떳하게 한 것이다. 이렇게 눈앞의 단순한 승리보다는 더욱 차원 높은 어떤 이상적인 가치를 추구하려는 태도야말로 우리들의 삶을 한층 더 빛나게 하는 것이 아니겠는가.

5부 사람은 도전으로 산다

“지키는 것은 어려워요”

일본의 전설적인 복서 구시켄 요코는 WBA 주니어 플라이급 타이틀을 열세 차례나 방어한 훌륭한 선수였다. 그 뒤에 우리나라의 장정구와 유명우가 잇달아 그 기록을 경신하여 더욱 위대한 복서로 자리잡았지만, 구시켄 요코가 장정구, 유명우 이전의 가장 위대한 주니어 플라이급 선수였다는 데 이의를 달 사람은 없을 것이다. 그가 세계 챔피언으로서 한창 전성기를 구가하던 어느 날 방어전을 끝낸 뒤 일본 권투 기자가 방어전을 끝낸 소감을 물어왔다. 그가 지친 목소리로 대답했다.

“지키는 것은 어려워요.”

구시켄 요코가 온 일본을 떠들썩하게 했던 호화로운 결혼식을 불과 며칠 앞두고 예상외로 페드로 플로레스에게 허무하게 12회 KO패, 타이틀을 빼앗겼을 때 그는 오히려 홀가분해 보였다. 그만큼 정상의 자리를 지킨다는 것이 힘들고 어려운 일이라는 반증일 것이다.

지난 95년 10월 원주에서 벌어진 코리언 리그 농구 대회에서 기아 자동차는 시합 시간에 지각하여 몰수 게임을 당하는 등 시종 어처구니없는 모습을 보여주다가 3위에 그치고 말았다. 그 원인이야 여러 가지가 있을 수 있겠지만 아마도 '목표 의식의 상실' 또는 '성취 동기의 부족'이 가장 알맞은 설명일 것이다.

기아자동차가 농구대잔치를 통해 이루어낸 업적은 그야말로 휘황찬란하다. 창단 3년 만에 농구대잔치 정상에 오른 뒤 무려 5년 연속 우승이라는 금자탑을 세웠으며 지난 94~95 농구대잔치에서도 정상에 올라 우리나라 남자 농구 최정상의 위용을 자랑했었다. 그런데 그것이 바로 문제다. 국내 농구 무대에서는 더이상 추구해야 할 목표를 찾기가 어려운 것이다.

그러나 실상을 들여다보면 반드시 그런 것만도 아니다. 지난 93~94 농구대잔치 때부터 드러났듯이 이제 기아자동차의 '허동택 농구'는 정점을 지나 하향곡선을 그리기 시작한 것이 분명하다. 올해부터 중앙대 출신의 김영만이 가세해서 전력이 크게 보강됐지만 한기범이 노쇠 기미를 보이고 있고, 김유택, 허재, 강동희 등 '허동택' 트리오도 그들의 나이를 고려할 때 우리가 그들의 플레이를 볼 수 있는 날도 얼마 남지 않았다. 게다가 기아자동차는 정상급의 팀으로서는 주전과 후보 선수들의 실력 차가 비교적 큰 편이다. 그리고 고려대, 연세대 등 대학세를 비롯, 삼성, 현대, SBS, 기업은행 등 실업의 강호들은 프로 농구 시대를 대비하여 전력 보강이 한창이다. 기아자동차가 전력상 다른 팀보다 한 수 위라는 가정은 이제 들어맞지 않는 것이다. 따라서 기아자동차로서는 95~96 농구대잔치에서의 우승도 장담할 수 없는 형편이다. 실제로 기아자동차는 개막전에서 서장훈이 빠져 전력이 약화된 연세대에게 대패하는 등 초반부터 비틀거리고 있다. 그런데 정작 선수들은 목표의식을 잃고 흔들리는 모습을 보여주고 있는 것이다.

특히 기아자동차 전력의 핵인 허재가 얼마나 강한 의욕을 가지고 있느냐가 의문이 아닐 수 없다. 허재는 지난 9월 대만 프로농구 진출을 시도하다가 단념했었다. 그 이유는 내가 자세히 알 수 있는 성질의 것은 아니지만 그가 이번이 마지막 기회라고 생각하며 집념을 보였던 것을 생각하면 어떤 이유에서건 그로서는 매우 아쉬운 일일 것이다. 허재가 외국 프로농구 진출을 시도한 것은 이번이 처음은 아니다. 임달식, 김성욱과의 폭력 사건으로 징계중일 때 미국 프로농구 WBL에 진출하려고 한 적이 두 번 있었다. 그리고 그때마다 그 시도는 농구협회의 제동으로 실패했었다. 그가 언젠가 가장 후회되는 일이라고 술회했듯이 더 넓은 무대에서 그 자신의 기량을 발휘해보고자 했던 노력이 수포로 돌아간 것이다.

이런 상태에서 그는 이번 시즌 그의 자리를 위협하는 X세대 스타들을 상대로 '국내 타이틀 방어전'을 벌여야 한다. 그로서는 그리 신이 나는 일이 아닐 수도 있다.

지난 94~95 농구대잔치 때는 허재로서는 자신이 최고라는 것을 증명해야 할 필요성이 절박했다. 93년 말 국가 대표팀에서 제외되는 시련을 겪은데다가 현주엽, 전희철, 문경은, 이상민, 우지원 등 X세대 스타들의 기량이 일취월장하며 우리나라 최고의 농구 선수로서의 위치가 흔들렸던 것이다 그러나 지난 94~95 농구대잔치 최종 결승전에서 허재의 눈부신 활약으로 기아자동차가 정상을 탈환하고, 95년 6월 서울에서 열린 제18회 아시아 농구 선수권 대회에서 현주엽, 전희철을 제외하곤 X세대 스타들이 극도의 부진을 보인 반면 허재와 강동희는 발군의 기량을 과시함으로써 '오빠 부대'의 허상이 드러남과 동시에 허재와 X세대 스타들과는 아직 실력 차가 있다는 것이 증명되었다. 허재는 게다가 아시아 농구 선수권 대회에서 최우수 선수로 뽑혀서 우리나라뿐 아니라 아시아에서도 가장 뛰어난 선수임이 증명되었다. 이제 허재가 국내에서 이루어야 할 목표는 쉽게 눈에 띄지 않는 것이다. 그로서는 어떤 돌파구가 필요한 시점이다.

장훈 선수는 조성민, 임선동 등의 일본 프로야구 진출 움직임을 일컬어 "원칙적으로 우리나라 선수는 우리나라 프로야구를 강하게 만들고 우리나라 관중을 위해 플레이해야 하는 것 아니냐?"는 반응을 보였다고 한다. 그의 말에 전적으로 동의하는 것은 아니지만 허재도 대만 프로농구 진출이 좌절된 것을 두고 그리 아쉬워할 것은 없다. 그의 플레이를 조금이라도 더 보고 싶어하는 국내의 수많은 팬들을 생각해서 더욱 수준 높은 플레이를 보여주면 되는 것이다.

이제 우리나라도 96~97 시즌부터는 프로 시대가 개막될 것이라고 한다. 아마추어 팀들인 대학 팀들은 별수 없이 제외되어 그들의 패기 넘치는 플레이를 더이상 볼 수 없게 되는 현실이 아쉽고, 여자 농구의 장래는 어떻게 될 것인지 매우 우려되기는 하지만, 남자 농구의 프로화는 이미 돌이킬 수 없는 대세이며, 그만큼 우리나라 남자 농구의 수준이 향상될 것만은 확실하다. 우리나라에도 미국과 유럽의 뛰어난 선수들이 수입될 것이고 그들과 함께 부딪히며 플레이하는 시대가 온 것이다. 기아자동차도 허재도 이젠 새로운 상황을 맞아 새로운 도전을 준비해야 한다. 그리고 그 도전의 내용은 우리나라 최정상의 팀으로서, 또한 우리나라 최고의 선수로서 더욱 차원 높은 플레이의 모델을 제시하는 것이라야 할 것이다.

올해에는 애틀랜타 올림픽이 열린다. 우리나라는 지난 제18회 아시아 농구 선수권 대회에서 준우승을 차지함으로써 28년 만에 처음으로 올림픽 진출권을 자력으로 따냈었다. 허재 또한 지난 88년 서울 올림픽에서 선수 대표 선서를 하는 최고의 영광을 맛본 이후 처음으로 올림픽 무대에 서게 되었다. 허재가 제아무리 아시아권에서는 난다 긴다 해도 그가 NBA 무대에서 뛰는 것을 상상해보면 세계 무대에서의 그의 위치를 짐작하기는 어렵지 않다. 그는 내년 애틀란타 올림픽에서 과연 어떤 플레이를 보여줄 수 있을까? 현주엽과 함께 '세계 무대에서도 통할 수 있는 선수' 정도로 그칠 것인가, 아니면 '세계 무대에서도 아주 뛰어난 선수'로 판명될 것인가?

나는 여기서 '승리라는 것은 자신이 발휘할 수 있는 능력을 최대한 발휘하여 그 능력이 도달할 수 있는 최상의 플레이를 펼치는 것'이라고 정의한 UCLA의 전설적인 명감독 존 우든의 경구를 다시 상기하고자 한다. 허재뿐만 아니라 우리나라 국가 대표 선수들 모두가 세계 무대에서도 위축되지 않고 자신들의 기량을 유감 없이 발휘하여 자신들이 펼칠 수 있는 최상의 플레이를 펼친다면 그 결과는 겉으로 드러나는 성적에 관계없이 농구팬들 모두가 아낌없이 갈채를 보낼 수 있는 멋진 것이 될 것이다.

허재의 농구 인생은 그가 연고대라는 전통의 명문 팀을 거부하고 중앙대를 선택할 때부터 도전으로 가득 찬 역정이었다. 그가 중앙대를 졸업하고 기아자동차에 입단한 것 또한 새로운 도전이었다. 그리고 그의 농구 인생이 분노와 좌절, 반항과 오기로 점철된 것은 그가 항상 기존의 것보다는 새로운 것에 도전하는 과감한 선택을 해왔기 때문이기도 하다. 사람은 누구나 같겠지만 그는 무언가 그의 자존심과 오기를 자극하는 뚜렷한 도전 대상이 있을 때 더욱 신이 나서 눈부신 활약을 보여준다. '농구 천재' 허재는 이제 어떤 새로운 도전을 준비하고 있을까?

---

* 허재의 마지막 도전은 프로농구 꼴찌 팀인 삼보 엑서스를 우승시키는 일이다. 올해(2002년)에는 중앙대를 졸업한 수퍼 루키 김주성이 입단했기 때문에 그 가능성이 어느 때보다 높다.

박찬호가 보여준 '세계화'

요즈음 입이 달린 사람은 누구나 떠드는 것처럼 이제 우리는 '우물 안의 개구리' 에서 벗어나 더 커다란 무대에서 새로운 도전을 준비해야 하는 시대에 살고 있다. 그런 때에 정부에서 '세계화' 의 구호를 들고 나온 것은 일견 시의 적절해 보인다. 그러나 도대체 정부에서 떠드는 '세계화' 란 그 구호가 나온 지도 벌써 1년이 넘었는데도 정확한 개념이 무엇인지도 잘 알려져 있지 않고 무슨 도깨비 장난인지 알 수가 없으니 우리더러 대체 어쩌란 말인지 혼란스럽기만 하다.

요즘엔 순수 과학 분야의 연구계획서에도 괜히 '세계화' 란 말을 집어넣어야만 정부 관리들의 눈길을 끌고 그 연구의 필요성을 납득시킬 수 있는 한심한 지경에까지 이르렀다. 겨우 이렇게 내용도 확실치 않은 구호나 만들어내어 국민을 혼란에 빠뜨리는 정부는 어디 조금이라도 소위 '세계화' 가 된 구석이 있는지 궁금할 뿐이다.

어떤 시사 월간지에서는 '세계화란 한마디로 영어를 잘하는 것' 이라고 정의하고 집중 기획물을 연재한 적이 있다. 그렇다면 그게 어디 '영어화' 이지 '세계화' 인가. 영어권에 속하지 않는 나라 사람들은 이 세상 사람들이 아니란 말인가

82년 쌍곡면 기하학에 관한 연구 성과로 수학자들 사이에서 최고의 영예로 치는 필즈상을 수상하고, 지금은 하버드 대학교 교수로 활동하고 있는 세계적인 수학자 신뚱야우는 그의 훌륭한 수학 실력만큼 영어 발음이 나쁘기로도 유명하다. 홍콩에서 태어나 거기서 자랐으니 아무리 중국 사람이라고 해도 영어에는 문제가 없을 텐데 중국식 발음과 묘하게 합성된 그의 영어는 알아들으려면 굉장한 집중력이 필요하다. 그의 수학만 해도 수준이 높고 어려워서 잘 설명해줘도 알까 말까 한데, 영어마저 엉망이니 그의 강의는 나처럼 '세계화가 안 된' 사람은 정말 알아듣기 힘들다. 그렇지만 아무도 그가 세계화가 안 되었다고 말하지 않는다. 사실 미국에서는 액센트가 없는 사람은 훌륭한 수학자가 아니라는 농담마저 한다. 미국 사람이나 영국 사람들보다도 구소련이나 유럽 여러 나라, 그리고 중국, 일본, 한국(좀 어색하지만 한국도 쳐주자) 등 세계 각지에서 모여든 수학자들이 더 많을 지경이니 액센트가 없는 사람은 수학자로 보이지 않는 것도 이상한 일이 아니다.

물론 영어를 잘하는 건 좋은 일이다. 자기 뜻을 확실하게 표현할 수 있고 다른 사람의 뜻을 잘 알아들을 수 있어야 수학도 잘할 수 있을 것이다. 그러나 수학자에게 제일 중요한 것은 누가 뭐래도 수학 실력이지 영어 실력이 아니다. '세계화' 가 중요하다고 해서 본말이 전도된 구호를 외쳐서는 국민을 혼란에 빠뜨릴 뿐이다. 그 동안 너무나 많은 사람들이 세계화에 대해 의견을 피력했으므로 내가 한마디 더 보태는

것이 '세계화 공해'에 이바지하는 것 같아서 미안하지만, 우리가 '세계화'란 구호를 외치기 전에 반드시 기억해야 할 점을 지적하고 싶다. 즉 '진정한 의미의 세계화'란(그것이 과연 무슨 뜻인지는 나도 잘 모르겠지만) 무엇보다 먼저 '국내화(?)' 내지는 '자기화'가 이루어졌을 때에야 비로소 가능하다는 것이다.

지금 일본 야구팬들 사이에서는 미국 메이저 리그 로스엔젤레스 다저스팀에 진출해 있는 노모 히데오 열풍이 불고 있다. 세계 최고 수준의 야구 무대인 메이저 리그에서 노모는 지난 95년 시즌 동안 13승 6패, 방어율 2위(2.54), 탈삼진 1위(236개)라는 놀라운 활약을 보여 동양인으로서는 처음으로 내셔널 리그 신인왕에 오르는 위업을 이룩했다. 지난여름에는 '꿈의 구연'이라고 불리는 올스타전에 선발 투수로 출전하는 영광을 누리기도 했으니 일본 야구팬들이 열광하는 것도 무리는 아니다. 내가 일본을 방문중이던 지난 95년 6월 24일에는 노모가 샌프란시스코 자이언츠와의 게임에서 안타를 겨우 3개만 허용하는 한편 삼진을 13개나 잡아내며 완봉승을 거두어 신문마다 TV마다 노모에 관한 기사가 넘쳐 흘렀다. 특히 미국 메이저 리그 최고의 강타자 중 하나인 샌프란시스코 자이언츠의 배리 본즈를 삼진으로 잡아내는 장면은 하도 자주 보여주어 신물이 날 지경이었다. 몸을 요상하게 비비꼬아서 전력으로 공을 뿌리는 노모의 괴상망측한 투구폼을 바라보며 나는 나도 모르게 착잡한 심정에 빠지지 않을 수가 없었다. 노모보다 일 년 먼저 메이저 리그에 데뷔했다가 마이너 리그로 떨어진 이후, 95년에도 메이저 리그 복귀에 실패하고 트리플 A 리그에서 선수 생활을 하고 있는 우리나라 박찬호 선수의 모습이 겹쳐졌기 때문이다.

사실 이렇게 박찬호와 노모를 동일 선상에 놓고 비교하는 것은 올바른 비교는 아니다. 노모는 미국 메이저 리그에 진출하기 전, 이미 일본 프로야구 최고의 투수였다. 고등학교를 졸업한 이후, 사회인 야구에서 2년여 동안 선수 생활을 하다가 프로에 입문, 긴데스 버팔로스 팀에서 이미 5년 동안이나 일본 프로야구 정상급 투수로 활약했었다. 프로에 입단할 때는 무려 8개 팀이 1위로 지명, 치열한 경쟁을 벌였으며, 입단 당시의 계약 조건에 그 요상하게 몸을 비비꼬며 던지는 특이한 투구폼을 바꾸지 않는다는 조항이 포함되어 있어 화제를 불러일으키기도 했다. 반면에 박찬호는 아직 프로 무대는 밟아보지도 못했던 대학 2학년생이었을 뿐이다. 그러한 박찬호가 미국 메이저 리그에서 노모보다 좋은 성적을 올리지 못하는 것은 당연한 일이다. 그는 아직도 시간이 있지 않은가.

박찬호가 처음으로 미국 메이저 리그에 데뷔했을 때 그는 미국 야구팬들에게는 그야말로 신선한 충격이었다. 훤칠하고 서글서글한 인상으로 이미 인기를 끈데다가, 마운드에서 심판에게 공을 받을 때나 타석에 들어섰을 때(내셔널 리그에는 지명 타자 제도가 없고, 투수도 타격에 나서야 한다) 심판에게 공손하게 인사하는 모습은 미국 야구팬들에게 깊은 인상을 심어주어 스포츠 전문지에서 앞다투어 특집으로 다룰 지경이었다. 지금은 클리블랜드 인디언즈로 이적했지만 당시 로스엔젤레스 다저스의 명투수 오렐 허샤이저 같은 선수는 "박찬호가 앞으로도 변하지 말고 지금처럼 한국에서 가져온 좋은 버릇들을 지니고 있기를 바란다"고 말하기도 했었다. 그가 세계화한답시고 괜히 양어깨를 으쓱거리고 껌이나 질겅질겅 씹으며 마운드에 올랐다면 미국 야구팬들에게 그렇게 깨끗한 인상을 남기지는 못했을 것이다. 나는 그때 '진정한 의미에서의 국제화나 세계화란 바로 저런 것' 이라는 생각을 하며 박찬호가 성공을 거두기를 바랐었다. 아무리 박찬호가 신선한 충격을 주었다 해도 야구를 못한다면 아무 소용 없는 일이기 때문이다.

세계화의 개념이 무엇이든, 그리고 우리가 원하든 원하지 않든 우리는 이미 '세계화된' 세상에 살고 있으며 거기에 우리 스스로 적응하여 살아가야 하는 형편인 것만은 분명하다. 나는 우리가 세계화의 성격을 규정할 때 박찬호의 예를 참고해야 한다고 생각한다. 우리가 시도해야 하는 새로운 도전의 성격은 치열한 탐구를 통하여 확보한 자기 정체성을 바탕으로 자기 색깔을 뚜렷하게 유지하면서 자기가 일하는 분야에서 세계적인 수준으로 발돋움하려는 노력이어야 한다는 것이다.

---

* 모두들 알고 있는 것처럼 박찬호는 이미 메이저 리그의 정상급 투수로 성장했다. 박찬호의 성공에 고무되어 봉중근, 김선우, 조진호, 최희섭 등 많은 젊은 선수들이 메이저 리그에 진출해 활약하고 있다.

김기수와 계란 한 알

샌프란시스코 포티나이너즈는 81년부터 지금까지 미국 프로 미식 축구 무대를 석권해온 전설적인 강팀이다. 샌프란시스코 포티나이너즈는 1981년부터 1994년까지 178승 68패 1무승부를 기록, 73.6%의 경이적인 승률을 올리며 슈퍼 볼 다섯 번 우승, 열두 번 플레이오프 진출 등 찬란한 성적을 거두어 '80년대의 팀' 으로 불렸다.

이렇게 위대한 샌프란시스코 포티나이너즈의 업적을 말할 때에는 명감독 빌 월시와 함께 명 쿼터백 조 몬태나를 빼놓을 수가 없다. 샌프란시스코 포티나이너즈의 모든 위대한 업적은 조 몬태나와 함께 시작되었고, 그와 함께 정상에 섰다. '필드의 마술사' '골든 조' '필드의 여우' 등 이루 헤아릴 수 없이 많은 별명을 지닌 그는 80년대 샌프란시스코 만 일대(속칭 '베이 에어리어')의 영웅이었고 수많은 어린이들의 우상이었다. 그렇지만 그가 처음부터 그렇게 천재적인 실력을 보여줬던 것은 아니다. 인디애나 대학에 입학할 당시의 조 몬태나는 미식 축구가 아니라 농구 특기생이었다. 그러나 185cm의 키로는 농구 선수로서 대성할 가능성이 별로 보이지 않자 미국 대학 미식 축구의 명문 노트르담 대학으로 옮겨 미식 축구 선수로서 새 출발을 했다.

미국 대학 미식 축구 최고의 감독으로 꼽히는 루 홀츠의 조련을 받으며 조 몬태나는 뛰어난 쿼터백으로 성장, 졸업반 시절에는 코튼 볼에서 무려 20점 이상 뒤져 있는 경기를 뒤집는 대역전극을 펼치는 등 이름을 날렸지만, 러닝 게임을 위주로 하는 노트르담 대학의 플레이 스타일 때문에 쿼터백이던 조 몬태나가 스포트라이트를 받을 수 있는 상황은 아니었다. 샌프란시스코 포티나이너즈에 입단할 당시에도 그는 드래프트 3번 순위였고, 그때 이미 세 명의 쿼터백들이 다른 팀에 1번 지명을 받은 것만 보아도 그가 가장 주목받는 쿼터백이 아니었던 것만은 분명하다. 실제로 조 몬태나는 댄 마리노나 존 엘웨이처럼 어깨가 강한 것도 아니고, 스티브 영이나 랜달 커닝햄처럼 스피드가 뛰어난 것도 아니었다. 즉 쿼터백으로서 최상의 신체적 조건을 갖춘 것은 아니었다는 말이다. 그러나 그는 자신의 약점을 보강하기 위하여 끊임없는 자기 계발 노력을 기울였고, 자신이 가지고 있는 다른 강점들로 자신의 약점을 상쇄할 수 있는 현명함을 지니고 있었다. 그는 자신의 신체적인 약점을 정확한 상황 판단 능력과 기만한 두뇌 회전으로 이겨냈던 것이다.

조 몬태나의 위대함이 가장 극적으로 드러났던 경기가 바로 신시내티 벵갈즈와 격돌했던 제23회 슈퍼 볼 결승전이다. 경기 종료 3분 5초를 남겼을 때의 스코어는 16대 13으로 신시내티의 리드. 샌프란시스코 진영 8야드 지점에서 공격권이 샌프란시스코에게 넘어왔다. 터치

다운을 위하여 가야 할 거리는 무려 92야드. 조 몬태나가 롱 패스를 잘 던지지 않는다는 점을 감안하면 역전은 이제 불가능해 보였다. 그러나 몬태나는 서두르지 않았다. 신시내티의 수비진이 단 한 번의 기습 공격에 대비, 지역 방어를 펼치고 있는 것을 간파한 그는 빠른 중앙 돌파를 감행, 9야드, 7야드, 5야드 등의 짧은 패스를 던지며 착실한 러싱 공격으로 전진해갔다. 샌프란시스코 진영 31야드 지점에서 시간이 1분 54초가 남았을 때 몬태나는 작전 타임을 요청하고 상황 파악에 들어갔다. 상대방이 지역 방어에서 대인 방어로 전환한 것을 감지한 몬태나는 17야드, 13야드 등 중거리 패스로 신시내티 35야드 지점까지 전진했으나 불운하게도 페널티를 받아 10야드를 후퇴해야 했다.

시간은 1분 22초. 가야 할 거리는 45야드. 분위기는 신시내티로 기운 듯했다. 그러나 몬태나는 상대방의 허를 찔렀다. 다음번 공격에서는 제리 라이스에게 긴 패스를 던져 일거에 27야드를 전진한 다음 다시 크레이그에게 던진 8야드 패스로 신시내티 진영 10야드 지점까지 육박했다. 시간은 39초가 남고 상황은 숨막히게 돌아갔다. 불가능해 보였던 대역전극이 가능해진 것이다. 드디어 조 몬태나가 존 테일러에게 던진 터치 다운 패스로 경기는 기적적으로 역전되었다.

남은 시간은 이제 29초. 신시내티로서는 역전의 기회마저 가질 수 없었다. 모든 것이 치밀하게 계산된 몬태나의 작전이었다. 그렇게 급박한 상황에서도 침착함을 잃지 않고 퍼즐을 풀 듯 차근차근 경기를 풀어나간 몬태나의 판단력은 가히 환상적이라고 할 수 있다. 경기가 끝난 후 신시내티의 크리스 몰리스워드는 믿을 수 없는 역전패에 다음과 같이 한탄했다.

"몬태나는 인간이 아니다. 나도 그가 신이라고 생각하진 않는다. 그러나 그는 분명히 신과 인간 사이의 어딘가에 있다. 나는 그처럼 모두가 포기한 상황에서 컴백할 수 있는 선수를 본 적이 없다."

NFL 감독과 수비 선수들이 가장 싫어하는 장면이 바로 자신의 팀이 박빙의 리드를 잡고 있고 경기 시간이 얼마 남지 않았을 때 조 몬태나가 자기 팀의 공격 라인을 이끌고 나타날 때라고 한다. 불가능한 상황에서도 기적적으로 경기를 뒤집어버리곤 하는 그의 마술사 같은 능력 때문에 생겨난 말이다. 그는 성격이 차분하며 오히려 수줍은 편이다. 그러나 책임감이 강하고 위기에서 흔들리지 않는다. 그의 동료들은 그가 나타나면 반드시 승리할 수 있다는 믿음을 갖게 된다고 말한다. 그만큼 조 몬태나의 카리스마가 강하다는 이야기다.

조 몬태나는 94년 시즌을 끝으로 은퇴하여 이젠 그의 모습을 볼 수가 없다. 그리고 그의 자리는 스티브 영과 같은 차세대 스타들로 채워질 것이다. 그러나 자신의 신체적인 약점을 끊임없는 자기 계발 노력을 통하여 장점으로 승화시키고 뛰어난 두뇌 회전과 판단력을 바탕으로 NFL 최고의 쿼터백으로 태어난 조 몬태나는 자신의 한계를 극복한 인간 승리의 표본으로 오래오래 기억될 것이다.

인간은 누구나 한계를 지니고 있다. 그러나 그 한계에 도달하여 쉽게 좌절해버리고 만다면 우리가 스스로 애정을 가질 만한 의미 있는 성취를 이룰 수가 없다. 도전이란 본질적으로 자신의 한계를 극복하려는 노력이다. 우리나라가 자랑하는 세계적인 여배우 강수연은 그녀가 지금까지 이룩한 여러 가지 성취에도 불구하고 자신의 마음에 드는 작품은 아직까지 하나도 없었다고 고백한 적이 있다. 그리고 언제 어디서 다시 보아도 좋은 영화 다섯 편만 만드는 것이 꿈이라고 밝혔다. 이렇게 끊임없이 더욱 높은 목표를 설정하고 자신의 한계를 넓혀 나가려는 노력을 기울일 때 비로소 우리가 스스로 애정을 가질 만한 아름다운 성취를 이룰 수 있을 것이다.

내가 예일 대학교에서 공부하던 시절 어느 날, 수학과 친구들과 밤늦게까지 캠퍼스에 있는 요크사이드 피자하우스에서 생맥주 잔을 기울이다가 누군가가 문득 왜 수학을 공부하게 됐느냐는 질문을 던져왔다. 나는 웃으면서 '근본적인 실수' 였다고 대답했다('Basic mistake' 라고 대답했으니까 '원초적 실수' 라고 이해했는지도 모른다). 그리고 대부분의 친구들이 웃으며 동의했다. 어렸을 때 수학을 조금 잘한다는 소리를 듣고는 그걸 자기가 수학에 특별한 재능이 있다는 것으로 착각을 해서 그만 돌이킬 수 없는 이 길로 들어온 자신들의 신세를 돌아보며 묘한 공감대를 느낀 것이다.

곧이어 스스로를 위로하는 말 잔치가 벌어졌다. 그래도 아름답고 깨끗하지 않느냐는 등 구조가 완벽에 가깝다는 등 우리의 '근본적인 실수' 를 만회하고 위로해줄 수 있는 핑계를 찾기에 골몰했다. 그러다가 한 친구가 한숨을 쉬며 말했다.

"그런데 너무 어렵단 말야."

모두 조용해졌다. 그리고 맥주를 한 잔씩 더 들이켰다. 그래서 '근본적인 실수' 라고 후회하고 있는 것이 아닌가. 나는 마침 해결하려고 애쓰던 문제가 벽에 막혀서 내가 박사 학위라도 받을 수 있을지 전전긍긍하고 있던 참이라 더욱 우울해졌다. 그때 그 동안 말없이 듣고만 있던 내 가장 친한 친구 프레드 위너가 입을 열었다.

"나는 수학이 어렵기 때문에 수학을 공부하기로 마음먹었었다. 어렵다는 생각이 없었다면 나는 수학을 공부하지 않았을 것이다."

순간 나는 머리가 맑아지는 느낌이었다. 그렇다. 도전이란 무언가 어려운 것을 이루어보려고 하는 것이다. 그리고 그 어려움이 크면 클수록 도전한 목표를 이루었을 때의 성취감은 더욱 강렬할 것이다. 우리의 손이 전혀 닿을 것 같지 않은 까마득한 곳에 위치한 목표를 바라보며 우리는 절망하고 무력해한다. 그러나 그렇게 어려운 목표일수록 도전해볼 만한 가치가 있는 것이다. 우리가 이루려는 목표가 너무 어렵다고 미리 좌절하거나 두려워할 필요는 없다. 오히려 맹렬한 투지와 헌신으로 도전할 때 우리의 인생은 그만큼 아름다운 것이 될 것이다.

1966년 장충체육관에서 이탈리아의 니노 벤베누티에게 15라운드 판정승을 거두고 WBA 주니어 미들급 세계 타이틀을 획득, 우리나라 최초로 세계 챔피언의 자리에 오른 김기수는 그의 '헝그리 정신'과 건실한 생활 태도로 모든 권투 선수들에게 모범이 되었던 훌륭한 선수였다. 나는 너무 어려서 그의 경기 모습을 직접 볼 수 있는 기회가 없었지만, 대학 시절 권투 전문지 『펀치 라인』에서 아르바이트 생활을 하며 『펀치 라인』의 김재천 취재부장님에게서 들은 김기수에 대한 이야기는 나에게 깊은 감동을 남겨주었다.

김기수가 아직 세계 챔피언이 되기 전의 일이다. 정릉 골짜기 오두막집에서 아내와 어린 딸과 함께 살던 김기수는 하루도 빼놓지 않고 어둠을 가르고 새벽 러닝을 하며 세계 챔피언의 꿈을 키웠다. 그가 지친 몸을 이끌고 집에 돌아오면 그의 아내는 달걀 한 개를 들고 기다리고 있다가 그의 밥상에 올렸다. 그때의 권투 선수들은 지금과는 비교가 안 될 정도로 주린 배를 움켜쥐고 샌드백을 두드렸다. 라면 국물이

닭고기 국물인 것으로 잘못 알려져 있던 그 시절, 권투 선수들은 라면 한 개를 먹고는 알통이 얼마나 나왔나 확인해볼 정도였다고 한다. 김기수의 아내는 달걀 하나가 남편의 체력을 강하게 하여 그를 세계 챔피언으로 만들 것이라는 애처로운 믿음으로 가난한 살림에도 '비싼' 달걀을 매일 아침 김기수의 밥상에 올린 것이다.

어느 날 나이 어린 딸이 투정을 부렸다.

"아빠, 나도 계란 줘."

김기수는 쏟아져나오는 눈물을 참으면서 타일렀다고 한다.

"아빠가 이 계란을 먹어야 우리 가족이 모두 잘살 수 있다."

우리나라 최초의 세계 챔피언이 탄생한 이면에는 이렇게 귀여운 딸에게 계란 한 개도 선뜻 주지 못하던 아버지의 가슴 찢어지는 희생이 숨어 있었던 것이다.

사람은 무엇으로 살아가는 것일까? 나는 사람이란 끊임없이 무언가에 도전하며 무언가를 성취하려고 몸부림치도록 프로그램되어 있다고 생각한다. 왜 그렇게 되어 있는지, 그리고 그 의미가 무엇인지는 신의 영역이니만큼 내가 이해할 수 있는 것은 아니다. 우리는 『시지프의 신화』에서처럼 비록 그것이 허무한 것으로 드러날지라도 나름대로 아름다운 꿈을 꾸고 그 야망을 이루기 위하여 끊임없이 도전한다. 그리고 그러한 도전은 반드시 그에 상응하는 헌신과 희생을 요구한다. 우리가 꿈을 꾸는 목표를 이루기 위해서는 그에 따르는 자기 헌신과 자기 희생을 각오해야 한다. 그것이 김기수의 경우처럼 가슴 찢어지는 것일지라도 그렇게 이루어놓은 열매는 그 크기에 상관없이 가슴 사무치도록 아름다운 것이므로.

| 발문 |

충청도 촌놈 강 교수의 매력

김명환(서울대 수리과학부 교수)

강석진 교수는 여러 가지 면에서 나를 주눅들게 하는 동료이다. 끊임없이 좋은 연구 논문을 발표하는 수학자로서의 재능, 연륜만 조금 더 쌓이면 명강의 소릴 들을 만한 열강, 별의별 시시콜콜한 것까지도 기억하는 비상한 기억력, 사물이나 현상의 눈에 잘 띄지는 않지만 의미 있는 부분을 관찰하는 예리하고 독창적인 시각, 언제 들어도 구수한 입담, 거침이 없으면서도 섬세한 글솜씨, 무슨 일이건 하고픈 일이면 달려들어 끝을 보는 뚝심 등등…… 내가 부러워하는 그의 장점들은 참으로 많다. 게다가 그는 내가 가장 자랑스러워하던 축구부 지도교수 자리를 탈취해간 장본인이다.

이처럼 사람들이 자기가 가지지 못한 뛰어난 능력을 가진 동료를 어떻게 받아들일 것인가에 대한 그의 견해가 이 책에 담겨 있다. 자칫 딱딱할 수 있는 이러한 주제에 대하여 그는 개인별 능력의 차이가 극명하게 드러나는 스포츠의 세계를 무대로 종횡무진 이야기 보따리를 풀어가고 있다. 강 교수와 마찬가지로 주위 사람들로부터 운동권(?) 교수라는 힐난을 들을 정도로 스포츠광인 나는 모처럼 앉은 자리에서 처음부터 끝까지 다 읽고 나서야 이 책에서 눈을 뗄 수 있었다. 참으로 흥미진진 재미있는 책일 뿐만 아니라, 가벼운 마음으로 읽었으되 결코 가볍지 않은 감동이 오래 남는 그런 책이다.

동안(童顔)의 그는 항상 캐주얼한 차림으로 운동화를 신고 다닌다. 게다가 학생들처럼 색(sack)을 메고 다니니 누가 교수로 보아줄 것인가. 한번은 그가 자신의 연구실로 들어가는데 한 학생이 따라들어 오더란다. 왜 왔느냐고 했더니 미적분학 시험 성적에 이의를 제기하려는데 학과 사무실에서 조교를 찾아가라고 했다는 것이다. 학생이 보기에 차림새가 학생은 아닌 듯하고 교수는 더더욱 아닌 듯하여 따라들어 왔으리라. 더구나 연구실 문에는 '조교수강석진' 이라고 적혀 있는 않은가. 그후 한동안 그의 별명이 '조교-수강석진' 이었다. 그가 서울대학교 교수로 부임한 지 얼마 안 되어 문중의 시제에 갔을 때, 그의 부친께서 은근히 아들 자랑을 하고 싶으셨던지 "서울대학에 있는 제 자식입니다" 라고 그를 문중 어른들께 인사시키자 그중 한 분이 "그래 몇 학년인고?" 라고 물으시더란다.

여러 가지 면에서 나를 주눅들게 하고 축구부 지도교수 자리까지 빼앗아간 악연에도 불구하고 그는 내가 가장 좋아하는 후배이다. 우리는 공동 연구를 수행하기도 하는 학문적인 친구요, 가끔씩 흐느적거리는 분위기가 그리울 때 누가 먼저랄 것도 없이 미끼를 던지면 못이기는 체 따라나서주는 술친구이다. 그러나 내가 그를 좋아하는 으뜸 이유는 나처럼 그도 축구에 미쳐 있다는 점이다.

예일 대학 박사에 서울대 교수라는 직함에 어울리지 않는 소탈한 그의 성격과 슬쩍 남아 있는 충청도 촌놈의 티가 오히려 매력적인 그의 분위기를 나는 좋아한다. 항상 자신감 넘치는 그의 행동거지에서 느껴지는 젊음의 힘을 나는 좋아한다. 삼십대 중반인 그의 얼굴이 그처럼 동안인 것도 아마 그런 이유 때문이리라.

책이 잘 팔리면 술 한잔 사겠다고 한 약속만 지킨다면 나는 그를 더욱 좋아하게 될 것 같다.

| 발문 |

이 유쾌한 수학자에게 갈채를

서영채(문학평론가, 서울대 비교문학협동과정 교수)

발문이라니!

강석진과의 전화를 끊고 나서도, 터져나오는 웃음을 참을 수 없었다. 그가 스포츠에 관한 책을 썼단다. 나보고 발문을 쓰란다. 혼자서 한참을 웃었다. 수학자가 쓴 스포츠 에세이라고만 해도 그러한데, 강석진이 쓴 스포츠 에세이라니 이 얼마나 유쾌하고 재미난 일인가. 그가 귀국한 이후 처음으로 나눈 전화통화였고, 그것도 축구 때문이었는데, 난데없는 스포츠 에세이에 발문이라니 그래 우리는 오갈 데 없는 축구 세대다. 축구를 하면서 친구를 사귀고, 축구를 통해 '인생을 배운'. 웃고 또 웃었다.

자 이제 우리들의 멋진 수학자 강석진을 소개해보자. 어마어마하게도 서울대 수학과를 거쳐 고등과학원 수학부에서 젊은 교수 노릇을 하고 있다든지 하는 등의 공적인 대목들은 이 책의 다른 부분에 나와 있을 것이고, 또 그가 얼마나 뛰어난 젊은 수학자인가 하는 따위의 사설도 나로서는 그저 미루어 짐작할 뿐 밝혀 말하기는 어려운 대목이다. 아마도 내 몫이라면, 축구를 통해 그와 맺은 인연들을 편린이나마 소개하는 것이 아닐까 싶다.

그와 나의 공식적인 인연은 중학교 동창이라는 정도이다. 하지만 중학 동창이라 하더라도 그저 명색이 그렇다는 것이다. 한 학년에 14반이나 되는 대규모 학교인데다 한 번도 같은 반이 아니었고, 그 흔한 무슨 서클 같은 것도 없었던 터라, 보통 경우라면 피차에 얼굴을 익힐 기회조차 없었을 것이다. 우리가 만났던 장소는 물론 따로 있었다. 새삼스러울 것도 없는 방과 후의 학교 운동장, 1학년부터 3학년까지 줄잡아도 예닐곱 팀이 뒤섞여 공을 차고 던지고 하느라 난장 중의 난장인 곳이다. 그래도 골수 축구광들은 주머니 속의 송곳 모양으로 어김없이 드러나기 마련이다. 약속이나 한 듯이 하루도 빠짐없이 운동장에 출석하고, 수위 아저씨에게 쫓겨날 때까지 집요하게 운동장을 사수하는, 그리고 시험 전날이나 비 오는 날처럼 텅 빈 운동장에서라면 제 세상 만난 듯 공을 차대는, 나도 강석진도 그런 골수들 중의 하나였다. 그러니 피차에 친구가 되기 위한 정서적인 통성명 절차 따위는 불필요했다.

그가 같은 동네로 이사를 오면서부터는, 그도 나도 물 만난 고기 꼴이 되었다. 우리에게는 혜화동 골목이라는 새로운 운동장이 생겼다. 거기에는 교문을 닫는다고 추방령을 내리는 수위 아저씨는 없었으나, 진짜배기 요주의 인물이 있었으니 다름아닌 그의 '호랑이 아버지'. 『삼국지』의 장비처럼 끝이 치켜올라간 험상궂은 눈매에 때와 장소를 가리지 않고 터져나오는 불호령의 주인공, 전화를 걸어 "여보세요, 거기 석진이네 집이죠?" 하면, "아니오, 여긴 내 집이오" 하던 분, 대학

신입생이었을 때 시험 공부를 빙자해 놀러 간 그의 집에서 당신 아들은 공부하라고 내쫓고 밤새 내게만 술을 권해 취하게 만들었던 분. 우리는 그저 그분의 불호령만 피할 수 있으면 그것으로 족했다.

고등학교는 서로 갈렸으나 그것은 아무런 문제도 아니었다. 여전히 함께 공을 차고, 한 방에서 뒹굴며 사춘기의 비밀 이야기들을 나누고, 그 주인공들에 대해 분개하고 감탄하고 낄낄거리고, 또 각자 노트에 끄적거리던 시를 돌려 읽고, 권투 중계 시간을 기다려 TV 수상기 앞에서 좌선을 하고 그러던 고등학교 2학년 시절엔, 중앙일보사 주최로 서울 시내 각 보급소 대항 축구 시합이 열린다는 사실을 포착했다. 그런 절호의 기회를 놓칠 수는 없는 일. 우리 둘은 우리보다 어린 친구들과 함께 혜화동 보급소 대표로 뛰었다. 둘 다 신문 배달을 했던 적은 없었으니 당연히 부정 선수였다. 팀 전체가 우리 정도 몸집으로 구성된 오리지널 부정 선수팀(?)을 만나 중도에서 탈락했으나, 그러나 그런 게 무슨 대수이겠는가. 그저 제대로 된 축구 한 게임이 목마르던 시절이었으니.

그러나 대학에 들어가면서부터 그와 나의 신세는 천양지판이었다. 그건 순전히 학교 탓이었다. 그는 정식으로 유니폼을 차려입은 자연대 축구부의 당당한 일원이 되었으나, 나는 축구 생각이 날 때면 캠퍼스를 횡단하여 자연대 운동장까지 가서 강석진을 기다려야 하는 하릴없는 신세로 전락한 것이다. 내가 속해 있던 인문대에는 축구부가 없었던 탓이다. 물론 나도 자구책은 있어서, 국문과 국사과 철학과 등의 열혈 동지들과 더불어 이른바 4동 축구 시절이라는 한때의 황금기를 구가했던 적도 있었다. 축구 실력으로야 프로가 아닌 다음에야 꿀릴 것이 없다고 자부했으나, 아무래도 제반 정황이 정식 축구팀에 비기면 정규군에 야산대 수준. 강석진이 걸치고 있던 붉은 유니폼만은 그저 한없이 부러운 눈으로 바라볼 수밖에 없던 시절이었다.

1985년 그는 유학을 떠났고 나는 입대를 했다. 그 이후 10년여 동안 함께 발을 맞춰볼 기회가 없었음은 물론이고 한동안은 소식조차 끊겨 있었다. 늘 그랬듯이 그는 갑작스럽기가 한밤의 도적 같았다. 난데없이 미국에서 날아온 그의 편지는 나를 감동시키기에 충분했다. 그곳에서 내 시집을 읽었다는, 이제는 박사 학위를 받았고 당분간 미국에 있겠다는, 열 일 젖혀두고 다시 만나 축구나 한번 하고 싶다는, 소식 끊긴 지 5년 만에 그것도 출판사를 거쳐 나를 찾아온 편지였다. 나도 그랬다. 너를 만나 공을 차고 싶었다. 그리고 그로부터 또다시 5년이 지난, 지난 주말에야 비로소 우리는 한 팀이 되어 다시 함께 축구를 할 수 있었다.

이 책의 원고를 단숨에 읽어치워버린 것은, 또다시 혼자 웃어대면서, 연신 감탄에 감탄을 거듭하면서 원고를 읽었던 것은, 그러나 비단 이러한 인연 때문만은 아니었다. 오히려 그의 원고는, 내게는 유감스러운 일이나 우리들의 사적인 경험에 관한 한 매우 인색했다. 당연한 일이다. 이 책은 단순한 회고록이 아니기 때문이다. 회고록이라면 그와 나뿐 아니라 이회택과 신동파와 홍수환이 우상이었던 우리 세대 전체의 회고록이기 때문이다. 축구와 권투와 농구, 우리 세대가 함께 보았던 그 전설적인 경기들을 그는 기억의 여신이 되어 너무나 생생하게 재현해주고 있었고, 그것만으로도 이 책은 나를 감동시키기에 충분했다.

그러나 그뿐인가. 강석진은 언제나처럼 한술 더 뜬다. 농구 스타 허재를 가운데 놓고, 박정태 같은 현직 프로야구 선수들까지 들먹이며 수학 공부를 제대로 하라고 충고하고 있다. 이왕 살 인생이면 똑바로 살자는 것이다. 물론 '도전하는 젊음을 위하여' 따위의 문구라면, 성공하는 사람들의 습관 운운하는 싸구려 처세술 교과서에도 다 나와 있는 말이다. 아마도 동배들에게 혹은 후배들에게 그가 진정으로 하고 싶었던 말은, 그가 인용했던 노랫말의 한 구절, "말이 없이 살아가라고 아주 쉽게 충고하지만 세상 사는 어떤 사람도 강요하지 못해, 나에게"와 같은 대목이었을 것이다. 그가 말하는 도전이란, 남들이 마련해놓은 탄탄대로를 가기보다는 험로일지언정 자기 자신만의 길을 선택하는 것, 곧 유쾌하고 창조적인 열등생의 길을 가는 것에 해당되는 셈이다. 실패마저도 자기 자신의 것일 터인데 두려울 까닭이 있을 리 없다.

일류병, 일등병으로 너나 없이 몸과 마음이 피폐해져 있는 시점이고 보면, 스포츠를 빙자한 강석진의 이런 제언은 얼마나 값진 것인가. 요컨대 일등이 중요하지 않다는 것이 아니라 진짜 일등이 중요하다는 것이고, 더 나아가 진짜의 세계에는 등수 따위가 없다는 것이다. 물론 구태여 따져보지 않더라도 이는 너무나 당연한 말이다. 인생에 무슨 등수 따위가 있을 것이며, 성공이 아니라 도전 그 자체가 중요하다는 것은 두말할 나위가 없지 않는가. 그런데도 우리는 왕왕 너무나 당연한 이런 진리를 잊고 사는 것은 아닌지. 스포츠를 빙자한 강석진의 제언이 새삼 소중하게 느껴지는 것은 바로 그 때문일 것이다.

밤늦도록 이런 값진 이야기를 들려준 강석진에게 나는 아낌없는 갈채를 보내고 싶다. 나의 친구가 아닌 이 책의 저자 강석진에게, 조만간

많은 사람의 친구가 될 이 유쾌한 수학자 강석진에게, 나 또한 그의 친구가 아닌 평범한 독자의 한 사람으로서 아낌없는 갈채를 보내고 싶은 것이다.

축구공 위의 수학자

1판 1쇄 | 2002년 6월 3일
1판 7쇄 | 2015년 8월 10일

지은이 강석진
펴낸이 강병선

펴낸곳 (주)문학동네
출판등록 1993년 10월 22일 제406-2003-000045호
주소 413-120 경기도 파주시 회동길 210
전자우편 editor@munhak.com | 대표전화 031)955-8888 | 팩스 031)955-8855
문의전화 031) 955-3576(마케팅) 031) 955-8864(편집)
문학동네카페 http://cafe.naver.com/mhdn

ISBN 89-8281-531-7 03690

* 이 도서의 국립중앙도서관 출판예정도서목록(CIP)은 서지정보유통지원시스템 홈페이지(http://seoji.nl.go.kr)와 국가자료공동목록시스템(http://www.nl.go.kr/kolisnet)에서 이용하실 수 있습니다. (CIP제어번호 : CIP2005001519)

www.munhak.com